哲学として読む 老子 全訳

山田史生

トランスビュー

目次

謝辞

いまは亡き栗原靖《おさむ》先生、
いまもお健《すこ》やかな清水明先生、
おふたりの誘掖なかりせば、
ぼくの浅学菲才をもって撰するところを
江湖《こうこ》に問うことはかなわなかった。
こころより御礼もうしあげる。

まえがき

なにかで読んだのだが、ひとにはソバ型とラーメン型とがあるらしい。

ソバ型とは、あくまでも伝統的な調理法にのっとり、その範囲内において技術を洗練させてゆくタイプである。

ラーメン型とは、伝統をふまえるけれども、食材も調理法もどんどん変えてしまうタイプである。

ソバ屋にはいって、あの出汁《だし》のきいた醤油《しょうゆ》味でないツユがでてくることはない。店ごとに醤油がちがっていたり鰹節がきいていたりというビミョーな差異はあっても、そこに味噌や塩がでてくることはない。麺もまたその素材は蕎麦粉であるという原則からはずれることはない。ソバ職人は伝統にしばられた世界にあって腕をみがいている。

ラーメンのスープにこれといったきまりはない。醤油、味噌、塩、トンコツ、はてはトマトや牛乳などといったバリエーションまでゆるされる。具だってなにをトッピングしてもよい。お好みならウナギをのせたってかまわない。麺の種類の多さはいうまでもない。細かったり太かったり縮れていたり野菜を練りこんだり自由自在である。

この本を書くにあたり、ぼくはソバ型でゆこうとおもう。

先人がのこしてくれたテクストをふまえ、それにもとづいて思索にふけるというやりかたでゆく。

したがって本文をいじったりすることは自粛する。また解釈においても野放図にアドリブをくりひろげることは（なるべく）禁欲する。

ただし『老子《ろうし》』というテクストが、なにがしかの「哲学」を語っているとするならば、それを読むことは、たんに概念の交通整理をするだけのような作業ではすまされないはずである。とりつく島もないような文章のなかに老子ならではの哲学をみいだそうとする営《いとな》みにならざるをえない。

ぼくにとって『老子』を読むことは、そこに盛られている問いにぶつかり、自分なりにそれへの答えをみつけだすという、はなはだ個人的な営みである。「そういうのは科学的な姿勢ではない」といわれようとも、そういうふうに読むことしかできないものは、そういう仕方でやるよりない。

老子という人物について

『老子』として伝えられる五千余字、上下二篇からなるテクストは、道家《どうか》系のひとによる「ことわざ」風のみじかい文章のあつまりという体裁《ていさい》をとっており、中国古代の思想家である老子の筆になるものとみなされている。

とみなされている、と言葉をにごすのは、老子という人物が謎につつまれているからである。最古の伝記である司馬遷《しばせん》『史記』「老子韓非列伝」には「老子は楚《そ》の苦県《くけん》のひと。姓は李《り》、名は耳《じ》、字《あざな》は聃《たん》」とある。ところが司馬遷は、そういった舌の根のかわかぬうちに、老子の候補として「老聃」のほかにも「老莱子《ろうらいし》」「周の太史儋《たいしたん》」というふたりの名をあげている。すでにひとりだけに特定できなかったのである。

そもそも老子という呼称からして、その実在性をあやしませる。孔丘《こうきゅう》を孔子、荘周《そうしゅう》を荘子とよぶように、姓に子《し》という尊称をつけるというのが通例であるが、老子の老はたぶん姓ではない。おそらく敬称だろう。だとすると老子とは老先生という一般名詞にすぎないことになる。老先生のひととなりについて、孔子はこんなふうに評している（「老子韓非列伝」）。

> 鳥が飛び、魚が泳ぎ、獣《けもの》が走ることは、わたくしも知っている。走るものは網で捕え、泳ぐものは糸で釣り、飛ぶものは矢で射ることもできる。しかし竜となると、風雲に乗って天にのぼるというが、まるで手に負えない。今日、老子にあったが、竜さながらで、まったく正体がつかめなかった。

この老先生、ひどく浮世ばなれしたひとであったらしい。それかあらぬか、その思想をあらわしたとされる『老子』というテクストも、読むものを煙《けむ》に巻くような珍紛漢《ちんぷんかん》なしろものである。

老子は噛みくだくような語りかたをしない。おのれの語りたいように語る。だからそのレトリックにひそむ真意をとらえることは、ぼくの不敏をもってしてはむつかしい。けれども、ひとたび『老子』をひもとけば、たれしも否応《いやおう》なくその世界に巻きこまれざるをえない。

老子のまわりには巨大な風が吹きすさんでいる。老子自身のあずかり知らぬところではあるけれども、さまざまのことが老子の思想にかかわって起こってきた。老子はおそるべき真空であるように感ぜられる。

老子という存在そのものが理非の沙汰を超えており、凡骨をもってあげつらうべきではないということだろう。しかし老子の語るところは先秦《せんしん》の諸子にあって突出して形而上学的《けいじじょうがく》である。そのことは老子ならではの美質であるけれども、同時に常識になずんだ現代人の神経を逆撫《さかな》でするものでもある。それゆえどうしても俎上《そじょう》にのぼして論じたくなる。

『老子』という書物について

ぼくにとって『老子』はいわゆる座右の書である。しょっちゅうこの書をひもとき、そのなかの章のひとつひとつを飽くことなく徘徊し、半日《はんじつ》の消閑《しょうかん》をほしいままにしている。

ぼくと『老子』とのつきあいは、ぼくからの片想いめいたものである。したがってぼくの『老子』について書くものは学術的な研究書にはなりえない。

テクスト・クリティークには意をもちいない。もちろん出土資料などにもとづく本文の批判的な吟味というのは大事なことである。けれども、それはこの本の任ではない。委細は専書にゆずり、ここではごく簡単にふれておくにとどめたい。

◆伝世する通行《つうこう》諸本『老子』

魏《ぎ》・王弼《おうひつ》が注をつけた本文。上下二篇に分かれ、上篇「道経」37章、下篇「徳経」44章、あわせて81章からなる。

伝世する通行諸本『老子』としては、王弼本のほかにも、前漢・河上公《かじょうこう》に假託《かたく》して注がつけられた本文がある。王弼本よりも新しい注とおもわれる。そのほかにも「厳遵本《げんじゅん》・想爾《そうじ》注本・傅奕《ふえき》本・成玄英《じょうげんえい》本・范応元《はんおうげん》本」など参考にすべき資料はいっぱいある。しかし、この本ではいちいち参看しなかったのですべて省略にしたがう。

◆出土した帛書《はくしょ》本・竹簡《ちくかん》本『老子』

戦国末期から前漢末期にかけての墳墓から、竹簡や帛書にしるされた『老子』が出土した。これら出土した帛書・竹簡は、オリジナル『老子』を復元するうえで重要であることは論を俟《ま》たないが、あえて対校資料としてはもちいなかった。

1　馬《ま》王堆《おうたい》帛書『老子』甲本・乙本

一九七三年の冬、湖南省長沙《ちょうさ》市の馬王堆にある第三号漢墓から絹に書かれた甲乙二種類の『老子』が出土した。通行本のようには分章されておらず（しかも各章の配列も異なるところがある）、上下篇の順序も逆である。

2　郭店《かくてん》楚簡『老子』甲本・乙本・丙《へい》本

一九九三年の冬、湖北省荊門《けいもん》市の郭店にある第一号楚墓から数種類の竹簡が出土した。前漢はじめの帛書本よりもまえの戦国中期のものをふくみ、『老子』の最古のすがたを伝える。通行本の五分の二の量にとどまり、道経・徳経の別をはじめ分章の按配《あんばい》なども未整理である。

3　北京大学蔵西漢竹書『老子』

二〇一二年に北京大学出土文献研究所により『老子』の竹簡本が出版された。上下篇の順序は逆であり、各章の内容は通行本と異なるところもある。

要するに、この本であつかう『老子』本文は、王弼本のそれを底本とする。ただし解釈において深刻な影響をおぼえた箇所については、適宜、帛書本などを斟酌《しんしゃく》し、文字をあらためる場合にはその旨を明記する。

諸注釈のあつかいについて

古来中国では、そのテクストをどう理解するかということは、本文にたいして注釈をつけるというかたちで示される。さまざまの立場からつくられた注釈は、それ自体がひとつの思想的な資料とみなされる。

『老子』の注釈はおびただしい数にのぼる。もっともよく読まれたのは王弼注および河上公注である。唐の陸徳明《りくとくめい》は、王弼注について「妙にして虚無の旨を得たり」といい、河上公注について「治身治国の要を言う」といっている（『経典釈文』）。

王弼注・河上公注のほかにも参考にすべき注釈がすくなくないことは重々承知のうえで、ぼくは諸注釈をほとんど参看しないつもりである。自分の読みがオリジナルかどうかをたしかめるために諸注釈を丁寧にしらべていると、それをやっているだけで消耗してしまう。「それが学問というものだ」といわれれば返す言葉はない。が、しらべればしらべるほど論ずべきことは論じつくされていることがわかってくる。

だいたい王弼のような天才がとおったあとの道にはペンペン草しかはえていない。しょうがないからペンペン草をかきわけて、なにか腹の足しになるものはないかとさがしまわっていると、それだけで時間切れになってしまう。

ぼくはたれかと競争したいわけではない（そもそも王弼と競争しても勝てるわけがない）。オリジナルかどうかをしらべているヒマがあったら、自分のやりたいことを自分のなかにみつけ、それを先鋭化してゆくほうがよい。それが先人のやったことと似ていてもかまわない。

容易に入手できる注釈書として、つぎの文庫本を机辺にそなえ、任意にながめる。どれもみな身銭を切ってあがなうに値する好著だとおもう。

木村英一訳・野村茂夫補『老子』講談社文庫　１９８４年
小川環樹訳注『老子』中公文庫　１９７３年
金谷治訳注『老子　無知無欲のすすめ』講談社学術文庫　１９９７年
蜂屋邦夫訳注『老子』岩波文庫　２００８年
福永光司訳『老子』ちくま学芸文庫　２０１３年
池田知久訳注『老子　全訳注』講談社学術文庫　２０１９年

みぎの注釈書については、ほしいままに妄想することのさまたげにならぬように参看は最小限にひかえるつもりである。

ただし先学の解釈の代表として、もっとも標準的な労作であるとおもわれる蜂屋邦夫訳注『老子』をしばしば引用させていただく（そのさいは「蜂屋本」と略記する）。

ぼくの執筆の姿勢について

自慢じゃないが、ぼくは冴えない学者である（ホントに自慢じゃないなあ）。そのせいか頭のよいひとにひどくあこがれる。あこがれるのはよいとしても、ぼくがセコいのは、ただあこがれるだけじゃなくて、なんとか「おこぼれ」にあずかりたいとケチくさく勘定するところである。

そういうさもしい料簡の犠牲者が、清水明先生（弘前大学名誉教授）である。

清水先生はぼくの百倍は頭がよい。「たった百倍とは失礼な」とおっしゃるかもしれないが、百倍でも千倍でも実質的にちがいはない（という意味においては、ぼくは「無」の境地にあるのかもしれない）。

ぼくは『老子』を読んでいて「この読みはどうも自信がないな」とおもうと、すぐさま清水先生に質問のメールをしてアドバイスをおねだりする。悠々自適の身である先生は、たぶん「面倒くさいなあ」とおもいつつも、根がおやさしいので鈍根《どんこん》の相手をしてくださるのである。

この本を書くにさいしては、先生からの教えをちゃっかり使わせていただくことを、ここに白状しておきたい。この本のなかに例外的にすぐれた解釈があるとしたら、それはまちがいなく清水先生のアイデアである。

清水先生が漏らされた感想を、おいしい酒を味わうように反芻《はんすう》しながら、ぼくはこの本を書いてゆく。もっとも、先生の卓越したアイデアは、ぼくの俗眼というフィルターをとおすことによって跡形ないまでに換骨奪胎《かんこつだつたい》され、あちこちに盛りこまれてしまっている。おそらく清水先生がこの本を読まれたら、「ああ、こいつ誤解しておるなあ」と眉をひそめられるにちがいない。要するになにがいいたいのかというと、一切の文責はぼくにあるということである。

前口上はこれくらいにして、さっそく読みはじめよう……あ、そうそう、このことも忘れずにいっておかなきゃ。

むかしもいまも「それは楽しいか」「それで遊べるか」ということが、ぼくにとっては一大事である。研究と遊びとのちがいをわきまえるといった分別にとぼしいのである。この本を書くにあたっても、なにはさておき楽しく遊ぼうとした。なにやらシリアスな議論をしていても、そこには「なんちゃって」とベロをだしているぼくがいる。

もっとも、全力で遊んでこれである。泣いても笑っても、これ以上のものはぼくには書けそうもない。

1

これが道というものだと（人間が言葉でいうことによって限定的に）示しうるような道は、ほんとうの道ではない。これが（道についての人間が言葉でいうことによる限定的な）名づけかただと示しうるような名づけかたは、ほんとうの名づけかたではない。

（人間の言葉では限定的に）名づけられないものとは、この世界が生まれてくるまえ（から存在している自然の法則のはたらき）である。（人間の言葉でも限定的に）名づけられるものとは、この世界を生みだした母なるもの（である自然の法則にしたがって生みだされたもの）である。

したがって（名づけようという）欲にとらわれない境地に身をおくならば自然の法則の（ほんとうのありかたである）玄妙《げんみょう》なる実相《じっそう》をみることができるが、（名づけようという）欲にとらわれているかぎり自然の法則の（かりそめのありかたである）剥《む》きだしの假相《かそう》しかみることができない。

この（玄妙なる実相と剥きだしの假相という）両者は、ともに（自然の法則にしたがって）おなじところから生まれてくるのに（玄妙なる実相と剥きだしの假相というふうに）その名づけられかたはちがっている。（万物がそれにしたがっている自然の法則のはたらきを、あえて名づけるならば）玄妙という。（じつは玄妙とも名づけられない）玄妙なるがうえにも玄妙なるありかたとは（そのはたらきによって）さまざまの玄妙なるものを生みだす通りみちである。

道の道とす可《べ》きは常《つね》の道に非《あら》ず。名の名づく可きは常の名に非ず。名無し、天地の始めには。名有り、万物《ばんぶつ》の母には。故《ゆえ》に常に欲無くして以《もっ》て其《そ》の妙《みょう》を観《み》、常に欲有りて以て其の徼《きょう》を観る。
此《こ》の両者は、同じきより出《い》でて而《しか》も名を異《こと》にす。同じく之《これ》を玄と謂《い》う。玄の又玄は衆妙《しゅうみょう》の門なり。

道可道非常道。名可名非常名。無名天地之始。有名万物之母。故常無欲以観其妙、常有欲以観其徼。
此両者、同出而異名。同謂之玄。玄之又玄、衆妙之門。

のっけから強烈なパンチを食らって、ぼくはポカンとした。ポカンという音がきこえてきそうなくらい、それはもう見事にポカンとしてしまった。

いつまでもポカンとしているわけにもゆかない。これからこういうふうに『老子』を読み解いてゆくのだというぼくの姿勢をつつみ隠さずにあらわして、読者諸賢に「ああ、こいつはこういうものの見方をする書き手なのだな」と納得していただかねばならない。

問題の所在を明らかにすべく、話の流れを粗《あら》っぽくたどってみよう。

「道」「名」は「常」なるものとして限定できない。限定できぬとはいえ、かりにも「道」「名」と名づけられているからには、それぞれなにかを指してはいるだろう。

まずは「名」について語られる。「天地の始め」は「名無し」すなわち言葉で語りえない。「万物の母」は「名有り」すなわち言葉で語りうる。名の有無が天地・万物の分かれ目となっている。

これを受けて「故に」とつづけられる。「無欲」であれば「妙《みょう》」をみる。「有欲」であれば「徼《きょう》」をみる。「故に」というからには「無名」「有名」とこの「無欲」「有欲」とのあいだには理由・帰結といった論理的な関係があるはずである。

「此の両者」とは、「無欲」のものがみる「妙」と「有欲」のものがみる「徼」とだろう。この両者は、ともに「同じきより出」づるにもかかわらず、「妙」「徼」というふうに「名を異に」している。「名を異に」するとはいえ、元を正せばともに「常」ならざるものであり、もとより対象としてとらええない。対象としてとらええないという意味では「玄の又玄」であるが、あらゆる経験をささえているという意味では「衆妙の門」であり、けっして無価値ではない。「此の両者」のあることは、万物が存在することにおいて如実《にょじつ》に示されている。この「現実即可能性・可能性即現実」というべき世界のありかたを省察せよ、と老子はいう。

ごく大雑把に話の流れをたどってみた。

現時点において本章の論旨にハッキリとした筋道をつけることはむつかしい。とはいえ、これから『老子』を読みすすめてゆくためにも、すくなくとも「道」という鍵をにぎる概念について、おおよその目星をつけておこうとすることに臆病であってはなるまい。

老子は三つの対《つい》概念をもちだしている――第一に「道・名」という対概念。第二に「無名・有名」という対概念。第三に「無欲・有欲」という対概念。

「無名・有名」はその敷衍《ふえん》において「天地・万物」にかさねられている。また「無欲・有欲」はその敷衍において「妙・徼」にかさねられている。これらをくわえれば老子のもちだした対概念は五つというべきかもしれない。だがこれらは敷衍においてかさねられているにすぎないと考えれば、老子のもちだした対概念はさしあたり三つである。

「道・名」という対概念について

『老子』がおそろしく晦渋《かいじゅう》な印象をあたえるのは、それが形而上学を説いているからである。形而上学とは、目でみたり耳できいたり手でさわったりして感覚でとらえられる事実を超えたものが存在すると考え、その真相を究明しようとするものである。

感覚でとらえられる事実を超えたものとは、たとえば神・存在・価値などがそうである。老子のいう「道」もまたそういうものであるとすると、感覚でとらえられる事実をいくらしらべたところで、道のなんたるかはわからぬということになる。

ちなみに先学諸氏は「道」をこんなふうにとらえている。

・老子の形而上学における窮極の存在、すべての根源（本体）であることはいうまでもない（小川環樹）
・単なる人間世界の約束ごとではなくて、宇宙自然をもあわせつらぬく唯一絶対の根源的な道（金谷治）
・宇宙を構成する根元的な実在であり、理法である（蜂屋邦夫）
・宇宙の真実在（福永光司）

道をこのように宇宙の根源というふうにとらえてしまうと、目にみえる現実はすべて道という実在・本体の影のようなものになりはてる。

『老子』の思想の最大の特色は、道を宇宙の本体にして根源であるとした、宇宙生成論を提出した点である。通常、思想家が説く道は、人間が歩むべき正しい進路を意味する。ところが『老子』の場合は、道は天地・万物を生み出す創造主なのである。

（浅野裕一『古代中国の宇宙論』岩波書店・69頁）

老子は「万物を衣養《いよう》するも、而《しか》も主《あるじ》と為《な》らず」「万物焉《これ》に帰するも、而も主と為らざれば、名づけて大と為す可《べ》し」（第34章）といっている。道は万物をつつみこむようにはぐくみながらもその主宰者とはなろうとせず、万物がこれに帰一すべきものでありながらも主宰者となろうとしない、と。してみると道を「宇宙の本体にして根源」「天地・万物を生み出す創造主」というふうに理解するのは、そもそも誤りなのではなかろうか。

老子は「この世界」について論じている。この世界が有している世界性とは、すべてのものを受けいれるという全体的なありかたのことである。この世界があるということは、世界をその全体においてとらえるということを含意せざるをえない。

この世界がこのようであることは、ふだんは意識にのぼることはない。ことさら意識にのぼることはないけれども、否応《いやおう》なくそれにしたがっているような一般的な性格とでもいうべきもの、すなわち「法則」に、この世界は支配されている。法則とは「いつでも、またどこででも、一定の条件のもとに成立するところの普遍的・必然的関係」（『広辞苑』第七版）である。

法則そのものを、ひとはコントロールできないのはもちろん、それについて観察することもできない。この世界をささえている不動の動者ともいうべき法則のはたらきは、万物にとっては端的に自明な事実である。法則は「法則の法則とす可きは常の法則に非ず」というふうに「つねに・すでに」はたらいてしまっている。

この世界は「つねに・すでに」こうであってしまっているという消息は、すでに思考の限界を超えており、それを言葉で説明することはできない。思考の限界について思考するためには、その限界の両側について思考できねばならない。だが思考の限界のむこうは端的に思考できない。

そういった思考できないものにはどんなものがあるかというと、たとえば「論理」がそうだろう。論理をふまえなければ有意味に考えることはできない。しかし論理そのものについて考えようとすると、とたんにナンセンスになってしまう。

あるいは「パースペクティブ」がそうだろう。風景をながめているとき、ながめている自分はながめられていない。しかしぼくの視線はその風景のなかに示されているし、ながめているぼくの存在もまた示されている。

論理やパースペクティブといった思考できないものを受けいれながら、ぼくは生きている。この世界がこのようである所以《ゆえん》を、ぼくはついに知ることはない。

この世界がこのようであることは、ひょっとすると奇蹟なのかもしれない。

世界をこのようであらしめている「なにか」があるとしても、それは論理・パースペクティブ・時間・空間・言葉といった対象化できぬものであって、それ自体は理非を超えた「無」としてはたらいている。形相《けいそう》をそなえたものが当のものとしてあるために、それをささえている対象化できぬものは、つねに秘められたかたちではたらいている。

この世界がこのようである所以を知ることはできない。が、ぼくは現にこの世界のありようを認識しており、そのさい空間・時間・因果といった概念枠にもとづいてものごとをとらえている。あるいは論理的に思考しようとするとき、同一律・矛盾律・排中律《はいちゅう》といった形式的な真理をふまえて考えている。そういった概念枠や真理というものを、ぼくは世界にかんする事実としてア・プリオリ（先験的）に受けいれてしまっている。

老子の言説には、自然界における変化をあらゆる場合に共通する「法則」によって説明しようという身構えがうかがわれる。自然界における個々のものごとを認識するとき、ものごとに内在する性質のみによってみるのではなく、個々のものごとを超えて一切の現象にあてはまる法則によってとらえようとする姿勢がみてとれる。

ここにおいてぼくは、成算の有無を問うことなしに、ひとつの假説《かせつ》をかかげたいとおもう――老子のいう「道」とは、万物がそれにしたがっている客観的・必然的・合理的なものごとの自明ななりゆき（以下これを「自然の法則」とよぼう）のことである――この本におけるぼくの『老子』解釈をつらぬく背骨ともいうべきアイデアである。

天体の運行はそれなりに規則正しく、なにかしら法則めいたものを示している。そういう認識をもったものは、老子の生きていたころにもいたにちがいない。規則性そのものはわからなくても、なにかしら法則めいたものによってこの世界の全体があやつられ、それによって人間の運命までも左右されているというふうに考える余地はあっただろう。

古代の中国にあって、現在知られているような法則、たとえばエネルギー保存の法則やエントロピー増大の法則などは、なにひとつ知られていなかった。にもかかわらず万物のあいだには規則性があるにちがいないという直観が成立する余地はあったとおぼしい。

思索のひとである老子は「さまざまの物理定数はどうしてこのような値になっているのだろう」といった問いをいだいた。そして「この世界はなぜこのようであるのか」という問いの答えにほかならない自然の法則について、これを「道」と名づけて探究の対象とした。

自然の法則そのものを五感でとらえることはできない。万物のほうから「これが自然の法則である」と限定することはできない。そういう語りえぬものについて語るべく、老子はあえて「道の道とす可きは常の道に非ず」と道破《どうは》してみせる。この語りえぬものについて語ろうとする老子の姿勢は、まさに端倪《たんげい》すべからざるものである。

「無名・有名」という対概念について

自然の法則は、時間・空間のなかに位置づけることができぬのみならず、言葉で語ることもできない。したがって「道」という言葉を最終的な表現とすることもできない。いきおい一般に名づけるということが最終的なものではないということになり、「名の名づく可きは常の名に非ず」というのっぴきならぬ仕儀《しぎ》にならざるをえない。

名づけるというのは、現実にあるバラバラのものに記号をほどこして象徴化し、それによって意味を表現することである。自然の法則といった語りえぬものについては、なるほど「常の名」に到達することはできまい。

そもそも「道」という名が指している単一のものがあるのか、それすらわからない。ただし、ふだん目にする花や動物や人間であれば、この花はバラだとか、あの動物はイヌだとか、このひとが山田くんですとか、それを指す「名」はある。

「常の名」をつけられぬのは、あくまでも「道」という自然の法則であって、ふだん目にするものはそのかぎりではない。だとすると「名の名づく可きは常の名に非ず」といって澄ましていることは、ひどく不当な一般化であるような気もしてくる。

老子は「名無し、天地の始めには。名有り、万物の母には」という。言葉で名づけえないものとは、この世界がこのようになるまえのものである。言葉で名づけうるものとは、この世界がこのようになったあとのものである。

名づけるということは、ひとが登場してはじめて可能である。ひとが名づけることによって「もの」という概念がもたらされる。さまざまのものは名づけられることによってそれとして存在するようになる。当然のことながら、これは厳粛な事実である。

言葉がさきで「もの」があと、という考えかたの典型は、たとえば「太初《はじめ》に言《ことば》あり、言は神と偕《とも》にあり、言は神なりき。この言は太初に神とともに在《あ》り、万《よろず》の物これに由《よ》りて成り、成りたる物に一つとして之《これ》によらで成りたるはなし」（「ヨハネ伝福音書」）がそうである。言語がいきなり完全なかたちで人間にあたえられたというトップ・ダウンの言語観である。

「はじめに言葉ありき」というドグマが幅をきかせると、ひとが名づけることによって「もの」という概念がもたらされるという健全な常識が通用しなくなる。

もし天地開闢《かいびゃく》以前に言葉があったとすれば、その言葉は、当然、神の言葉であらねばならない。世界創造のまえに神が存在し、その神は言葉をもっていたわけだが、そもそも神の言葉ってなんだろう？　天地創造のまえに存在するものは神のみだとすると、神はいったいだれと話をするのだろう？　知覚によらない純粋思考によってこそ世界の真の実在をとらえることができる。そういう真理の基礎としての神があり、「言は神と偕にあり、言は神なりき」とされるような認識の基礎としての言語がある……といったア・プリオリズムを、ぼくはとりたくない（老子もまたとらないと信ずる）。

言語とは、あくまでもコミュニケーションにとって必要なものであり、複数の人間のあいだで必要にもとづいてできてきたものである。だれも話しあう相手のいない神にとって言語は必要でない。『聖書』の記述は、すでにできあがった言語を神に投影して神格化しているだけではなかろうか。

「名無し、天地の始めには。名有り、万物の母には」と老子はいう。天地のはじまりのときにはまだ言葉はなかった、と。天地開闢以前の言葉という思想を、老子はキッパリと否定している。

ひとが名づけることによって「もの」は存在しはじめる。そこには時間的な過程がある。

ひとが「もの」に名づけるには、ある一定の分量のものがまとまってふるまうということが必要である。ひとまとまりのものが「海」「湖」「川」などと名づけられ、そのあとで「水」の語がつくられただろう。ひとまとまりのものが「陸」「山」「畑」などと名づけられ、そのあとで「土」の語がつくられただろう。

老子のもちだす対概念の「無名・有名」は、あくまでも時間的に読むべきである。この世界があるという事態がもたらされたのは人間と万物との関係によってであるということを、老子は洞察している。

老子はそもそも「道」なるものは本質的に言語化が不可能であるとおもっているのだろうか。それとも、そこまでは主張していなくて、ただ言語化は困難であるという事実をのべているだけなのだろうか。

もし老子が道の言語化ということの本質的な不可能性を主張しているとするなら、はなはだ困ったことになる。はなからそのような不可知論をぶちあげられてしまっては、これから道について探究してゆこうという意気も阻喪《そそう》せざるをえない。最終的な（つまり恒常的に真であるような）言語化こそできないけれども、さまざまの表現方法を駆使して道に近づいてゆく余地はあるという立場であってほしい。

道について語ることはゆるされる。そして老子はそのことに成功している。ぼくは希望的かつ楽天的にそう観測している。そうでなければ『老子』というテクストは「ウソはついていないけど、なにひとつ伝えていない」という絵にかいたモチのようなものになってしまう。

「無欲・有欲」という対概念について

ひとは本質的に「欲」をもった存在である。ひとは欲にもとづいて世界との関係をむすび、この世にあるものを名づけようとする。名づけられたものは、欲にもとづいた人間と世界との関係、すなわち万物の「人間にとっての意味」をあらわしている。

ただし、ひとと世界との関係には二通りある、と老子はいう。

ひとには欲がある（欲がなければ生きものとはいえない）。その欲をなくせば、ものの実相（妙）をみることができる。欲をもったままであれば、ものの假相（徼）をみることしかできない。

この「妙《みょう》」と「徼《きょう》」という名は、それぞれなにを指しているのだろう？　本文をながめているだけでは埒《らち》があきそうもない。王弼《おうひつ》の注釈をのぞいてみよう。

王弼は「妙とは微の極《きわ》みなり。万物は微より始まりて而《しか》る後《のち》に成り、無より始まりて而る後に生ず」という。欲をなくすことによって、万物がそれからはじまる「微の極み」であるところのもの、その「微《び》・無」のあとに万物の「成・生」があるもの、すなわち万物がそれにしたがっている自然の法則にしたがうことができる。

また「徼とは帰終《きしゅう》なり。凡《およ》そ之《これ》有りて利と為《な》し、必ず無を以《もっ》て用と為す。欲の本《もと》づく所、道に適《かな》いて而《しか》る後《のち》に済《や》む」という。欲をいだいていると、現に俗世間がそうである状態、すなわち道にもとづきながらも「利」「用」をもとめるような営み、およそ自然の法則にしたがっていない現状をみることになる。

欲がなければ、ものの実相をみる。欲をいだけば、ものの假相をみる。しかしながら老子は、欲をなくしてしまえとはいっていない。

もし欲がまったくなければ、どんなものにも関心をもつことはなくなる。ものを名づけようという気にもなるまい。そもそも欲にもとづいた関心がなければ、なんのために欲をなくして自然の法則にしたがったものの見方をもとめねばならぬのかすら、わからなくなってしまう。

無欲であれば「妙」をみる。有欲であれば「徼」をみる。そう老子はいっているが、なにについての「妙・徼」なのだろう？　この「なに」について考察することが本章を解釈するさいのポイントである。

考える手がかりは「名無し、天地の始めには。名有り、万物の母には」にもとめるべきだろう。なにについての「妙・徼」であるかというと、天地・万物の「妙・徼」なのである。

天地・万物の「妙」とは、天地・万物にひそむ理法、すなわち「道」である。天地・万物の「徼」とは、天地・万物の人間にとっての意味である。

欲をもっている人間の立場からみるとき、天地・万物は、人間にとって善いものなのか悪いものなのか、人間が生きるということにどういう意味をもつのか、ということが問題にならざるをえない。

欲まみれの人間の立場からみているかぎり、人間にとっての意味にとらわれてしまい、天地・万物にひそむ理法はみえてこない。欲を捨て去った立場によることができて、はじめて自然の法則にしたがったありさまをみることがかなう。

欲をもたない認識（玄妙なる実相をみること）と欲にもとづく認識（剝きだしの假相をみること）とは、われわれの認識のふたつの形態である。

これら「妙・徼」は、おなじところから発生してくるのに、ちがう名をもっている。おなじところから発生してくるというなら、いったい「どこ」から発生してくるのだろう？

「妙・徼」という区別は、われわれが万物にたいして「欲無くして」むかうか「欲有りて」のぞむかというちがいによる。それは人間の万物にたいする態度のちがいである。したがって「妙・徼」の区別は、ともに人間と万物との関係から生ずるものであると理解するのが自然である。

「妙・徼」の区別は「同じく」人間と万物との関係から生ずるのだが、その関係は「玄」妙なるものである。あらゆる認識は人間と万物との関係から生ずるものであるという仔細《しさい》は、当のわれわれの人知《じんち》をもってしてはボンヤリと暗いままである。

無欲ならものの実相をみる。有欲ならものの假相をみる。欲の有無というちがいこそあれ、どちらも人間とものとの関係によってもたらされる事態である。もっとも、欲の有無というちがいがあるから、そのちがいを分別すべく言葉で名づけようとすれば「名を異にす」ることになる。ただし名づけただけでは「妙」をみるか「徼」をみるかという認識のありかたの仔細は、いまだ「玄」のままである。

老子はつづけて「玄の又玄」という。奥ぶかくてハッキリしないところのそのまたさらに奥ぶかくてハッキリしないところ、そここそが「衆妙の門」すなわち万物の「妙」が生まれてくる通りみちである。ひとの認識のありかたは「玄」ではあるけれども、それを「玄の又玄」という原理にまでさかのぼるのだという覚悟をもって探究してゆくならば、かならずや世界をもたらす「衆妙の門」である「道」のはたらきを明らかにできるだろう。本章において老子は、「道」は探究すべきものであるという旗幟《きし》を鮮明にしている。

道を探究してゆくのだという老子の素志《そし》が、本章には高らかにうたわれている。のっけからポカンとしてしまったぼくではあるが、ここにおいて愁眉《しゅうび》をひらいた。浅学菲才の身ではあるけれども、ひきつづき『老子』をひもといてゆこうとおもう。

2

世間のひとは、みな美しいものを美しいとしているが、それは悪いことである。みな善いものを善いとしているが、それは善くないことである。

そういうふうに（そもそも美や善ということは不変ではなく、したがって固執《こしゅう》すべきでないように）有ると無いとはたがいに相手があってこそ発生し、難しいと易《やさ》しいとはたがいに相手があってこそ成立し、長いと短いとはたがいに相手があってこそ明瞭になり、高いと低いとはたがいに相手があってこそ傾斜ができ、旋律と和声とはたがいに相手があってこそ調和し、前と後とはたがいに相手があってこそ順序づけられる（という相対的なものにすぎない）。

そういうわけで（自然の法則にしたがう）聖人は、なにひとつ行動しない立場でふるまい、なにひとつ言葉にしない教化をおこなう。万物を存在するがままにまかせて説明しようとせず、なにかが発生しても所有しようとせず、なにかに作用をほどこしても依存しようとせず、なにかを成就《じょうじゅ》しても居坐《いすわ》らない。そもそも居坐らないから、そこから去ることもない。

天下皆《みな》美の美為《た》るを知るは、斯《こ》れ悪なるのみ。皆善の善為るを知るは、斯れ不善なるのみ。

故《ゆえ》に有無相《あい》生じ、難易相成り、長短相形《あらわ》れ、高下相傾《かたむ》き、音声相和し、前後相随《したが》う。

是《ここ》を以《もっ》て聖人は無為《むい》の事に処《お》り、不言《ふげん》の教えを行う。万物の焉《ここ》に作《おこ》るも而《しか》も辞《じ》せず、生ずるも而も有せず、為《な》すも而も恃《たの》まず、功成るも而も居らず。夫《そ》れ唯《た》だ居らず、是を以て去らず。


天下皆知美之為美、斯悪已。皆知善之為善、斯不善已。

故有無相生、難易相成、長短相形、高下相傾、音声相和、前後相随。

是以聖人処無為之事、行不言之教。万物作焉而不辞、生而不有、為而不恃、功成而弗居。夫唯弗居、是以不去。

老

子は「美の美為るを知る」ことは「悪」であり「善の善為るを知る」ことは「不善」であるという。ところが、ほとんどの注釈書が「美の美為るを知る」ことは「醜」であると訳している。

・世界の人びとは、だれでも美しいものを美しいとわきまえているが、実はそれは醜いものなのだ。だれでも善いことを善いとしてわきまえているが、実はそれは善くないことなのだ（金谷治）
・世の中の人々は、みな美しいものは美しいと思っているが、じつはそれは醜いものにほかならない。みな善いものは善いと思っているが、じつはそれは善くないものにほかならない（蜂屋邦夫）
・世の人はみな美の美たるを知って美のみに執着するが、その美はすなわち醜にほかならぬ。みな善の善たるを知って美のみに固執するが、その善はすなわち不善にほかならぬ（福永光司）
・天下の人々は誰しも美がそのまま美であると考えているが、実はその美は醜に他ならない。誰しも

善がそのまま善であると考えているが、実はその善は悪に他ならないのだ（池田知久）

論より証拠、机辺にならべた文庫本の注釈をひいてみた。軒並み「美の美為るを知る」ことは「醜」であると訳している。文字どおりに「美の美為るを知る」ことは「悪」であると訳すことに、どういう不都合があるというのだろう？

「美・悪」という対《つい》を「美・醜」という対として解釈することは、ふつうに考えれば無理である。あとにつづく「有無・難易・長短・高下・前後」といった反対語の対にかんがみて、「悪」を「醜」に訳し変えたくなる気持はわかる。わかるけれども、そのように訳し変えるべき論拠がない。

「悪」と「不善」とは同義だろう。「美の美為るを知る」「善の善為るを知る」ことは、どちらも「悪・不善」なのである。たれもみな美しいものは美しいと知っている。善いものは善いと知っている。だが、それだけではダメなのである。

あるものを美しいと知ることは、ほかのものを美しくないと判断することである。「美しい・美しくない」「善い・善くない」はひとの判断によって生じてくる。そのことをわきまえず、ただ美しい・善いと知っているだけでは不完全な知りかたである。美しい・善いと知るということがもたらされる所以《ゆえん》を省察しなければ、ほんとうに知っているとはいえない。

Xという対象を認識するとき、ふたつの場合が考えられる。

ひとつはXは「丸い」という場合。これはXという対象それ自体がどうであるかということによって言葉の意味がきまる。Xが丸いかどうかは、Xをみるものの主観によってではなくXの形によってきまる。これは対象に依存してもたらされる客観的な述語づけである。

もうひとつはXは「美しい」という場合。Xそれ自体がどうであるかということもさることながら、それをみる主体がどういう態度をとるかによって言葉の意味がきまる。これは主体に依存してもたらされる主観的な述語づけである。

対象に依存する客観的な述語づけの場合、相対主義はなりたちにくい。相対主義がつきつけられるのは主体に依存する主観的な述語づけの場合である。してみると老子が「美・善」について説くのは、もっぱら主体依存的な述語づけの場合のみを考えているのだろうか。

「美・善」の判断はたしかに主観的である。人間によって食いちがう場合もある。食いちがうからには相対主義が正しいということになる。とはいえ、たとえば美の判断はまったく主観的なものだろうか。

平安時代の美人は「一重で切れながな細い目、しもぶくれのおたふく顔」であった。現代の美人は「パッチリした大きな目、ひきしまった小顔」である。時代によって美人の基準はちがう。美醜の判断は時代に相対的である。もちろん個人にも相対的である。でも、平安時代の美人が目のまえにあらわれたら、ぼくは美しいとおもうんじゃないかなあ。

美の判断は、まったく主観的なものというわけではなく、それなりの客観性がありそうな気がしてならない。そう考えてよいならば、美についての相対主義はかならずしもなりたたず、いつの時代にたれがみても似たり寄ったりということになりそうである。

美の相対主義については一考を要するとしても、たしかに美しさにとらわれるのは剣呑《けんのん》である。美しいものは稀少である。いきおい奪いあいになり、ひとびとは傷つけあう。美しいものを欲するがゆえに醜い争いが生ずる。

美へのとらわれが悪をもたらし、善へのこだわりが不善をもたらす。美と善とはさしあたり別次元のことがらではあるが、それに「とらわれ・こだわる」ことが悪や不善をもたらすという意味では、「美の美為るを知る」のは「悪」であるという主張と「善の善為るを知る」のは「不善」であるという主張とは、その根底においてつながっている。

この世にあるものは本来は美しくも善くもない。ひとが「美・善」であると「知る」ことによって「悪・不善」がもたらされる。聖人はそういった知的な分別にとらわれない。もっぱら「無為《むい》の事」をおこない「不言の教え」をほどこす。

もし「無為」ということが「なんにも為《な》さない」ことであるならば、それは生きることを否定しているようなものである。「不言」ということが「なんにも言わない」ことであれば、およそ「知」ということがなりたたなくなってしまう。

われわれにとって老子の思想がなにかしら意義をもつとすれば、「無為」「不言」とは、「為」「言」をたんに全否定するものではなく、行為や言語のゆきすぎをとがめるものであるというふうに考えざるをえない。

だが、そのように考えることには難問がともなう。ゆきすぎをとがめるということは、越えてはならぬ線を越えるからこそ「ゆきすぎ」ということがあるわけで、では「どこ」の「なに」を基準として、その越えてはならぬ線をひけばよいのだろう？

農業とはかぎられた種類の作物をかぎられた土地に集中させて栽培することである。そのためには灌《かん》漑《がい》設備が必要であるというふうに、その営みは自然にたいして大幅に人為をくわえるものである。「無為」ということが農業以前の生活にもどれということであるならば、おそらく現代人には受けいれがたい。

農業・牧畜といった生産経済がはじまるまえ、ひとは採集狩猟の暮らしだった。採集狩猟のさいにもさまざまの技術がもちいられる。鋭い牙や速い足をもっている獲物《えもの》を素手でつかまえることはできない。だから弓矢や槍を使う。弓矢や槍は人間に足りないものをおぎなう道具である。それは自然からあたえられた以上のものである。

すべての人為を否定しようとすると、採集狩猟のころよりも以前の原始生活にもどることになってしまう。無為であることが自然からあたえられた身体のみによる生活を意味するならば、石器の使用すら不自然な人為であるということになってしまう。

人類の歴史をどこまでさかのぼろうとも越えてはならぬ線などひけそうもない。線がひかれるべきなのは、おそらく人類史上における「どこ」の「なに」という一点ではない。むしろ発明された技術の「使いかた」にかかる——自然の法則にしたがった使いかたと、そうでない使いかたと。

老子が聖人に假託《かたく》していう「無為の事」「不言の教え」も、一切の「為」「言」をしりぞけるといった人間ばなれした生きかたではない。行為や言語の限界をわきまえ、できるかぎり対象に即してふるまうことである。それはたれにとっても大切なことである。

「あらゆる相対的な主張はしりぞけられねばならぬ」というふうに老子の所論を受けとってしまうと、それは容易に「すべては相対的であり、そのことは『為』『言』によって生じてくるのだから、行為・言語がなければよい。行為・言語があらわれる以前の世界はまったく無差別の世界である。そういう無差別の世界におもむくことによって、こころの平安がもたらされる」といった観念まみれの似而非《えせ》宗教めいたものになってしまう。

老子は行為および言語にともなう相対性を全否定しているわけではない。人為のゆきすぎと言葉のあやまりとをいさめているのである。

「あらゆる主張はその拠ってたつ立場に相対的に真なのであり、絶対に真である主張などない」という主張をRとする。Rのいう「あらゆる主張」のなかにR自身もふくまれるのかということが問題となる。ふくまれるなら、Rもまたその拠ってたつ立場に相対的に真なのであって、絶対に真であるとはいえない。Rを主張することは、みずからRの反例を示していることになってしまう。ふくまれないとすれば、Rだけは例外だから絶対に正しいと主張できる。だがそんなふうに例外をみとめる理由を示すことがむつかしい。

ものごとを考えるさい、「ちょっと視線をズラしてみたらどうだろう」という相対的な態度をとることは重要である。それは知的な態度そのものである。ただし、それが哲学的な主張として成立するかどうか、その主張がなにかよい結果を生むかどうか、それはまた別の話である。

本章において老子のとなえる相対主義は、パラドックスをまねくような極端な主張ではない。われわれが知っているとおもっている「ほとんど」のことがじつは知識とはいえない、といった穏当な主張である。老子は、美・善の相対性をあげつらってはいるけれども、真偽の相対性までは論じていない。

この世にはもともと美も善もない。ひとがなにかを美しいとみなすから美しくないものがある。ひとがなにかを善いとみなすから善くないものがある。ひとの「知」によって美や善ということがつくりだされる。

ひとの知に相対的でしかない価値判断にとらわれるのは愚かしい。ではその知とはなんだろう?

聖人は「無為・不言」である。それゆえ無用な相対主義をもたらさない。してみると「知」の中身とは「為・言」なのだろう。とはいえ生きていれば、どうしたって知的な営みは捨てきれない。まったく「無為・不言」であれば、それは生きていないにひとしい。

前述のとおり、老子は「為・言」にともなう相対性を全否定はしない。無為とは「なんにも為さない」ことではない。だとすれば自然の法則にしたがった「為・言」とはいかなるものなのだろう?

われわれの認識は相対的である。ただしその相対性はひととおりではない。老子は「有・無」「難・易」「長・短」「高・下」「前・後」という対概念をあげて相対性のありようを吟味している。

◆「有無相生」

物体的なものについて「ある・ない」という場合、なにかが「ある」と「ない」とは正反対の認識になる。ところが勇気や自由や危険などについて「ある・ない」という場合、きっぱりと二項対立をもたらすとはいえない。

勇気の「ある・ない」は人間の判断によって相対的に生まれてくる。資源の「ある・ない」は掘削《くっさく》の技術によって相対的にきまってくる。

◆「難易相成」

あることを理解することは難しいが、ほかのことを理解することは易しい、というような理解のちがいが成立する場合もある。

難しいか易しいかは、それを判断するひとによって異なる。あるひとにとっては難しいことも、別のひとにとっては易しく、その逆の場合もある。逆上がりができないひとにとって大車輪は超難しいが、体操選手にとっては基本的な技である。

◆「長短相形」

王弼《おうひつ》本は「長短相較」、帛書《はくしょ》本は「長短之相刑（形）也」、河上公《かじょうこう》本は「長短相形」。意をもって本文をあらためる。

長短は相対的な認識であるが、それはふたつのものをならべて比較した場合のことである。これは二項対立とは異なる種類の相対性である。

老子は「長短」のみを例にあげているけれども、形あるものの比較にもとづく相対的な認識には「大小」などもある。

形あるものそれ自体に長短や大小という性質はない。なんらかの基準となるものを想定し、そのうえで複数のものをくらべるからこそ、長短や大小が語られうる。

ネズミは小さい。象は大きい。これらの真偽を問うことはできない。「なにとくらべてなのか」が明らかでないから。地球や太陽の大きさにくらべれば、ネズミも象もほとんど差別はなく、きわめて小さい。細菌やウイルスにくらべれば、ネズミも象もほとんど差別はなく、きわめて大きい。

◆「高下相傾」

高低があるものの相対性は、傾斜をなすことによる連続的な相対性である。連続的とは、高いものと低いものとの中間もあるということである。これも二項対立とはいいがたい相対性である。高低を語る対象によって種々相が考えられる。

山の高さなど、物体的なものの場合がある。気圧の高さ低さ、温度の高さ低さなど、特定の物体ではなく全体的な様子の場合もある。気品の高さ低さ、人徳の高さ低さ、あるいは貧富の差などもある。

◆「音声相和」

この例だけがひどく異質である。「音」「声」をそれぞれなんと解するかが問題であるが、ごく常識的に旋律と和音といった音楽の要素で考えておこう。

「音声相和し」とは、ふたつの要素が調和することによって音楽というものが成立するといっている。この場合の相対性は二項対立どころか、むしろ相対するものの調和こそが美を生みだすのである。

音楽は人間がつくりだすもの、つまり人為に属するものであり（風の音に音楽を感ずるようなことはあるとしても、ふつうの意味では）自然にはないものである。楽器の音そのものが人工的につくりだされた自然界には存在しない音である（楽器がつくりだすドの音は、多くの倍音をふくんではいるがレの音もミの音もふくんでいない）。

いろんな楽器のそれぞれの音がかさねられるとき、たがいに調和する音の組みあわせと調和しない音の組みあわせとがある。つねに心地よい和音で進行する旋律よりも、ときおり不協和音のまざる旋律のほうがここちよい場合もある（調和する音と調和しない音との調和）。

音楽を考えると、そこには音の有無・長短・高低、さらには難易や前後もふくまれていて、それらの複雑にからまりあった音の要素の調和や不調和から音楽の美が生まれてくる（さらには演奏の巧拙ということもあるだろう）。

難易・長短・高下・前後は、いずれもそれを判断する主体が基準になってはじめて生ずる概念である。ただ「音声相和」すだけが異質であって、「音声」は「楽器の音色」「人間の肉声」「楽音」「雑音」など、さまざまに解釈されうる。ひとまず「旋律と和声とはたがいに相手があってこそ調和し」と訳しておいたが、じつはいくつか別案も浮かんでいる。

「音」は言葉の音であり「声」は言葉の意味である、と考えることはできないだろうか。言葉には音の側面と意味の側面とがあり、その両者が調和してはじめて言葉というものになる。「有無・難易・長短・高低・前後」がいずれも相対性をもつ対概念であるのに、「音声」だけはそのように理解できない。そこで「音声」について、対概念でこそないが、言葉の音と意味という相互に他者を必要とする概念として理解するのである。

アイデアとしてはおもしろい。たしかに言葉は音と意味という相互に他者を必要とするふたつの要素をもち、その調和によって言葉として成立する。けれども残念ながらそのことは本章の論旨とはつながりそうもない。

さらなる別案として、「音」と「声」とを対立概念や相補概念として考えるのではなく、音声と音声とはたがいに調和してこそ「対話」がなりたつと考えるというのはどうだろう。

「有無・難易・長短・高低・前後」という対概念は、いずれも認識論的な相対性があげられている。難しいと易しいとは相対的である（逆上がりが難しい小学生もいれば、大車輪が易しい体操選手もいる）というふうに立場によってものごとは相対的である。そういう相対性を総括するものとして、見方の異なるものの意見も対話をとおしてこそ調和にいたると考えるのである。これは一考に値するとおもう。

◆「前後相随」

前のものは、かならず後のものをしたがえている。後のものは、かならず前のものにしたがっている。

高低のあるものが傾斜をなすような連続的な相対性とちがって、前後という順序づけは、たんなる連続的相対性ではなく、時間的な連続性をもった相対性である。

時間的に前後するものは、かならず「したがう」という因果性をともなうということも示している。いずれにせよこれも二項対立とはいいがたい相対性である。

老子が例をあげて語れば語るほど、相対性にもさまざまあるということが明らかになってくる。それぞれの事例はどれも老子が論じようとする相対主義の公約数にはなれない。なにかが余り、なにかが足りない。

本章の論旨は「天下皆美の美為るを知るは、斯れ悪なるのみ。皆善の善為るを知るは、斯れ不善なるのみ」においてその勘どころはつくされている。「故に」以下はそれを敷衍《ふえん》しているにすぎない。

「有無・難易・長短・高下・音声・前後」といった対義語からなる熟語が、それぞれ「相《あい》」をともなって語られている。たとえば「有無相生じ」であれば、有を有とするから無が無となるのであり、有と無とはともに発生する。有と無とは、たがいにその対義語と依存しあうことによって相対的にそのようであるにすぎない。無がなく有だけ、有がなく無だけ、ということはありえない。

しょせん相対的でしかない判断にとらわれてはならない、とまでは老子は主張していない。「難易相成り」以下も、相対主義の「悪・不善」なるありかたの具体例としてとらえるよりも、概念の相対性の種々相をのべているものとして受けとっておいたほうがよさそうである。

「有無・難易・長短・高下・音声・前後」といった対概念はたしかに相対的ではあるが、対概念をもちいることはかならずしも「悪・不善」をもたらすとはかぎらない。その相対性をわきまえず無造作にもちいることがダメなだけである。

「無為」とは、なんにも為さないのではない。「為す・為さない」という対立にとらわれないのである。「不言」とは、なんにも言わないのではない。「言う・言わない」という対立にとらわれないのである。「為す事」と「為さない事」とがあるのではない。なにかを「為す事」とするから、なにかが「為さない事」になる。「言う教え」と「言わない教え」とがあるのではない。なにかを「言う教え」とするから、なにかが「言わない教え」になる。そういう相対的な分別は、ひとが人為的につくりだすものである。

「無為の事」「不言の教え」とは、為す・為さないという対立のない「事」にあって、言う・言わないという対立のない「教え」をおこなうことである。理屈はそうであるとして、では具体的にはなにをどうするのだろう？　一切をひたすら「あるがまま」にまかせきってしまうのだろうか。

老子は「万物の焉に作るも而も辞せず、生ずるも而も有せず、為すも而も恃まず、功成るも而も居らず。夫れ唯だ居らず、是を以て去らず」と締めくくる。

存在する・発生する・作用をほどこす・成就する、そのことを二項対立でとりあつかおうとしない。あらゆる二項対立にとらわれず、なにごとにも固執しないから、すべてにおいて自由である。すべてにおいて自由であるから、なにものからも「去る」ことはない。

「ある」があるから「ない」がある。「ない」があるから「ある」がある。それが自然の法則だとわきまえて、「為・言」のさいにも「ある」だの「ない」だのといった相対的な分別にとらわれない。

人為とりわけ言葉にともなう相対性を、老子は全否定してはいない。人為のゆきすぎや言葉のあやまりをいましめているだけである。

世界は「現実即可能性・可能性即現実」というありかたをしている。これをいたずらに相対的な分別に押しこめることはできない。

3

（為政者《いせいしゃ》がことさら）賢い人材を重用《じゅうよう》しなければ、ひとびとが（功名を）争わないようにできる。得がたい財貨を珍重しなければ、ひとびとが（財産を）盗まないようにできる。欲望をかきたてるようなものをみせびらかさなければ、ひとびとのこころを乱れさせずにすむ。

そういうわけで聖人の政治は、ひとびとの頭を（精神的には、よけいな知識にふりまわされないように）カラッポにし、（そのかわり肉体的には、飢えに苦しまないように）腹いっぱいにしてやる。（精神的には、よけいな欲望にまどわされないように）意志を軟弱にし、（そのかわり肉体的には、病気に苦しまないように）身体を頑強にする。いつでもひとびとを知識や欲望を（不自然なほどには）もたない状態にしておき、どんなに才気ばしった連中であろうとも、ひとびとをたぶらかすことができないようにする。こういう（自然の法則にしたがわないことは）やらないというやりかたによってものごとを処理してゆけば、なにごともうまくゆかないことはない。

賢を尚《とうと》ばざれば、民をして争わざらしむ。得難きの貨を貴《とうと》ばざれ ── 不尚賢、使民不争。不貴難得ば、民をして盗みを為《な》さざらしむ。欲《ほっ》す可《べ》きを見《あらわ》さざれば、民の心をして乱れざらしむ。

是《ここ》を以《もっ》て聖人の治《ち》は、其《そ》の心を虚《むな》しくして、其の腹を実《み》たし、其の志を弱くして、其の骨を強くす。常に民をして無知無欲ならしめ、夫《か》の知者をして敢《あ》えて為さざらしむ。為す無きを為さば、則《すなわ》ち治まらざる無し。


之貨、使民不為盗。不見可欲、使民心不乱。

是以聖人治、虚其心、実其腹、弱其志、強其骨。常使民無知無欲、使夫知者不敢為也。為無為、則無不治。


「賢を尚」ぶというのは「知」を偏重することである。「得難きの貨を貴」ぶというのは「欲」を偏愛することである。知識を重んじすぎないようにすれば、ひとより賢くなろうとして争うことはなくなる。財貨を愛しすぎないようにすれば、ひとより豊かになろうとして盗むことはなくなる。身につける知識、手にいれる財貨、それに執着しなければ、いたずらに「知」「欲」にふりまわされることもない。

よけいなことは考えさせず、そのかわり腹はいっぱいにしてやる。頭はカラッポで、なんの批判精神もない。からだは丈夫で、いくらでも肉体労働はやる。そうなったらもう為政者のやりたい放題である——というふうに読むと、ややもすれば愚民政策のすすめのように受けとられかねない。

「其の心を虚《むな》しく」すとは、賢才異能として重用されたい、得がたい財貨を入手したい、といった「知」「欲」にまみれた気持をなくすのである。もっと知識を、もっと財貨を、という志向をもたないようにさせるのである。

「其の腹を実た」すとは、戦争によって他国からうばいとるのではなく、自国において自給自足できるようにするのである。とりあえず食うに困らないように生活を安定させるのである。

「其の志を弱く」すとは、「其の心を虚しく」するのとおなじく、政治的な「知」や経済的な「欲」をもとめる心情を希薄にさせることである。「其の骨を強くす」とは、「其の腹を実た」すのとおなじく、日々の生活を安定させるための労働にたえうる肉体の健康をまもることである。

「常に民をして無知無欲ならしめ、夫《か》の知者をして敢えて為さざらしむ」とは、ひとびとに政治的な「知」や経済的な「欲」をもたないようにさせれば、いくら社会に波風をたててやろうと目論《もくろ》んでいるデマゴーグであろうとも、ひとびとを政治的・経済的な活動にみちびくことはできないということである。どんなに煽動《せんどう》しようとしても、そもそも自然の法則にそむいた「知」「欲」をもっていないので、さすがの「知者」も手も足もでない。

　老子はけっして愚民政策をすすめているのではない。為政者たるもの、ひとびとがのほほんと鼓腹撃《こふくげき》壌《じょう》しておれるような太平の世をめざすべし、と説いているのである。

　聖人が自然の法則にしたがった政治をおこなえば万事うまくゆく。では、その聖人による「為す無きを為」すような為政の中身とはどのようなものだろう？

　抽象的にいえば、自然の法則にさからうことをしないということである。具体的にいえば、ひとびとのなかに潜在する知者は、とりもなおさず有能な人材なのだから、かれらを民間にあって才能を発揮できるようにしてやるということである。

為政者が政治をうまくやっていれば、有能なる知者はおのれのいそしむべき（政治以外の）ことに専心できる。もし為政者が無能だったり、「知」や「欲」の対象をみせびらかしたりすれば、知者たちは要らざる「心」「志」をいだくにちがいない。

「其の心を虚しくし」「其の志を弱くし」における「虚・弱」は、老子の哲学にあっては肯定的な意味をもつ。「虚・弱」であるというのは「とらわれ・こだわり」がないことである。外界の誘惑にこころをうばわれることなく、おおらかに自然の法則にしたがって生きてゆくことである。

否定さるべき「知」「欲」とは、世俗にはびこる世知辛《せちがら》い「さかしら」である。老子はけっして一切の知識と欲望とを根こそぎ捨ててしまえといっているわけではない。知識や欲望をひとつのこらず捨ててしまうのは、生きることを否定するようなものである。

生きることを否定し、人生になんの価値もみとめないとしたら、ひとびとに教えを説くことも無意味になる。人間にとって真に必要な知識や欲望を浮かびあがらせるために、もとめるに値しない過当な知識や欲望を否定しているのである。

知識の蓄積によって文化はすすめられる。欲望の充足によって産業はうながされる。それは進歩とよぶべきものである。しかし遺憾ながら、進歩とともに競争もだんだんと激化せざるをえない。もし進歩なるものが幸福とともに不幸をもたらすとすれば、はたして諸手《もろて》をあげて歓迎すべきであろうか。

4

道は（自然の法則であるから、それ自体はカラッポの器《うつわ》のように）空虚であるが、どんなにはたらいても（そのはたらきは無尽蔵であって）窮《きわ》まることがない。底なしの淵《ふち》のようにどこまでも深く、まるで万物がそれにしたがっているものでもあるかのようだ。（自然の法則のはたらきは）万物のするどさを消しさり、もつれを解きほぐし、かがやきを和《やわ》らげ、あらゆるものに融《と》けこませる。（自然の法則のありようは）深々とたたえられた水のように静まりかえっているが、なにかが存在しているかのようでもある。わたくしは自然の法則がどこから生まれてきたのかを知らないが、どうやら（この世界をつくりだした）天帝よりもさらに先だつもののようである。

道は沖《むな》しくして之《これ》を用うるに或《ある》いは盈《み》たず。淵《えん》として万物の宗《そう》に似たり。其《そ》の鋭《えい》を挫《くじ》き、其の紛《ふん》を解《と》き、其の光を和《やわ》らげ、其の塵《ちり》を同じくす。湛《たん》として或いは存するに似たり。吾《われ》誰の子なるかを知らず、帝《てい》の先《さき》に象《に》たり。

道沖而用之或不盈。淵兮似万物之宗。挫其鋭、解其紛、和其光、同其塵。湛兮似或存。吾不知誰之子、象帝之先。

自然の法則がはたらいていることは、そのこと自体について直接に語ることはできない。現に自然の法則にしたがって生きている身にとって、なにぶん端的にそれ「しか」存在していない。この世界がこのようであることは、当の世界に生きているかぎり、ほかの選択肢を考えられない。

本書においてぼくは「自然の法則にしたがう」という表現をもちいている。「したがう」という語の使いかたについて、この場をかりて読者との意思の疎通をはかっておきたい。

「法律にしたがう」と「自然の法則にしたがう」とでは語の使いかたがちがう。法律の場合、したがうこともあれば、したがわないこともある。自然の法則の場合、したがわないということはありえない。どうやったらしたがわないことになるのかすら、わからない。

法律にしたがわないものがいても、法律がなりたたなくなるわけではない。それにたいして自然の法則の場合はちがう。自然の法則にしたがわない現象がひとつでもあれば、自然の法則をあらためねばならぬ。自然の法則には「したがわない」ということがありえない。

ぼくは自然の法則にしたがって行動しようなどとおもう必要はない。どんなに好き勝手にふるまおうとも、ぼくの意志にかかわりなく、ぼくはエネルギー保存の法則やエントロピー増大の法則にしたがってふるまっている。

自然の法則については「淵として万物の宗に似たり」「湛として或いは存するに似たり」としかいえない。「似たり」とは、それそのものではなく、それに似ているということである。かりに自然の法則が「万物の宗」のようであり「存する」かのようであるならば、それはただちに「万物の宗」「存する」ものではないということである。

「万物の宗」とはいかなるものを意味するのだろう？　蜂屋本は「万物の大本」と訳し、「万物を生み出す大本のことである」と注している。万物がそこから生まれてくる元のものは、古代ギリシアの哲学者が万物の「アルケー」とよんだものにあたる。タレスは「水」といい、アナクシマンドロスは「無限なもの」といい、アナクシメネスは「空気」といった。しかし「道」をそういう万物のアルケーとして理解することは、老子の思想を根本から誤解することになるとおもう。

万物を支配する「天帝」、西洋における「神」、これらは万物の元のものといわれて然《しか》るべきものである。これらは万物を超えている。しかし「道」は、万物の元のものに似たものではあっても万物の元のものそのものではないとすれば、それは万物を超えているとはいえぬのではなかろうか。

「万物の宗」について、ぼくは「万物がそれにしたがっているもの」と訳している。それは万物がそこから生まれてくる根源などではない。万物がそれにしたがって存在している自然の法則である。それは実体あるものではなく、はたらきのみがあるものである。それゆえ「淵として万物の宗に似たり」としかいいようがない。

本章はきわめて抽象的なことをつぶやいているようにみえて、じつは具体的なイメージをえがいているような気がする。

劈頭《へきとう》に「道は沖《むな》しくして」とある。「沖」とは「空虚」という意味である。容器の中身がカラッポであることをイメージするとよくわかる。中身がないことによってこそ容器としての「はたらき」がなりたつ。そのカラッポの大きさを変えることによってどんなものを容れることにも対応できる。

老子のいう道とは、自然の法則であって、アルケーのような万物の元のものではない。もとより有《う》でしかない万物と道とでは、そもそも存在の仕方が異なっている。ただし道は、万物にたいして独特な仕方でかかわっている。その独特な仕方とはどういうかかわりかただろう？

老子は「道は沖しくして之を用うるに或いは盈《み》たず」という。道は「沖し」いがゆえに、そのはたらきは無尽蔵である。道のはたらきは中身がカラッポの器のようなものであって、いくらはたらいても、ふえることもなければ、へることもない。

器は、もの（有）を盛るべき凹《へこ》み（無）がなければ器としての用をなさない。凹みのないものは器ではない。

その凹みは、ものではない。ものがない場所である。そういう凹みがあって、はじめて器は器としてはたらく。凹みが「ある」というのは、中身が「ない」ということであるが、それでこそ器としてのはたらきは「ある」。

道もまた器のように、なにかが「ない」ことによって、それとしてのはたらきが「ある」。器には「凹みがある」と表現できるように、道のはたらきも「ある」といいうる。その意味において道は「或いは存するに似たり」といえよう——という理解のあやうさについては、次章でつまびらかに論ずる（できれば第11章も参看していただきたい）。

老子が自然の法則をよぶに「道」の語をもってするのは、きっと人や獣や車などがとおるところから発想したのだろう。

草原をひとや獣や車がくりかえし往《ゆ》き来し、その往き来したところの草がなくなって、だんだん草原のほかの場所と区別がつき、一本の筋としてみえるようになる。それはたれがつくったものでもない。「誰の子なるかを知らず」に、たくさんのものが法則にしたがうかのように行動をくりかえすうちに、おのずと存在するようになってきたものである。

道とは、野原にあって一筋の草がはえていない場所である。草がそこだけ「ない」からこそ、そこに道が「ある」といえる。「ある」とも「ない」ともいえないような有無を超えたありかたであるとき、ひとは自由になにかを営むことができる。「これをおもえ」「ここをゆけ」とさだめられているとき、ひとは自由におもうことも、ゆくこともできない。

> わたくしはおもうのだが、希望とはもともと「ある」ともいえないし「ない」ともいえないものである。ちょうど地上の道のようなものであって、じつは地上にはもともと道などないのだが、歩くひとが多くなると、道ができるのだ（我想、希望本是无所謂有、无所謂无的。這正如地上的路、其実地上本没有路、走的人多了、也便成了路）。

ご存じ、魯迅《ろじん》「故郷」のラストである。

まるで絶望的なとき、ひとは希望をいだくことはできない。どう転んでも大丈夫そうなとき、ひとは希望をいだくことはない。ひょっとするとひょっとするかもしれないとき、ひとは希望をいだく。

草ぼうぼうの野原のなかを、たくさんの動物が歩くようになれば、そこが草のはえていない場所となり、やがて道となる。ただし野原のように歩こうとおもえば歩けそうなところだからよいのであって、切りたった崖《がけ》っぷちのような歩けそうもないところには、どうやっても道はできない。そうなりうる可能性がまったく潜在していなければ、そうなることはない。

動物は歩きやすいところを歩く。つまり自然の法則にしたがって歩けるところを歩く。だから甲の場所から乙の場所へとゆく道筋はおのずからきまってくる。かならずしも最短距離であるとはかぎらない。もっとも労力がすくなくてすむ経済的なルートがえらばれる。険阻《けんそ》なところは避けられ、安全なところがえらばれる。そういう道のできかたは、おのずから必然的かつ合理的なものである。

そうやって自然の法則にしたがって道ができてくること、それこそが道のはたらきである。

万物ひしめく世界にあって、万物どうしのはたらきあいのなかから「もの」のない場所が生じ、その「ない」が重要なはたらきをする。いったい万物が「はたらく」とはどういうことだろう?

万物のかたわらに万物で「ない」なにかがあり、それが万物のはたらきあいをささえているということを老子は洞察し、それを道とよぶ。万物どうしがはたらきあうさい、それにしたがっているところの自然の法則、それが道にほかならない。

自然の法則はおよそ人為によって創造されうるようなものではない。ことさら万物の意識にのぼることはないけれども、万物は否応《いやおう》なくその客観的かつ合理的な自然の法則にしたがって存在し、はたらきあっている。そのことは万物にとって端的に自明な事実である。

かかる自然の法則との独特な仕方での「かかわり」が、万物の存在をささえている。道は不特定多数のもののはたらきあいをささえている。「或いは存するに似たり」という独特な仕方で、万物は自然の法則にしたがって存在している。その自然の法則のはたらきは、「吾誰の子なるかを知らず」というように、およそ「誰」という特定のなにかがつくりだすものではない。

自然の法則が万物の存在をつくりだしているわけではない。万物が必然的・普遍的な自然の法則にしたがって存在すること、そのこと自体が道なのである。

道は「帝の先に象《に》たり」とあるが、この「帝」とはなんだろう？

王弼《おうひつ》は「天、天帝也」と注している。天帝を「天の主宰者」のように理解しようとすると、依然として「天」の理解が問題となってくる。道は「帝の先に象たり」というからには、道は天ではない。道は天よりも先のものである。では天と万物との関係はどういうものだろう？

万物が存在するすべてのもの、すなわち森羅万象を意味するならば、天はその一部ということになるのだろうか。あるいは天が「地」「人」に相対する語であるとすれば、万物から地上的なものや人間的なものを除外したものが天ということになるのだろうか。

さらに天と「万物の宗」との関係はいかなるものだろう？　天の主宰者としての天帝は、天のありかたを決定し、さらには地や人のありかたも決定し、けっきょく万物のありかたを決定することになる。

してみると「帝」と「万物の宗」とはおなじものを意味することになるのだろうか。

道は「万物の宗」に似てはいるがいっしょではない。また道は「帝の先」のようでもある。してみると道とは、万物の根源や天の主宰者といわれるものに似てはいるが、それとはちがうものなのである。老子は、その当時すでに存在していた形而上学的なものの見方を念頭において、それとはちがう思想を語ろうとしているとおぼしい。

たとい「万物の根源」「天帝」といおうとも、しょせん存在するもの（有）である。道はそれらと「はたらき」が似ているとしても、存在するものではないなにか（無）なのである。道は存在するものではないが、まるで存在するかのように、その「はたらき」のみが存在するのである。

道がいつどのようにして「ある」のかはわからない。この世界がこのようであることをささえる自然の法則であるとしたら、それを生むべき母などいるはずもない。

したがって「誰の子なるかを知らず」であるのは当然であり、万物の主宰者である「帝」よりもさらに「先」であるのもまた当然である。道とは、それが「なにによって」あるのかはわからないが、ありとあらゆるものが「それによって」あるようなものである。

万物あっての道ではなく、道あっての万物である、といった消息なのだろうか？　そうではない、というのがこの本におけるぼくの立場である。

道あっての万物ではない（つまり道は万物の根源などではない）。むしろ万物あっての道である。道という客観的かつ合理的な自然の法則にしたがって万物はあり、そういうふうに万物があることが、道がはたらいていることにほかならない。

「其の鋭を挫き、其の紛を解き、其の光を和らげ、其の塵を同じくす」の主語は「道」だとして、「其の」とはなにを指すのだろう?

ぼくは「万物の」と訳した。ありとあらゆる存在するものについて、ハッキリしたありかたをなくし、ボンヤリしたありかたにさせ、卓越した派手なありかたではなく、凡庸で地味なありかたにさせる、と。

あるいは「其の」とは、はじめの三つは「人知の」鋭さ、紛《みだ》れ、光であり、「塵を同じくす」るとは、道のはたらきが人知のおよぶところにくまなくゆきわたっている、というふうに解釈するのかもしれない。

人知はどうしても「万物」という存在するもの（有）にとらわれる。だから道という自然の法則のはたらきが（自分もふくめた）万物のはたらきをささえているという消息を知ることはむつかしい。自然の法則の「無」なるはたらきにしたがうことは、人知の鋭をくじき、人知のもつれをほどき、人知の光をやわらげることである。

自然の法則のはたらきは、したがって人知とおなじひろがりをもっている。老子は、人知を頭ごなしに全否定するわけではない。人知の足りないところをおぎなうのが自然の法則だと考えている。

5

天地（の万物を生みだすやりかた）にいつくしみなどない。万物をまるで（祭りがおわれば捨てられる）ワラの犬のようにあつかう。聖人（の為政のやりかた）におもいやりなどない。人民をまるで（祭りがおわれば捨てられる）ワラの犬のようにあつかう。

天と地とのあいだ（にひろがる世界）は（なんにもない空間がひろがっているという意味では）ちょうど（なんにもない空間をパフパフさせて風をつくりだす）「ふいご」のようなものだろうか。（ふいごの内部は）カラッポだが（その万物を生みだすはたらきは）つきることがなく、うごけばうごくほど（ふいごが風をつくりだすように万物が）どんどん生まれてくる。

（知識にとらわれた）おしゃべりがすぎると（カラッポでなくなって、はたらきは）しばしばゆきづまる。（空虚かつ静寂であるという）カラッポなありかたをまもるに越したことはない。

天地は仁《じん》ならず。万物を以《もっ》て芻狗《すうく》と為《な》す。聖人は仁ならず。百姓《ひゃくせい》を以て芻狗と為す。

天地不仁。以万物為芻狗。聖人不仁。以百姓為芻狗。

天地の間《かん》は、其《そ》れ猶《な》お槖籥《たくやく》のごときか。虚にして屈《つ》きず、動けば愈《いよ》いよ出《い》づ。多言なれば数《しば》しば窮《きゅう》す。中《ちゅう》を守るに如《し》かず。

天地之間、其猶槖籥乎。虚而不屈、動而愈出。多言数窮。不如守中。

天と地とのあいだのカラッポは、譬《たと》えるならば「ふいご」のようなものである。あらゆるものがそこにおいて不断に生みだされつづけている。

万物の生みだされかたは、「根源的な一者から生まれてくる」「絶対の超越者によって生みだされる」といったトップ・ダウンのものではない。内部がカラッポの「ふいご」から風がつくりだされてくるように、天と地とのあいだにひろがる無限のはたらきを秘めたカラッポの場にあって自然の法則にしたがって生みだされる。「ふいご」に譬えられる万物の生まれかたとはどのようなものだろう?

絶対の一者の差配によって生みだされるのではない。「もの」と「もの」との関係、万物どうしの相互作用によって「虚にして屈《つ》きず、動けば愈いよ出づ」というふうに生まれてくる。そのさい森羅万象の相互作用において必然的かつ合理的にはたらいているもの、それこそが自然の法則である。

天地の造化に「仁」といった人情のはいりこむ余地はない。それは必然的かつ合理的な自然の法則にしたがっている。それゆえ万物は、あたかも使い捨てのワラの犬のごとく無慈悲にあつかわれる。

自然の法則のはたらきかたは「以て芻狗と為す」と譬えられるように、人為のさかしらによって左右できるものではない。それはただ「中を守る」というふうにカラッポなありかたをまもっている。万物としては「多言なれば数しば窮す」と心得ているよりない。

「中を守る」とはカラッポなありかたをまもることである。「なんにも為さない」ということではない。人為のさかしらを捨てて自然の法則にしたがうのである。

「中を守る」ところの天地のありかたは、万物にとっては冷たく無情にみえる。天地は万物を生みながら、われ関せずというふうに超然としている。天地は、万物を生みはするが、生みっぱなしで、それを「どうしよう」という思惑《おもわく》をもたない。万物のおのずからなる自然な生長のあるがままにまかせる。

天地のありかたは、いかにも「不仁」である。儒家にあっては「仁」が最高の徳目とされるが、老子にとってはそうではない。天地の造化はどこまでも自然の法則にしたがったものである。それは人為を捨てきれないものの俗眼には、とことん無慈悲・非人情であるように映るだろう。

天地のはたらきは、あたかも「ふいご」がカラッポのところから風をつくりだすように、いくらはたらいてもつきることがない。うごけばうごくほど力がわいてくる。情けぶかくはないが、虚心かつ公平にはたらきつづける。それにひきかえ世間における人為のありかたは、そのはたらきに言葉がつきまとう。そのぶん自由を欠《か》き、しばしば「しがらみ」を生じてゆきづまる。

生みっぱなし、おさめっぱなしのまま、あとは生んだもの、おさめたものの「あるがまま」にほうっておくというのは、自然の法則まかせのありかたである。それは内部がカラッポの「ふいご」のようなありかた、すなわち万物どうしの相互作用における必然的かつ合理的なはたらきあいにまかせるといったありかたである。たしかに情けぶかくはない。そのかわり消尽することもない。

ふいごとは、鍛冶屋《かじや》や鋳物師《いものし》が、火力をつよめるためにアコーディオンの蛇腹《じゃばら》みたいなやつを、ふくらませたり、ちぢめたりして、人為的に風をつくる道具である。ふいごは形のある部分とカラッポの部分とからできていて、じっさいは形のあるほうをパフパフさせるんだけど、それによってカラッポのところから風がつくられる。ふいごは内部がカラッポだからこそ、いくらでも無尽蔵に空気のうごきをつくることができる。カラッポは、あらゆる対立に先だつという意味においては「無」だが、そこから絶対的な主体として自由にはたらくという意味においては「一切」である。

この内部がカラッポの「ふいご」に譬えられるはたらきかたとは、万物の相互作用における自然の法則にしたがった必然的かつ合理的なありかたにまかせることである、とぼくは理解する。ある一定のものの差配によるのではなく、ものとものとの関係、すなわち万物の相互作用によって生まれてくるというありかたを、老子は「ふいご」で譬えているのである。

ぼくの趣味である尺八も、なかが空洞だから、いくらでも音がつくれる。なかが空洞の竹筒に息が吹きこまれて、そこから無尽蔵に音が生まれてくる。カラッポの空洞から音が生まれてくるとき、たしかにカラッポそれ自身はなんにもしていないようだが……いや、待てよ。ぼくが息を吹きこまなければ尺八は鳴らない。してみると尺八は「無」のはたらきによって鳴っているといえるのだろうか。

なんとなく「ふいご」の譬喩《ひゆ》もあやしくおもえてきた。

「ふいご」は蛇腹でかこまれた空間をふくらませたり、ちぢめたりして、人為的に風をつくる道具だが、これをうごかす動力が、たとえば人力が必要である。そこにおいて万物が生みだされる「天地の間」をふいごで譬えようとするならば、たれかによってうごかされるふいごではなく「自分でうごくふいご」といわねばならない。

ふいごの内部が「ない」というのは、本来あるべきものがないのではない。影は光が欠けているとか、静寂は音が欠けているとかいうのとは、かなり事情がちがう。

ふいごのカラッポはなにかが欠けているわけではない。風をつくりだすという積極的な機能をもっているのは事実だが、それを囲んでいる蛇腹などの有のはたらきではなくて囲われている無のはたらきなんだと考えるべき理由が、あらためて考えてみるとピンとこない。

容器は本来あるべきものが欠けているせいで凹《へこ》んでいるわけじゃない（むしろ凹んでいなけりゃ容器でない）。そのカラッポも立派に容器の一部のような気もするが、「凹みも容器なのか？」と真顔で迫られたら自信がない。

ふいごの内部はたんなるカラッポではない。空気がいっぱいつまっている。その空気が燃えるものに吹きつけられることによって火力がつよくなる。天と地とのあいだの空間には万物がおさまっている。その万物がたがいに作用しあってさまざまの現象が起こっている。

ふいごであれ、天地の間であれ、けっして「無」がなにかをしているわけではない。なるほど容器の凹みも容器の一部である。凹みがなければ容器とはよべない。ただし囲んでいる有がはたらいているのであって、囲まれている無そのものがなにかをしているのではない。無にはなんのはたらきもない。

しかも風をつくりだすためには、ふいごをうごかす人力が不可欠《ふかけつ》である。人力が蛇腹というふいごの有の部分をうごかすことによって空気がつくりだされる。

一連のプロセスに「無」はまったく関係がない。無がはたらいて有がうごくなどということはない。

老子の所説を「無の哲学である」といった色眼鏡でみてしまうと、カラッポだからこそはたらいて消尽しないというのは「はたらきが自分を隠すことによって自分をあらわす」といった逆説的な理屈であり、ふいごはそういう自己にたいする否定性をもったはたらきを譬えたものである、というふうに考えたくなってしまう。無とは、はたらきをささえている特権的かつ空虚な場所であるが、その無の機能はついに言葉にならないのだ、と。こんなふうに考えることは哲学の皮をかぶった世迷《よま》い言《ごと》でしかない。

天と地という万物がそこにおいて存在している世界は、たしかに無ともいうべき自然の法則につらぬかれている。天は自然界の法則（たとえば天候など）を、地は人間界の法則（たとえば経済など）を、それぞれ象徴している。天と地とのあいだにひろがる自然界および人間界は、あまねく自然の法則に統《す》べられており、そこにおける森羅万象の相互作用において万物は不断に生滅しつづけている。

老子の思想の端倪《たんげい》すべからざるところは、たんに自然の法則によって万物が生じていると考えるだけではなく、聖人の為政もまた必然的かつ合理的な自然の法則にしたがっており、それゆえ人民を使い捨てのワラの犬のごとく無慈悲にあつかうというふうに、人間の社会の出来事もまた法則にしたがっていると考えるところにある。そういったシビアな世界の実相には、いずれにしても「仁」などという人情のはいりこむ余地はない。

6

（あらゆる流れをこばむことなく受けいれる空虚のきわみである）谷《こく》のような神秘（な自然の法則のはたらき）は、とこしえに消尽《しょうじん》するということがない。その玄妙なるはたらきを母性という。玄妙なる母の（万物を生みだす通りみちのような）生殖のはたらきは、これを天地（に万物が生みだされるはたらき）の根本という。いつまでも絶えることなく存在しつづけ、いくらはたらいても疲れるということがない。

谷神《こくしん》は死せず。是《これ》を玄牝《げんぴん》と謂《い》う。玄牝の門、是を天地の根《こん》と謂う。綿綿《めんめん》として存するが若《ごと》く、之《これ》を用いて勤《つ》きず。

谷神不死。是謂玄牝。玄牝之門、是謂天地根。綿綿若存、用之不勤。

谷とは、地球の裂け目のように低く凹《へこ》んでいて、その凹みに沿って水が流れているだけの場所である。まさに低姿勢のきわみといったところである。

谷には神がいて、どうやら不死身らしい。しかも「玄牝《げんぴん》」というから不思議なメスである。すると「玄牝の門」とは女性器の象徴ということになる。そこをくぐって万物が生まれてくるというのは、メスによる生殖作用をイメージしているのだろう。

母なるものが万物を生みだすはたらきは無尽蔵であって、とこしえに枯れるということがない。あくまでもひかえめで、どこまでも受け身でありながら、じつは無限の生命力をはらんでいる。

自然の法則のはたらきを母なるものの生殖作用に譬《たと》えているところが印象的である。

万物の外にあって超越するものが、万物を生みだすのではない。万物そのものの内にあるそれぞれの母なるものが、それぞれの子を生みだす。ものが生まれることは性（生まれつきのもちまえ）によってもたらされる。

「谷・門」いずれも「陽にたいする陰」「有にたいする無」を譬えている。それは露骨に存在するものではなく、あたかも「存するが若《ごと》」きものであるという自然の法則のはたらきを象徴している。

谷とは、山に水が流れ、地が浸食され、岩が削りとられたところである。山が削られた果ての谷底は、山のうちに「存するが若」きものではあるが、ただちに山であるとはいいがたい。

門とは、建てもののある場所ではなく、外界へとひらかれた空間である。外界へとつながる門は、建てもののうちに「存するが若」きものではあるが、ただちに建てものであるとはいいがたい。

自然の法則のはたらきは、ちょうど「谷・門」のように「存するが若」きものではあるが、不断に「之を用いて勤《つ》き」ないものである。この事実を受けいれるべし、と老子はいう。

神は存在するとおもっているひとがいる。神が存在するとおもうことは「主体に依存する主観的な述語づけ」である。したがって相対主義がなりたちうる。さりとて神が存在するとおもっているひとは偽《ぎ》なる信念をもっているわけではない。かれにとっては神は存在するということが真である。

神は目にみえない。だから対象に依存する客観的な述語づけはできそうもない。自然の法則もまたそうである。だから「谷神」とよんだり「玄牝」とよんだりし、「綿綿として存するが若」しと言葉をにごすよりない。

ただし自然の法則は、神がそうであるような意味において、ぼくの経験を超えるものなのではない。ぼくは自然の法則にしたがって万事を経験している。

世界は素粒子からなりたっているが、素粒子を肉眼でみることはできない。その意味では素粒子もまた経験を超えた概念である。ところが、ぼくは科学者の素粒子による世界の説明を受けいれている。世界は素粒子でできているという信念と、神は存在するという信念とは、どれくらいちがうのだろう?

科学的な態度には、いくばくかの留保がふくまれている。いままでの経験(実験)からすれば、世界は素粒子でできているという考えがもっともよく世界のありかたを説明している。だが、この考えをくつがえすような経験がこれからも絶対にないとはいいきれない。もしそのような経験があらわれれば素粒子説は再考されねばならない――と考えれば、たしかに留保がふくまれている。それにたいして「神は存在する」と信じているひとの信念には、そのような留保は微塵《みじん》もふくまれていない(絶対に正しいと信じているはずである)。

科学者たちがそういっているからという理由で「世界は素粒子でできているという信念」を信じている一般人(ぼくのことである)にとって、その信念にふくまれる留保は「科学者だってまちがえることはある」というものであり、この信念(素粒子説)の真価を正しくとらえたものではない。容易に信念を変えてしまえるような留保である。

素粒子の存在は、神の存在とちがって、実験によってみちびかれた理論である。しかし耳学問でいわせてもらえば、クワインのいう「理論の決定不全性」が正しければ、実験によってみちびかれた理論だけが正しいという保証はない。素粒子が存在しないでも世界をちゃんと説明できる理論もありうる。

もっとも「ありうる」というエクスキューズにはまったく具体性がない。「素粒子説をとらない世界についての説明理論」はいまのところ考えつくことができない。「ありうる」ということの可能性は、素粒子説に変わりうる理論が提出されてはじめて検討に値するものになる。

ぼくにとって素粒子は存在するが神は存在しない。素粒子のない世界を生きた大昔のひととぼくとは異なる世界に生きている。神は存在するとおもっているひととぼくとは異なる世界に生きている。経験を超えたことがらについては世界そのものが相対化されるのだろうか。

7

天は永遠であり、地は悠久である。天地が永遠かつ悠久でありうるのは、みずから永久に生きようとはしないからである。それゆえ永久に生きつづけられる。

そこで（自然の法則にしたがっている）聖人は、自己をあとまわしにするが、かえって（他者に）先んずることになり、自己を蚊帳《かや》の外におくが、かえって（他者に）一目置かれることになる。それは（聖人が自然の法則に身をゆだねて）自己に執着することがないからではなかろうか。だからこそ自己を実現することができるのである。

天は長く地は久し。天地の能《よ》く長く且《か》つ久しき所以《ゆえん》の者は、其《そ》の自《みずか》ら生きんとせざるを以《もっ》てなり。故《ゆえ》に能く長生《ちょうせい》す。

是《ここ》を以て聖人は、其の身を後にして身先んじ、其の身を外にして身存す。其の私《わたくし》無きを以てに非《あら》ずや。故に能く其の私を成す。

天長地久。天地所以能長且久者、以其不自生。故能長生。

是以聖人後其身而身先、外其身而身存。非以其無私邪。故能成其私。

『老子』を読むさい、これだけは譲歩すまいとおもっていることがある――いかに逆説的な言辞を弄《ろう》していようとも、「生きものがいかに生きるか」ということを教えるのが老子の思想である、という立場はふみはずさぬようにしたい。

天地とは、天と地とのあいだに存在する万物のことだろう。万物といってもすべてが生命をもつものではない。だが万物のなかでもとりわけ論ずべきものは生きものである。

天地が「自ら生きんとせざる」ということが、文字どおり「自分からは生きようとしない」ということであるならば、これは明らかに生きものの本質に反するありかたである。生きものはすべて「生きよう」とする性質をもつ。いったい老子が生きものの本質を否定するようなことを説いたりするだろうか。

生命の本質は生きようとするところにある。とはいえ、生きようとする性質をそのまま剝きだしにしていては、うまく生きられない。生きようとすればするほど、かえって生きにくくなるという皮肉な事情もある。

老子はリアリストである。生きようとする自己を捨てることによって、むしろうまく生きられたりする、という逆説的なことわりを的確にわきまえている。

天地が長久でありうるのは、オレがオレがとでしゃばらないからである。聖人はみずからをあとまわしにするので、かえって他者より先んずることができる。また自己を度外視するからこそ、かえって他者から重んぜられる。はなはだ逆説的ではあるが、自己（私）を捨てるがゆえに、むしろ自己をなしとげることになる。

天地も聖人も、そういうありかたが可能であるのは、ともに自然の法則にしたがっているからである。自然の法則にしたがうとは、「自」をあとまわしにし、「私」を捨てることである。そのことがかえって自己の成就《じょうじゅ》をもたらすという寸法である。

「私」を捨てるからかえって「私」がなしとげられるという逆説的なものの見方は、頭ではわかっていても、そのように生きるのは至難のわざである……かのようであるが、われわれは元来そういう生きものではなかろうか。

単細胞生物は細胞分裂をくりかえすことによってクローンをつくりながら永遠にふえつづける。したがって単細胞生物においては事故死のほかの「死」というものはない。多細胞生物（＝個体）は、ふたつの個体間における有性生殖によって（たとえば精子と卵とがであうことによって）別の個体をつくりながら永遠にふえつづける。したがって多細胞生物においてはじめて死という概念があらわれる。

単細胞生物における細胞分裂であれ、多細胞生物における有性生殖であれ、それぞれ生命の連続性をもとめて生きている。個体は永遠ではないけれども、おのおの永遠にふえつづける可能性をもとめつつ生きている。逆にいえば、細胞分裂したり有性生殖したりすることによって生命の連続性をもとめたもののだけが淘汰《とうた》されずに生きのこっている。

自己にいたずらに執着し、変化をもとめようとしないものは、いずれ滅んでしまう。自己に執着せず、変化をおそれずにみずからを革新してゆくものこそが、むしろ自己を存続させることができる。

自己否定をふまえてこそ自己実現はある。「其の私無きを以てに非ずや。故に能く其の私を成す」という老子の思想はすこぶるリアリスティックなものの見方である。

個体性とは唯一性でもある。けれども唯一性は、それ自体を単独でつきつめてゆくと、タマネギの皮といっしょで、最後にはなんにものこらない。いわゆる「本来の自己」などというものはカラッポの芯《しん》である。

「私」というものがあるとすれば、それは現に生きているという出来事として遭遇すべきものである。「私」とは実体ではなく出来事である。

出来事はそのつど消えてゆくがゆえに、それとしての意義をもちうる。「無私」に徹底することによって「私」を成就することができる。我欲を捨てることによって、かえって自分のやりたいことを実現できる。

なるほど理屈としてはわからんでもない。しかし文字どおりに無私無欲であるならば、もはや実現すべき自分のやりたいこともなくなってしまうんじゃなかろうかという懸念をぬぐえない。そんな非人間的なありかたを老子がもとめているはずはなかろう。

老子は「常に民をして無知無欲ならしめ、夫《か》の知者をして敢《あ》えて為《な》さざらしむ。為す無きを為さば、則《すなわ》ち治まらざる無し」といっていた（第3章）。「無知無欲」といういいかたをしているけれども、それは一切の知識と欲望とを根こそぎ捨ててしまえといっているわけではない。

老子が否定する「知・欲」とは、ことさらな作為としての世俗的な知識や欲望であって、ひととして生きてゆくうえで必須の知識や欲望のことではない。ただし、ひととして生きてゆくうえで真に必要な知識や欲望と、ことさらな作為としての世俗的な知識や欲望と、このちがいをわきまえることが、ぼくのような凡人にはむつかしい。

そういう現実をふまえてだろうか、老子は「私《わたくし》を少なくし欲を寡《すく》なくす」（第19章）とアドバイスしている。私欲をまったく捨ててしまうのではなく、私心をへらし、欲望をすくなくせよ、と。

超俗の修行者じゃあるまいし、俗世間にあって日常生活をおくっているからには「私・知・欲」をまったくゼロにしてしまうのは無理である。なるべく「へらす・すくなくする」ようにつとめればよい。

具体的にどうすればよいのかというと、「足るを知る者は富む」とわきまえるのである（第33章）。満足することを知るというのが豊かであるということである。「足るを知れば辱《はずか》しめられず」（第44章）。満足することができれば恥辱をこうむることもない。「足るを知るの足るは常に足る」（第46章）。満足することを知ったうえでの満足こそが、いかなるときも満ち足りていられるものである。

「足るを知る」とは、まったく「無私無欲」になることではない。なるべく「少私寡欲」になって、最小限の力で得られるものに満足するということを知るのである。「足るを知るの足るは常に足る」というように、満足することの大切さを知ったうえでの満足することこそが、かりそめの満足ではない真の満足なのである。

本章における「無私」はひとまず「足るを知る」ということとして理解しておきたい。とりあえず私欲を「最小限におさえる」くらいに考えておこう。

「無私」といっても、「私」を完全になくしてしまうのではない。できるだけ最小限におさえるのである。日々の暮らしにおいても「其の身を後にして身先んじ、其の身を外にして身存す」というふうに、オレがオレがと我《が》を張らずに「おさきにどうぞ」とゆずるのである。

「私」はたしかにある。あまりにも「あるにきまっている」から、いまさら私を捨てろといわれたって、なにをどうすればよいかわからない。だからくれぐれも「自分さがし」なんかしちゃいけない。自分をさがしているとき、さがしている当人はいったいたれなの？

この自分をできるだけ最小限にするという老子の提案は、けっこう現実的だとおもう。「足るを知る」ということのうちに「無私」と「自己の成就」とが見事な一致として表現されている。

最小限におさえるべき「私」とは、他人との比較によって生まれてくる欲望を追いもとめるような主体である。そういう自己は捨てなさい、と老子はいう。そういうのはつくられた自己、踊らされている自己である。見栄をはったり、他人を嫉妬したり、そんな自己は捨てたほうがよい。

厳格主義のストア派にたいして快楽主義のエピクロス派は、欲望を自然な欲望と不自然な欲望とに分ける。そして自然な欲望（喉がかわいたときの一杯の水や空腹のときの一切れのパンをもとめること）は満たすべしといい、不自然な欲望（たとえば自分の銅像を建てること）は避けよという。

エピクロスは「一切れのパンと一杯の水とがあれば足りる」という。老子もそれに左袒《さたん》するのではなかろうか。

8

すばらしく善いありかたとは、たとえば水のような（自然の法則にしたがった）ありかたである。水はあらゆる生きものに恵みをほどこしながら、しかも（みずからは勝ちをもとめて）争うことがない。たれもがイヤがる（低い）ところにとどまる。だからこそ自然の法則（にしたがったありかた）に近いのだ。

（どういうのが自然の法則にしたがったありかたかというと）身のおきどころは（あやうい空中ではなく安定した）大地のうえがよく、心のはたらきは静かで深いのがよく、他人とのまじわりは愛情にあふれているのがよく、言葉は真実をあらわすのがよく、政治は平和をもたらすのがよく、事業をおこなうのは有能であるのがよく、行動をおこすのは時宜《じぎ》にかなっているのがよい（というふうに、これらのことはみな他者と争って勝ちとるべきものではなく、もっぱら自然の法則にしたがって得られるべきありかたである）。

そもそも（勝ちをもとめて）争うことがなければ、まちがいをしでかすこともない。

上善《じょうぜん》は水の若《ごと》し。水は善《よ》く万物を利して而《しか》も争わず。衆人《しゅうじん》の悪《にく》む所に処《お》る。故《ゆえ》に道に幾《ちか》し。
居《お》るは地を善《よ》しとし、心は淵《ふか》きを善しとし、与《あずか》るは仁を善しとし、言は信《まこと》あるを善しとし、正は治まるを善しとし、事《こと》は能《のう》なるを善しとし、動くは時《とき》なるを善しとす。
夫《そ》れ唯《た》だ争わず、故に尤《とが》め無し。

上善若水。水善利万物而不争。処衆人之所悪。故幾於道。
居善地、心善淵、与善仁、言善信、正善治、事善能、動善時。
夫唯不争、故無尤。

水

はこの世のなかに遍在し、生きとし生けるものの命の根っこをささえている。この水のもつ象徴的な性質について考えてみよう。

水は何色だろう？　水それ自体に色はない。水は無色透明であるからこそ、水彩絵具の色にかぎりがないように、あらゆる色彩をつくることができる。水は無色であるからこそ全色である。

水はどういう形なのだろう？　どんなに複雑な形のところにも水はすんなりとおさまる。凹《へこ》みの数だけ水の形はある。水は無限の形をもっている。水は無形であるからこそ全形である。

水はどういう味や匂いなのだろう？　純粋な水には味も匂いもない。水は無味無臭であるからこそ、おいしいスープやかぐわしい香水など、あらゆる味や匂いになることができる。水は無味無臭であるからこそ全味全臭である。

老子は水の「無であるからこそ全てである」という象徴的な性質に注目する。これは自然界に生きるものにとってはありふれたことがらであるが、こういう逆説的な性質に留意するというのがいかにも老子ならではである。

ちなみに水は、常温では液体だが、温度によっては固体になったり気体になったりする。固体のとき、水を構成する原子のとなりにはきまった相手がいる。人間に譬《たと》えてみれば、社会での立場や家庭での役割によって窮屈にしばられているようなありかたがそうだろうか。気体のとき、原子は自分ひとりで勝手に飛びまわっている。社会にも家庭にもしばられない自由人みたいなありかたがそうだろうか。

ぼくにとっての自由のイメージは、むしろ液体である。社会や家庭といった構造物のなかを縫《ぬ》うようにして流れてゆく。固体のようにきまった相手とだけつきあうのではなく、気体のように自分ひとりで飛びまわるのでもなく、いれかわりたちかわり、いろんな「であい」をしてゆく。

老子のすすめる無為自然な処世とは、ひたすら「なんにも為さない」という氷のように凝り固まったものではない。具体的なことがらについて、そのつどの臨機応変なありかたを説くものである。

そのありかたの基本はというと、「万物を利して而も争わず」と自分よりも他人に利益をあたえるような、また「衆人の悪《にく》む所に処る」と他人のイヤがることをひきうけるような、まさに水のように相手まかせのありかたである。

われこそはという自分本位を捨て、自分以外のものに身をゆだねるというのは、ひとつの見識ある生きかたである。大袈裟《おおげさ》にいえば「自分において死んで他人において生きる」といった姿勢である。

自分を捨てることによって自分以外のものに洗われ、新たな自分として生きる。この「する」ことと「される」こととがおなじであるような生きかたを、重力の法則に逆らうことなく高いところから低いところへと流れ、川幅の広狭によっては流れに緩急をつけるというふうに、水のありかたはよく体現している。

水は先を争うことなく、高いほうから低いほうへと流れてゆく。その低いところが「利」のない、ひとのイヤがるところであろうとも、水はイヤがらずに流れてゆく。そういう水のような「争わず」という生きかたをしていれば「尤《とが》め無し」だと老子は結論づける。なにしろ争わないのだから、けっしてとがめられることはない――こんなふうに割りきると、ともすれば「事勿《ことなか》れ主義」のようにとられかねない。

水は自然の法則にしたがって存在することの象徴である。水は自然の法則にしたがいながら流れてゆくのみであるから、いちいち先を争わず、わざわざ場所をえらばない。とはいえ争わないありかたを主体的にもとめているわけではない。水はすすんで、みずから欲して、そうしているのではない。水はただ自然の法則にしたがって流れたり、よどんだり、たまったりしているだけである。

蛇口をひねれば水がでてくる現代の生活とちがい、老子のころのひとにとって「水の若し」といえば、まずは川の流れがイメージされただろう。

孔子は「逝《ゆ》く者は斯《か》くの如《ごと》きか。昼夜を舎《お》かず」（『論語』子罕《しかん》）という。流れてゆくよ、昼となく、夜となく、と。孔子は川の流れにおいて不断かつ不可逆なありかたをみている。

老子が川の流れになぞらえているのは、けっして逆らわず、文句もいわずに低いほうへとゆくという、われこそはといった積極性とはとことん無縁なありかたである。おなじ水をみても孔子と老子とではずいぶん見方がちがう。

荘子は「人は流水を鑑《かがみ》とすること莫《な》くして止水《しすい》を鑑とす」（『荘子』徳充符《とくじゅうふ》）といっている。流れる水は鏡にならないが、止まった水は鏡になる。うごいているものに姿を映すことはできない。かりに映ったとしても、おちおちみていられない。

「止水」と「流水」とでは、どっちが澄んでいるのだろう？　「明鏡止水」という言葉もあれば「流水不腐《くさらず》」という言葉もある。たしかに「止水」は鏡になりそうだけれども「流水」のほうがキレイのような気もする。

キレイな水も流れていなければよごれてくる。きたない水もよごれが沈殿すればキレイになる。「止水」と「流水」とどっちが澄んでいるのかという問いかたはナンセンスなのかもしれない。

ただ、どっちが好きかといわれれば、ぼくは流れている水のほうが好きである。「明鏡止水」なんていう境地はどうせ無理なんだから、せめて「行雲《こううん》流水」という生きかたをしたい。

「止水」と「流水」とは、こころの状態の譬喩《ひゆ》である。両者は排他的ではない。あるときは「止水」のごとく、すべての感情や欲望をしずめておく。あるときは「流水」のごとく、マンネリや停滞におちいらないようする。時と場合とに応じて「止水」あるいは「流水」のごとく、こころを臨機応変にコントロールすべきだとしたら、どちらのほうが好い生きかたであるともいえないだろう。

9

（器にあふれんばかりの水をささげもって）いつまでも満たしたままにしておこうとするのはやめたほうがよい。（刃物《はもの》の斬れ味をよくしようと）きたえまくって鋭くしすぎれば、かえって（もろくなってしまって鋭さが）ながもちしない。

金銀財宝を座敷いっぱいにためこんだところで、とてもまもりきれるものではない。たくさんの財産やすばらしい地位を手にいれたからといって「おごりたかぶる」ようになってしまえば、みずから「わざわい」をまねくことになる。

仕事をなしとげたらさっさと身をひくというのが、この世の道理というものである。

持ちて之《これ》を盈《み》たすは、其《そ》の已《や》むるに如《し》かず。揣《う》ちて之を鋭《するど》くすれば、長く保つ可《べ》からず。

金玉《きんぎょく》の堂に満《み》つるも、之を能《よ》く守る莫《な》し。富貴《ふうき》にして驕《おご》れば、自《みずか》ら其の咎《とが》を遺《のこ》す。

持而盈之、不如其已。揣而鋭之、不可長保。

金玉満堂、莫之能守。富貴而驕、自遺其咎。

功遂身退、天之道。

二　功遂《と》げて身退《しりぞ》くは、天の道なり。

水を容器いっぱいに満たしつづける。刃物をとことんまで鋭くとぎすます。ともにギリギリまで張りつめたありかたであり、どちらも「ながつづき」しない。適当なところでやめておくことが肝腎《かんじん》である。

財産だろうが、権力だろうが、名声だろうが、最高の状態をキープしつづけることは至難のわざである。最高の状態をそこなうまいとガンバったりすると、それを維持するのがむつかしいどころか、かえってトラブルをまねいて元も子もなくなったりする。

おのれの力量をわきまえ、最小限のやれることをやったら、「ほどほど」のところで見切りをつける。それが自然の法則にしたがったやりかたである。やれもしないのに未練がましくしがみついていると、せっかくやったことまで台無しになりかねない。

多くの財産をたくわえたり、高い地位についたり、強い権力をもったりしても、「これはオレのものだ」と執着すると、せっかくの財産を盗まれたり、地位を奪われたりする。ギリギリまでやらないで、最小限の力でやれることをやったら、いさぎよくリタイアするほうがよい。

老子は財産をたくわえたり高い地位についたりすることを全否定しているわけではない。「おごりたかぶる」ことさえなければ、ほどほどの財産や地位や権力をもつことは許容している。ただし、ある程度の功をたてたら、あとはさっさと身をひくほうがよい。老子はリアリストなのである。

たとい財産や地位や名誉などを手にいれても、それを自分ひとりの力でなしとげたつもりになるのは大間違いである。ひとに助けてもらったり、たまたま運がよかったり、いろんなことがかさなってうまくいったのである。なにかをなしとげたときでも、それを自分ひとりだけでなしとげたとおもったりしないというのが「おごり」のない、すなわち「天の道」にのっとったありかたである。

老子は「功遂げて身退くは、天の道なり」という。最小限の力でやれることをやったら、そのやったことには執着しないほうがよい。

未来が現在とおなじように「ある」という保証はない。未来は「これまで」は到来したが、「これから」も到来するとはかぎらない。未来は「まだない」のではなく、端的に「ない」のである。

それに未来がなくたって、この世界はなんにも変わらない。変わるのは自分の言語にまみれた信念だけである。そしてその信念は変えることができる。

未来という端的に「ない」ものを、どうして「めざす」ことができるのだろう？

ぼくの目のまえにあるのは、なにからなにまで「いま・ここ」である。もし未来があるとしても、それはぼくが言語をもちいて意味を付与することによって「ある」ものにすぎない。だとしたら「いま・ここ」の自分を肯定することに立脚しながら生きてゆくよりない。

クローン技術によって別の自分をつくったとする。それをみて「ぼくが二人になった」とおもうだろうか。「あそこにぼくがいる」とおもうだろうか。

かりに身体がふたつになったとしても、自分が二人になったとはおもわないだろう。ということは、ぼくと身体とは完全におなじとはいえないっていうことだろうか。

クローン技術によってつくることができるものはおなじ遺伝子をもった個体だが、あくまでも別個体であり、別人格である。クローン技術によって別の自分をつくることはできない。それくらい「ぼく」と「ぼくの身体」との関係は密接である。

みぎのような妄想をいだいたのは、はじめて本章を読んだとき、老子は「所有」の観念を捨てよと説いているのである、と頭でっかちに読んでしまったせいである。

あれを捨てる。これも捨てる。しかしいくら捨てても、この身体を捨てることはむつかしい。

自分と身体とは、所有するものと所有されるものといった単純な関係ではない。ぼくが所有しうるものは、ぼくの外にあるものだとして、この身体はぼくである当のものである。じゃあ、ぼくにとってぼくの身体は「もつ」という所有物ではなく、端的にそれで「ある」のだろうか。所有していることが、それを捨てられることでもあるならば、捨てられもしないものは所有してもいないっていうことになってしまうのだろうか。

みぎの問いは（これは掛け値なしに哲学的な問いといってよかろうが）さしあたり老子とは関係なかろう。

所有の観念を捨てる必要はない。所有の観念はなんにもわるくない。老子は本章において、ただ財産や地位や名誉などに執着してはならんと説いているだけであって、そのこと自体はなんら哲学的な問いとはかかわらない。

10

いったい精神をはたらかせて唯一の自然の法則にしたがいながら（しかも）それからはなれずにおれるだろうか。精気をたもって柔軟さをきわめながら（しかも）生まれたての赤ちゃんのようでおれるだろうか。こころという神秘の鏡をきよらかにしておきながら（しかも）すこしも曇らせずにおれるだろうか。人民をいつくしみ国家をおさめながら（しかも）ことさらな作為をほどこさずにおれるだろうか。感官をはたらかせ外界をとらえながら（しかも）それに女性のようにやすらかに身をゆだねておれるだろうか。明らかな知恵をくまなくゆきわたらせながら（しかも）なにひとつ知らぬかのようでおれるだろうか。

万物を生みだし、万物を養いながら（しかも）生みだしても所有せず、はらたいても自慢せず、育てあげても支配しない。これを（自然の法則の）奥ぶかいはたらきという。

載《そ》れ営魄《えいはく》の一《いつ》を抱《いだ》き、能《よ》く離るること無からんか。気を専《もっぱ》らにし柔を致して、能く嬰児《えいじ》たらんか。玄覧《げんらん》を滌除《てきじょ》して、能く疵《きず》つくるこ

載営魄抱一、能無離乎。専気致柔、能嬰児乎。滌除玄覧、能

と無からんか。民を愛し国を治めて、能く為《な》すこと無からんか。天門開闔《かいこう》して、能く雌《めす》と為《な》らんか。明白四達《めいはくしたつ》して、能く知ること無からんか。
之《これ》を生じ之を畜《やしな》い、生じて有せず、為して恃《たの》まず、長じて宰《さい》せず。是《これ》を玄徳と謂《い》う。

無疵乎。愛民治国、能無為乎。天門開闔、能為雌乎。明白四達、能無知乎。
生之畜之、生而不有、為而不恃、長而不宰。是謂玄徳。

王《おう》弼《ひつ》本は「愛民治国、能無為乎」を「愛民治国、能無知乎」につくり、「明白四達、能無知乎」を「明白四達、能無為乎」につくる。意をもって「無知」と「無為」とを交換する。

「○○△△でありながら（しかも）◎◎でおれるだろうか」という六つの事例があげられる。ふたつのことに注意をうながしておきたい。ひとつは、「○○△△、能◎◎乎」という形式のうち、すべて意味的には「○○△△」が主たる内容であり、「能◎◎乎」はその説明ないし譬《たと》えであるということ。もうひとつは、「○○△△」の部分は、○○と△△とが相対するかたちになっているということ。

◆1「営魄の一を抱き、能く離るること無からんか」

蜂屋本は「心と体とをしっかり持って合一させ、分離させないままでいられるか」と訳す。ぼくは精神のはたらきを「一」なる自然の法則から乖離《かいり》させないと読む。動である精神をはたらかせながら、静である唯一の道をふみはずさない。そういうありかたから身をひきはなさぬようにできるだろうか。

◆2「気を専らにし柔を致して、能く嬰児たらんか」

精気をたもちつつも柔軟であるとは、つまり赤ちゃんのようなありかたである。赤ちゃんのようなありかたとは、頭の固いオトナのようなありかたじゃないということである。能動的な精気をたもちながら、受動的な柔軟さをきわめる。そういう赤ちゃんのようなありかたでおれるだろうか。

◆3「玄覧を滌除して、能く疵《きず》つくること無からんか」

こころという鏡をきよらかにして曇らせない。雑多なこころを純粋なものに洗いきよめる。そういうふうにこころを奥ふかくまで曇らせぬようにしておれるだろうか。

◆4「民を愛し国を治めて、能く為すこと無からんか」

人民をいつくしんで国家をおさめ、ことさらな作為をほどこさない。自然なこころで人民をいつくしみながら国家をおさめることができるのは無為自然であればこそである。そういうふうにことさらな作為をほどこさずにおれるだろうか。

◆5「天門開闔して、能く雌《めす》と為らんか」

感官をはたらかせて外界をとらえたら、それに女性のように身をゆだねる。女性のように身をゆだねるとは、男性のようなマッチョなありかたじゃないということである。対象に積極的にはたらきかけるのではなく、対象があらわれるままを受動的に受けとめる。そういう女性的なやさしさに身をゆだねておれるだろうか。

◆6「明白四達して、能く知ること無からんか」

明らかな知恵をゆきわたらせながら、なにひとつ知らぬかのようである。ものごとを先入見なしにみることによって、はじめて明らかな認識にいたることができる。対象をこざかしく処置しようとせず、知恵をくまなくゆきわたらせる。そうでありながらなにひとつ知らぬかのようでありうるだろうか。

これらの事例をみるに、ひとり四番目のみが異質である。どれもみな認識のありかたにかかわる事例であるのに、四番目だけが政治的な内容である。

じつは四番目の事例にのべられることこそが本章の眼目であって、ほかの事例はそのありかたを実現するための心構えを説いているのだろう。「離るること無」く「嬰児」のごとく「疵つくること無」く「雌と為」り「知ること無」きようであって、はじめて「為すこと無」きことがかなうのである。

唯一の自然の法則にしたがい、柔軟さをたもち、こころを曇らせず、ことさらに作為せず、感ずるところに身をゆだね、ことさらに知ろうとしないというありかたでもって天下にのぞめば、万物にたいして「生じて有せず、為して恃まず、長じて宰せず」というふうに自然体でむきあうことができる。

11

三十本の（車輪とつながった）車軸がひとつの（車輪の中心にあって空洞のある）円筒のなかをとおっている。その（空洞になっている円筒の）カラッポのところが車としてのはたらきをなりたたせる。粘土をこねて容器をつくる。その（凹《へこ》んでなんにもない）カラッポのところが容器としてのはたらきをなりたたせる。戸や窓をくりぬいて部屋をつくる。その（部屋のくりぬかれた空間である）カラッポのところが部屋としてのはたらきをなりたたせる。

だから（目にみえる）有なるものが使えるのは、その（カラッポで目にみえない）無なるものが（使うことの根底において）そのはたらきをなりたたせているのである。

三十の輻《ふく》、一轂《こく》を共《とも》にす。其《そ》の無に当たりて、車の用有り。埴《しょく》を埏《こ》ねて以《もっ》て器《うつわ》を為《つく》る。其の無に当たりて、器の用有り。戸牖《こゆう》を鑿《うが》ちて以て室《しつ》を為る。其の無に当たりて、室の用有り。

三十輻、共一轂。当其無、有車之用。埏埴以為器。当其無、有器之用。鑿戸牖以為室。当其

故《ゆえ》に有の以て利を為《な》すは、無の以て用を為せばなり。

故有之以為利、無之以為用。

無、有室之用。

ひとは目にみえる「有」なるものの有用性ばかりに目をうばわれがちである。だが、じつはその有用性は目にみえない「無」なるものにささえられている。老子はそのことを三つの譬《たと》えで例証している。三つの譬えにはそれぞれ異なった味わいがある。いずれも「其の無に当たりて～の用有り」というかたちをとるが、それぞれの「無」にはちがいがある。

(1) 車輪の有用性は、車軸をとおす軸受けが円筒形をしていることによる。円筒形はなかが空洞であり、車軸をとおすとともに車軸が回転できるような構造になっている。有用性をもたらすものは、車輪そのものにそなわる無ではなく、車軸をとおす軸受けにある「無」である。

(2) 容器にものをいれるという有用性があるのは、容器が凹みのある構造をしていることによる。容器は凹みという無の部分があるからこそ容器でありうる。有用性をもたらすものは、容器そのものにそなわる「無」である。

(3) 部屋に戸や窓という穴があるかどうかは有用性とは関係ない（戸がなければその部屋にはいれないし、窓がなければうっとうしいけれども）。有用性をもたらすのは、建材で組みたてられたカラッポの内部があるという空間構造である。戸や窓は部屋の建材部分にあけられた穴としての「無」であり、部屋の有用性をつくるものではなく、その有用性をより高めるものである。

それぞれの有用性はみな「無」によって生ずるものであるかのようだが、これら三つの有用性をひとしなみに「無用の用」として一束にくくるわけにはゆかない。

（1）の車輪の譬えは、軸受けが内部に空間のある円筒形であることによって、そのなかで車軸が摩擦なく回転できるということが大事である。車輪の有用性は車軸とつながった車輪が回転してはじめて発揮され、その回転を可能にするのが空洞のある軸受けである。その軸受けのありようを利用したものが車輪の有用性である。これは「有用性を発揮させる補助的な無」の譬えである。

（3）の部屋の譬えは、カラッポの内部をもつ部屋というすでに有用性をもっているものに、その有用性をより高めるためにさらに戸や窓という穴をうがつという事例である。これは「有用性をより高める発展的な無」の譬えである。

こう考えると、「有の以て利を為すは、無の以て用を為せばなり」という趣旨にかんがみて、（2）の容器の譬えが、容器そのものにそなわる「無」によって直接に有用性が生まれるという意味では、もっとも好適ということになろう。これは「有用性を生みだす根本的な無」の譬えである。

軸受けの空洞は、そこに車軸がとおされる。容器の凹みは、そこに液体がそそがれる。部屋の空間は、そこに住まれる。なるほどみな「有」によって囲われた「無」の部分があるからこそ「用」をなすかのようである。しかし、じっさいには囲んでいる「有」と囲われている「無」とが相俟《あいま》ってはじめて有用なわけで、軸受けの空洞や容器の凹みや部屋の内部という物理的な対象でないカラッポそれ自体がはたらいているわけではない。

軸受けの空洞のなかで、たしかに車軸は回転している。だが空洞そのものは回転しているのかっていうと、もちろん回転するもの自体がないのだから回転できっこない。

車軸が回転すべき場所としての空洞はある。空洞そのものが回転してい「ない」ということと空洞がそこに「ある」ということとは矛盾していない。そこになにもないから、そこを空洞というのである。

空洞をして車軸の回転すべき場所たらしめているのは「なんにもない」という構造的な性質なのだろうか、などと妄想するのは無益である。軸受けがそういう構造をしているということにすぎない。車軸の回転することが空洞をつくっているわけじゃない。軸受けがそのなかに空洞をもっているのである。

有に用があるのである。そのことを前提したうえで老子は、その有の用をもたらすのは無であり、だから無にも用があるということになるとしても、その用は多様である、と論じているのである。

「有」のはたらきが「利」あるものとしてなりたっている当のところにおいて、まったく無媒介的かつ非合理的な仕方で、その「用」を可能にしているものが「無」であるという理屈は、すんなりとは腑《ふ》に落ちない。たんなる「ない」という否定性でなくて、あらゆる「用」をポジティブに生みだす「無」といわれてもなあ……ふむ、この間の消息を譬えるとなれば、たとえば鏡はどうだろうか。

鏡は、ほかのものを映すことはあっても、おのれを映すことはない。みずからは無であることによって、ほかのものを有らしめるような場所である。

鏡はほかのものを映してもおのれを映さないということはまちがってはいない。だが「それがどうした」という事実でしかない――カメラはほかのものは写すがおのれを写すことはない。右手はほかのものをにぎるが自分をにぎることはない――これらはたんなる事実であって、ここから「みずからは無であることによって、ほかのものを有らしめる」といった玄妙なはたらきはでてこない。

ただ興味ぶかい鏡の特徴として「鏡はみえない」ということはあろう。鏡とよばれる物体のまえにたつと自分の姿がみえる。鏡の表面がよごれたり曇ったりしていると自分の姿はみえなくなる。鏡という物体それ自体がみえてしまうと、そのまえにたつものがみえなくなる(映らなくなる)。

鏡とよばれるものは、じつは鏡という「はたらき」をするものの謂《いい》である。

富士山を映している富士五湖は鏡としてはたらいている。鏡とは物体の名前ではなく、ある種の物体の状態がもつはたらきである。物体はみえる。はたらきはみえない。つまり鏡はみえない。

このことから鏡が「みずからは無であることによって、ほかのものを有らしめる」ものであるということは帰結しない。老子のいう「有の以て利を為すは、無の以て用を為せばなり」の譬えとして鏡をもちだすのは不適切といわざるをえない。

老子は現実のありようの奥に原理的なものを洞察し、それを譬えでもって語る。そういう才能は、ぼくには薬にしたくも無いようである。

12

（青・赤・黄・白・黒という色にいろどられた、きらびやかな）色彩はひとの目をくらませる。（宮《きゅう》・商《しょう》・角《かく》・徴《ち》・羽《う》という音がちりばめられた、はなやかな）音楽はひとの耳をまどわせる。（酸《すっぱい》・苦《にがい》・甘《あまい》・辛《からい》・鹹《しょっぱい》という味がとりそろえられた、おいしい）料理はひとの舌をしびれさせる。馬を駆って狩猟をすること（の愉悦感）はひとのこころを狂わせる。手にはいりにくいお宝（の所有感）はひとのふるまいを誤らせる。

それゆえ聖人は（為政にあたっては、もっぱら人民の生命をまもるために）腹を満たすことにつとめ、（やたらと快楽をもとめるだけの）目を楽しませるようなことはしない。だから（「五色・五音・五味・馳《ち》騁畋猟《ていでんりょう》・得難きの貨」をほしいままにするといった）感覚的な快楽にとらわれるのではなく、（「腹の為《ため》にして目の為にせず」という地に足のついた安らぎをもたらす）内面的な充実をもとめるのである。

五色は人の目をして盲《めし》いしむ。五音は人の耳をして聾《ろう》ならしむ。
五味は人の口をして爽《たが》わしむ。馳《ち》騁畋猟《ていでんりょう》は人の心をして狂を発せし

五色令人目盲。五音令人耳聾。
五味令人口爽。馳騁畋猟、令人

む。得難《えがた》きの貨は人の行いをして妨《さまた》げしむ。
是《ここ》を以《もっ》て聖人は腹の為《ため》にして目の為にせず。故《ゆえ》に彼を去《す》てて此《これ》を取る。

心発狂。難得之貨、令人行妨。
是以聖人為腹不為目。故去彼取此。

人間の感覚は、得てして華美なほうへと流される。感覚的な欲望にまどわされず、腹の足しになるものを大事にせよ、と老子はうながす。老子はリアリストなのである。

ギリギリの状況にあって「オシャレをとるか、食べものをとるか」とたずねられれば、たれしも食べものをとる。ところが平凡な日常にあっては価値観がおかしくなる――流行のファッションにオシャレごころをくすぐられるとダサい服を着ておれなくなる。ひとたび刺激的な音楽が耳にこびりつくと風の音や鳥の声はきこえなくなる。いったんグルメにはしると口がおごって家庭の味を楽しめなくなる。狩猟にはまると無益な殺生をやめられなくなる。お宝グッズがほしくなると要不要の見境がつかなくなる。

腹がへる。だから食べる。それは自然である。しかし腹がへってもいないのに旨いものをやたらと食べたがるのはいけない。腹がへってもいないのに快楽をもとめて旨いものを食べたがるのはいけないなら、じゃあ音楽とか美術の場合の「腹がへる」にあたるものはなんだろう？　快楽を超えてもとめているものなんてあるのかしらん。

感覚のもたらす快楽は、ほうっておくとエスカレートする。やがて「足るを知る」ことがむつかしくなる。だから虚飾をうっちゃって実質をとれといいたくなる。感覚的な快楽をもとめたりせず内面的な充実をはかるべし、と。

ふつうに暮らすうえでほんとうに必要なものは、最低限の衣食住くらいじゃなかろうか。冷静に考えれば「得難きの貨」なんてなくたって痛くも痒《かゆ》くもない。むしろないほうが落ちついて暮らしておれるくらいである。

感覚を過度に刺激するものは、こころを混乱させる。それゆえ聖人は「腹」はふくらませても「目」をよろこばせようとはしない。「目」を捨てて「腹」をとるのは、いたずらに感覚を刺激するものをしりぞけ、腹を満たすという生きるうえで必須のことのほうを重んずるのである。

これは一見するに快楽主義への批判という趣旨であるかのように読める。しかし「目＝外見」「腹＝内実」という対比において読みなおすと、いますこし別の論旨がみえてくる。

老子は政治上の理念を語っているのかもしれない。為政者の心得るべきことは、「外見にまどわされず内実をとらえる」ことである。そして内実をとらえるというのは「民の腹を満たす」ことである。

治世における外見と内実との対比とは、いうならば貴族の生活と庶民の生活との対比である。はなやかな衣装を身にまとい、うつくしい音楽に酔いしれ、ご馳走に舌鼓を打ち、贅沢《ぜいたく》な遊びにふけり、金銀財宝をためこむ。そういった貴族の生活をささえるために政治はあるわけではない。庶民の質素な暮らしをすこしでも豊かなものにするためにこそ政治はある。

13

「愛されるか辱《はずかし》められるか」は、ひとのこころを乱れさせる。でっかい災難をこうむることを重んずることが、まるで自分の身（というちっぽけなもの）のことを気にかけるかのようになってしまう。

「愛されるか辱められるかは、ひとのこころを乱れさせる」とはどういうことか。愛されることなど（辱められることとおなじく）ちっぽけなことである。ところが愛されるにつけてもこころは乱れ、愛をうしなうにつけてもこころは乱れる。これを「愛されるか辱められるかは、ひとのこころを乱れさせる」というのである。

「でっかい災難をこうむることを重んずることが、まるで自分の身（というちっぽけなもの）のことを気にかけるかのようになる」とはどういうことか。なにゆえにでっかい災難をこうむるのを重んずるかというと、自分の身（という悩みの種）があるからである。もし自分の身がなければ（悩むべきものがないのだから）自分になにか災難がふりかかったりしようか。

それゆえなにかを重んずるとき、自分の身のこと（という個人的なことにとらわれず、それ）を、天下をおさめること（という大局的なこと）のためにあつかうことのできる（ような無私の）ものには、天下をあずけることができる。なにかを愛するとき、自分の身のこと（という個人的なことにとらわれず、それ）を、天下をおさめること（という大局的なこと）のためにあつかうことのできる（ような無私の）ものには、天下をまかせることができる。

寵辱《ちょうじょく》に驚くが若《ごと》くす。大患《たいかん》を貴《とうと》ぶこと身の若くす。

何をか寵辱に驚くが若くすと謂《い》う。寵を下《げ》と為《な》す。之《これ》を得て驚くが若くし、之を失って驚くが若くす。是《これ》を寵辱に驚くが若くすと謂う。

何をか大患を貴ぶこと身の若くすと謂う。吾《われ》に大患有る所以《ゆえん》の者は、吾に身有るが為《ため》なり。吾に身無きに及びては、吾に何の患《うれ》いか有らん。

故《ゆえ》に貴ぶに身を以て天下の為《ため》にせば、若《すなわ》ち天下を寄《よ》す可《べ》し。愛《いと》しむに身を以て天下の為にせば、若ち天下を託《たく》す可し。

寵辱若驚。貴大患若身。
何謂寵辱若驚。寵為下。得之若驚、失之若驚。是謂寵辱若驚。
何謂貴大患若身。吾所以有大患者、為吾有身。及吾無身、吾有何患。
故貴以身為天下、若可寄天下。愛以身為天下、若可託天下。

ひとは「愛されるか辱められるか」ということをひどく気に病む。愛されるか辱められるかなんて、みみっちいことである。そんなつまらないことを、ひとは得たといっては悩み、失ったといっては悩んでいる。もう悩み放題である。

愛されるか辱められるかというちっぽけな心労であろうと、生老病死といったでっかい憂患であろうと、それを気に病んでしまうのは、ひとえにわが「身」を重んずるがゆえである。

わが身こそが悩みの種である。身をもって生きているからには、ことの大小にかかわらず、わが身にふりかかってくることは気に病まずにおれない。この身さえなければなんの悩みもなかろうが、こればかりはいかんともしがたい。

しかし為政者のように天下をおさめるべきものは、わが身にこだわって大局をみそこなうことはゆるされない。わが身の小事にとらわれず、それを天下の大事のために忘れられるもの、そういうものであってこそ天下をゆだねられる。

「貴以身為天下」「愛以身為天下」について、あえて読点をつけて読み分けてみよう。

蜂屋本は「貴ぶに身を以てして、天下の為に」し、「愛おしむに身を以てして、天下の為に」すと読み、天下をゆだねられるのは「その身を大事にしながら天下のためにする者」「その身を愛おしみながらも天下のためにする者」であると訳す。利己的でありながらも同時に利他的でもありうるような人物である、と。

ぼくは「貴ぶに、身を以て天下の為に」し、「愛おしむに、身を以て天下の為に」すと読み、天下をゆだねられるのは「なにを重んじたり愛したりするかというと、わが身にふりかかる小事をなげうって天下の大事につとめられるひと」であると解釈する。利己的であることを捨てて利他的でありうるような人物である、と。

蜂屋本の解釈のほうが理想にあふれており、うんと魅力的である。ぼくの解釈は月並みといおうか、背に腹はかえられぬといった分別をおぼえる。蜂屋本のように読めない自分がしみじみと哀しい。

わが身のことを気にかけるという利己的なこころは、ひとの本性として自然なものである。ひとまず人間の本性（自然）は利己的であるということを肯定するとしても、天下をまかせるからには利他的でもありうるような人物でなければなるまい。しかしながら本性が利己的であるのに、どうして利他的でもありうるだろう？

ひとは利己的であるけれども、天下をおさめるひとは利他的でもありうるひとでなければならぬとすれば、それは特別なひと、すなわち人間ばなれした資質をもつ聖人でなければならぬということになる。天下人は特別なひとであるべし、といった王権神授説めいた考えを老子はもっているのだろうか。

自然の法則にしたがうのが人間のあるべきありかたであると考えるとき、そもそも利己的な本性をもっている人間が、はたして利他的でもありうるだろうか。自然界には法則性があることを発見し、それにしたがって生きるべきことを説いた老子であってみれば、利己的でありつつ利他的でもありうるということを鈍根《どんこん》（ぼくのことである）にもわかるように説明してほしい。そうでなければいくら蜂屋本の解釈が魅力的であってもにわかに賛同しがたい。

社会契約説をとなえたホッブズは、人間をうごかすのは情念であり、それゆえ「万人の万人にたいする闘争」というのが人間の自然な状態であるといった。しかし老子は「人間の本性は根っから利己的でしかない」」とは考えていないとおもう。

これは勘《かん》でいうのだが、人間の本性を利己的なものとのみ考えることには限界があるのではなかろうか。人間の本性に利他的な面もあることはまちがいない。であるがゆえにこそ人間の利他的な面をうまくひきだすような政治的・経済的なシステムをめざすべきだということになろう。

そうおもって本章を読みなおしてみると、「愛されるか辱められるか」といったことを気に病むのはしょせんわが「身」がかわいいからだ、というふうに俗っぽく理解することがためらわれてくる。たしかに「ふつう」の人間はつまらないことを気に病んでしまう。とはいえ自然の法則にしたがうからといって「ふつう」でなくなるわけではない。なるほど人間の本性は利己的ではあるけれども、自然の法則にしたがうことができれば、利己的であるばかりが人間の本性ではないということが明らかになるだろう。

ひとは対人関係のしがらみによって一喜一憂する。「愛されるか辱められるか」といったことを気に病んでしまうのも、対人関係から生ずる「しがらみ」のせいであって、人間の本性のなせるわざのみではない。その証拠に、愛されることは「之を得て驚く」のみならず「之を失って驚く」のでもある。

蜂屋本のようにわが「身」と同時に「天下」をも大事にすると解釈するのも、ぼくのようにわが「身」を捨てて「天下」を大事にすると理解するのも、それぞれ一長一短である。

余儀なく机辺の注釈書をひもといてみたら、案の定、ぼくの読みはまちがっていたようである。

「患」があるのは、もっぱら「身」があるせいである。とはいえ「辱」のみならず「愛」をこうむるのも「身」である。それをふまえて「貴以身為天下」「愛以身為天下」を考えれば、これを「身を以てするを天下の為にするより貴べば」「身を以てするを天下の為にするより愛おしめば」と読んで、わが「身」のほうを「天下」よりも大事にすることを可とするというふうに理解できそうである。

わが身あっての物種なのに、かけがえのないこの身をないがしろにして、むやみに天下を語りたがるものには、天下をまかせることはできない。わが身のことを天下をおさめるよりも大事にするものであってこそ、はじめて天下をゆだねられる。

いかにも逆説的なもののいいではあるが、その深意はこうであろう――わが身を「貴ぶ」「愛おしむ」ことは人間の自然な性向である。一般庶民はもっぱらそれだけで生きている。そのうえでさらに天下のためにはたらこうというものにこそ「天下を寄す可」く「天下を託す可し」。

わが身を「貴ぶ」「愛おしむ」ように天下のためにはからうものであって、はじめて天下をまかせられる。他人の思惑にふりまわされるのではない。わが身に起こっていることを客観的にとらえ、そのうえで万人の身に起こっていることをもわが身のことのようにわきまえるのである。

わが身を大事にすることは自然な本性である。わが身を大事にするものであって、はじめて他人をも大事にできる。ぼくの解釈のように、わが身をうっちゃって天下のためにつくすといった人間の自然な本性に反する偽善者めいたものは、いざというとき信用ならない。

14

（目をこらして）みようとしてもみえない。そこで無色とよぶ。（耳をすませて）きこうとしてもきこえない。そこで無音とよぶ。（手をのばして）さわろうとしてもさわれない。そこで無形とよぶ。この（自然の法則の）三つのありかたは（ひとの感覚をもってしては）これ以上つきつめようがない。（この三つのありかたは）融《と》けあってひとつ（の感覚を超えたもの）になっている。

（自然の法則のはたらきの無色・無音・無形が融けあってひとつであるさまは）その上のほうがハッキリしているというわけではなく、その下のほうがボンヤリしているというわけでもなく、（時間的にいつまでも空間的にどこまでも）とりとめもなくひろがっていて名づけようもなく、（色・音・形をもった）「もの」ではない（という感覚を超えた）ありかたにたちもどっている。

（自然の法則の渾沌《こんとん》たるありようをあえて言葉にしていうなら）「すがたのないすがた」「かたちのないかたち」といい、「おぼろげ」という（よりない）。

（自然の法則の感覚を超えたありようは）まえからのぞきこもうにも頭（はじまり）はみつからず、うしろからついてゆこうにも背（おわり）はとらえられない。

いにしえより自然の法則は不断にはたらきつづけており、いましも存在しつつあるもの（である万物のありさま）をとりしきっている。（この古今をつらぬく自然の法則のはたらきの因果性をわきまえることによって、この世の）はじまり（から連綿とつづいている万物のありかた）について知ることができる。万物のはじまり（から自然の法則がこの世を統《す》べていること）を道の法則という。

之《これ》を視《み》れども見えず。名づけて夷《い》と曰《い》う。之を聴けども聞こえず。名づけて希《き》と曰う。之を搏《さぐ》れども得ず。名づけて微《び》と曰う。此《こ》の三者は詰《きつ》を致す可《べ》からず。故《ゆえ》に混《こん》じて一《いつ》と為す。其《そ》の上は皦《きょう》ならず、其の下は昧《まい》ならず、縄縄《じょうじょう》として名づく可《べ》からず、無物に復帰す。是《これ》を無状の状、無物の象と謂《い》い、是を惚恍《こつこう》と謂う。之《これ》を迎うれども其の首《こうべ》を見ず、之に随《したが》えども其の後《しりえ》を見ず。古《いにしえ》の道を執《と》り、以《もっ》て今の有を御《ぎょ》す。能《よ》く古始《こし》を知る。是を道紀《どうき》と謂う。

視之不見。名曰夷。聴之不聞。名曰希。搏之不得。名曰微。此三者不可致詰。故混而為一。其上不皦、其下不昧、縄縄不可名、復帰於無物。是謂無状之状、無物之象、是謂惚恍。迎之不見其首、随之不見其後。執古之道、以御今之有。能知古始。是謂道紀。

自然の法則は、いくら目をこらしてもみえず、耳をすませてもきこえず、手をのばしてもさわれない。どこが上でどこが下かもハッキリせず、どこまでもひろがっている。まえから顔はみえないし、うしろから背もみえない。感覚的には「ない」としかいえないけれども、感覚を超えたかたちで「ある」にちがいない。強いて言葉にしようとしても「無状の状」「無物の象」「惚恍」というふうに根も葉もないかたちでしか言挙《ことあ》げできない。

自然の法則について、万物について語るような仕方でもって語ることはできない。とはいえ、万物について語るのとはちがった語りかた（万物について語ることを否定するような語りかた）をしようとすると、ややもすれば「道」を神秘化することになりかねない。

「其の上は皦ならず、其の下は昧ならず」というように、この世界の上（古）のありようは明らかでないが、下（今）のありさまは暗くはない。この世界のはじまりはよくわからないにしても、現に世界が自然の法則にしたがって存続しているということは歴然としている。

老子の説くところは、けっして反知性主義ではない。これまで万物がどのようでありつづけてきたかという世界の由《よ》ってきたる「古」をかんがえ、あわせて世界が現にどうであるかという「今」をしらべることによって、この世界が現にこのようである所以《ゆえん》を知ることができる。万物のありようの因果性をわきまえることによって自然の法則のはたらきがわかる、と老子はすこぶる合理的な考えをのべている。

自然の法則そのものを、それとして指し示すことはできない。だがそれは「古の道」をふまえ「今の有」をおさめている。その因果関係をわきまえることができれば、万物のはじまり（古始）を知ることができる。

いうも更なることではあるが、現に存在しているものは、なべて価値ある存在である。存在しなくてよいものなどこの世にひとつとしてない。けれどもその価値とは、存在すべきものとして存在させられていることによる価値であって、その逆ではない。

万物はそれぞれ絶対の価値をみずからに内在的に有している。それゆえ万物それぞれが存在の根拠である――というわけではない。万物は、それにしたがって存在している自然の法則とのかかわりにおいて、はじめて存在するものとしての意味をもつことができる。

ただし「之を迎うれども其の首《こうべ》を見ず、之に随えども其の後《しりえ》を見ず」というように、自然の法則にしたがっているという仔細は、当の万物にとっては知るすべがない。万物はおのれの存在の仕方を、自然の法則からいつのまにか贈られてしまっている。

老子は、万物に無根拠への自覚をうながしているわけではない（そんなふうに自己否定を自己肯定することなどできるはずがない）。ことさら自覚するまでもなく、おのれの存在の仕方をさだめている当のもののほうから、おのれの存在を肯定すべきものとして、万物は存在させられている。

自己のはからいを超えた自然の法則とのかかわりにおいて、万物は自己として存在している。その仔細を知ることなくして存在しているという意味では、自己が存在することは偶然である。だが、その偶然におびえることはない。不可知の内在性を贈られていることにビビることはない。

万物みずからが「古の道」とのかかわりにおいて「今の有」をうべなうことの可能性を、老子はみとめている。おのれが自然の法則とのかかわりにおいて存在しているということを「古の道を執り、以て今の有を御す」ることによって知るべきものとして、万物はつとに存在させられているのである。

15

（万物が）いにしえより自然の法則にしたがって存在しているということは、その仔細はまことに玄妙であって、そのありようの深遠であることはとらえようがない。そもそも深遠でとらえられないのだから、とりあえずそのありさまを（要領を得ないとそしられることは覚悟のうえで譬喩《ひゆ》をもちいて）イメージしておくよりほかにすべはない。

（自然の法則のはたらきの玄妙なることはその）おずおずしていることは冬の川をわたるようであり、びくびくしていることは近くの様子をおそれるようであり、どっしりしていることは澄ました客のようであり、あっさりしていることは氷が溶けるようであり、さっぱりしていることは伐《き》りだしたままの原木のようであり、ひろびろしていることは凹《へこ》んだ谷のようであり、どんよりしていることは濁《にご》った水のようである。

いったいたれが濁っているものをわざわざ静かにして、すこしづつ清らかにしようとするだろうか。いったいたれが安らかであるものをことさらうごかして、すこしづつはたらかせようとするだろうか。

自然の法則にしたがっているものは、いたずらに満ちようとはしない。そもそも満ちようとしないのだから、たといダメになったところでやりなおそうとはしない。

古《いにしえ》の善《よ》く道を為《おさ》むる者は、微妙玄通にして、深きこと識《し》る可《べ》からず。夫《そ》れ唯《た》だ識る可からず、故《ゆえ》に強《し》いて之《これ》が容《かたち》を為《な》す。

予《よ》として冬に川を渉《わた》るが若《ごと》く、猶《ゆう》として四隣《しりん》を畏《おそ》るるが若く、儼《げん》として其《そ》れ客の若く、渙《かん》として冰《こおり》の将《まさ》に釈《と》けんとするが若く、敦《とん》として其れ樸《はく》の若く、曠《こう》として其れ谷の若く、混《こん》として其れ濁《にご》れるが若し。

孰《たれ》か能《よ》く濁りて以《もっ》て之を静め、徐《おもむ》ろに清《す》むや。孰か能く安らかにして以て之を動かし、徐ろに生ずるや。

此《こ》の道を保つ者は、盈《み》つるを欲《ほっ》せず。夫れ唯だ盈たず、故に能く蔽《やぶ》れて新たに成さず。

古之善為道者、微妙玄通、深不可識。夫唯不可識、故強為之容。

予兮若冬渉川、猶兮若畏四隣、儼兮其若客、渙兮若冰之将釈、敦兮其若樸、曠兮其若谷、混兮其若濁。

孰能濁以静之徐清。孰能安以動之徐生。

保此道者、不欲盈。夫唯不盈、故能蔽不新成。

王《おう》弼《ひっ》本の「古之善為士者」を帛書《はくしょ》本によって「古之善為道者」にあらためる。「故能蔽不新成」の「不」は「而」の誤りとする説もあるが、王弼本のまま「不」で読む。


つかみどころがなく、その深さはとらえようもないが、無理していってみるならば、と前置きしたうえで、自然の法則のはたらきについて譬喩《ひゆ》をもちいて説いている。

自然の法則にしたがったありかたとは、譬《たと》えていうならば濁った水のようなものである。濁ったままで静かにしていれば、やがて清らかに澄んでゆく。ひたすら安らいでおり、ことさら生みだそうとはしない。ただ最小限の力でやれることだけをやり、けっして無理をしないから、およそ消耗しないし、まして破綻《はたん》することなどない。

なにぶん無理をしているもんだから、どうしても要領を得ない説きかたにならざるをえない。その要領の得なさ加減がかえって自然の法則にしたがったありかたの深遠さをあらわしているといった按配《あんばい》である。

自然の法則のはたらきは「微妙玄通にして、深きこと識る可からず」であるがゆえに、「夫れ唯だ識る可からず、故に強いて之が容《かたち》を為す」と老子はいう。ここには「識る」という語の両義性が、はしなくも示されている。

自然の法則について、ぼくは言葉で説明できない。しかし日常生活にあって、それが法則につらぬかれていることをぼくは知っており、なに不自由することなく暮らしている。「識る」という語の両義性とは、これを「言語化可能な知」と「暗黙知」といってもよい。自然の法則について、ぼくは言語化可能な仕方では知っていないが、日常生活において前提としている知、すなわち暗黙知としては知っている。

自然の法則には、これを暗黙知としてあらわす余地がある。老子が「道」をあらわすに譬喩をもってする所以《ゆえん》である。

16

（自然の法則にしたがって）こころを空虚のきわみにし、こころの静寂をまもりぬく。（そのようであれば）万物はつぎつぎに生まれてくるけれども、わたくしは（万物は、畢竟《ひっきょう》、自然の法則にしたがって存在しているという）根本的なありかたにたちもどるということをみてとる。そもそも万物はさかんに生まれてくるけれども（生まれてきたものはかならず滅びるという自然の法則にしたがって）それぞれ根本的なありかたにたちかえってゆく。

（自然の法則にしたがって）根本的なありかたにたちかえることを静かになるといい、存在のはじまりにもどるともいう。存在のはじまりにもどることを本来のありかたといい、本来のありかたをわきまえることを明るいという。本来のありかたをわきまえなければ、よろしくないありかたにおちいり、よろしくないことに見舞われる。

本来のありかたをわきまえれば（一切のものを）受けいれる。（一切のものを）受けいれればまっすぐになる。まっすぐであれば王（という人間界における最高のありかた）になる。王であれば天（という自然界における最大のありかた）になる。天であれば道（という自然の法則にしたがったありかた）になる。

道（という自然の法則にしたがったありかた）であれば永遠でありうる。身をおえるまであやうい目にあうことはない。

虚《きょ》を致《いた》すこと極《きわ》まり、静を守ること篤《あつ》し。万物並び作《おこ》るも、吾以《われもつ》て復《かえ》るを観る。夫《そ》れ物の芸芸《うんうん》たるも、各《おの》おの其《そ》の根《こん》に復帰す。根に帰るを静と曰《い》い、是《これ》を命《めい》に復ると謂《い》う。命に復るを常と曰い、常を知るを明と曰う。常を知らざれば、妄作《もうさ》して凶なり。常を知らば容《い》る。容るれば乃《すなわ》ち公なり。公なれば乃ち王たり。王たれば乃ち天なり。天なれば乃ち道なり。道なれば乃ち久し。身を没するまで殆《あや》うからず。

致虚極、守静篤。万物並作、吾以観復。夫物芸芸、各復帰其根。帰根曰静、是謂復命。復命曰常、知常曰明。不知常、妄作凶。知常容。容乃公。公乃王。王乃天。天乃道。道乃久。没身不殆。

本章をはじめて読んだときの印象はこうであった——万物はさかんに生滅しているけれども、それはじつは「復る」「其の根に復帰す」という循環的なありかたをしているのである。老子のいう「復帰」とは、生まれてきた大本のところへと帰り、また生まれ、生まれてきた大本のところへと帰り、また生まれという循環をあらわしている——そんなふうに読むことは、なかなか抗しがたい力をもっている。

春になり、芽をふき、枝をのばし、葉をしげらせ、花をさかせた草木も、秋になれば、花は落ち、葉は枯れ、土にもどってゆく。それはたんなる死滅ではない。草木の根もとに枯れて落ちた葉や花は肥やしとなって新たな生命をはぐくむ。自然の循環のなかに身をおくことによって永遠の生命へとつながっている。

道にしたがって生まれてきた万物は、いずれ道へと「復《かえ》る」。それこそが「常」なるありかたであり、それを知ることが「明」である。「無」なる「道」から生まれ、「有」なるものとして存在し、ふたたび「無」へと帰ってゆく。一切のものは生まれてきた大本のところへと不断にもどりつづけている。

そういった循環的なありかたを語るとき、老子はしばしば尻取りをもちいて語る。すなわち「常を知らば容る。容るれば乃ち公なり。公なれば乃ち王たり。王たれば乃ち天なり。天なれば乃ち道なり。道なれば乃ち久し」というふうに、「容→公→王→天→道」という尻取りのかたちで循環が語られる。

と、みぎのように読みたくなるけれども、万物は道から生まれて道へと帰り、また道から生まれて道へと帰るというふうに循環的に生滅をくりかえしているというふうに本章を読むべきではない。そんなふうに読むのは、相変わらず「道」のことを宇宙の根源・世界の主宰者・万物の創造者というふうにとらえている証拠である。そういった依然たる旧態になずんだ読みかたはしたくない。

万物は生生流転している。だが老子はそのことを循環とみなしているわけではない。万物はいかなるありかたをしているときも自然の法則にしたがっているということを論じているのである。

本章における「容→公→王→天→道」という尻取り、あるいは第25章における「人→地→天→道→自然」という尻取り、ともにはたして一方向的な従属関係をのべたものだろうか。自然の法則と万物とのあいだの従属関係についてはよくよく考察すべきである。

万物はのべつ道へとたちかえってゆくと老子がいうのは、「この世のものは循環的なありかたをしている」などと語っているのではない。「生まれてきたものは滅びるというのが自然の法則のなりゆきである」と客観的に説いているのである。

恒常不変・万古不易・不老不死ということはありえない。森羅万象は有為転変の果てに無に帰する。それが自然界の摂理というものである（本章の「各おの其の根に復帰す」や第14章の「無物に復帰す」にみえる「復帰」ということについては第40章においてつまびらかに論ずる）。

うごいているものは、いつかとまる（ひとたび生まれてきたからには、かならず死ぬように）。うごいているものは、うごいているあいだは安定しない。うごいているあいだは安定しないけれども、それは刹那《せつな》における安定にすぎない。うごいているあいだは安定しないけれども、つねに安定にむかっているとはいえる。

うごいているものはつねにとまろうとしている（ひとたび生まれてきたものが、かならず死ぬように）。安定にむかうのが自然であるとしても、人間の場合、それは死を意味する。自然はすべて死にむかっているが、人間はうごこうとする。つまり生きようとする。

自然の法則に「エントロピー増大の法則」というものがある。「エントロピーは、可逆変化では不変、不可逆変化では増大するという法則」（『広辞苑』第七版）である。

物理学にはうといので「ほうっておくと世のなかの変化は秩序ある状態から乱雑な状態へと変化し、乱雑な状態が自然に秩序ある状態に変化することはない」といった大雑把な理解しかもっていない。時間の経過もエントロピーの増大にかかわっており、時間がたつにつれて乱雑な方向にうごいてゆく、と。

宇宙の全体を考えれば、それは閉じた系だから完全になりたっており、宇宙の全体もいずれは等質のエネルギー状態になって、なんにも変化の起こらない状態になる。しかし宇宙の部分に注目すれば、それは閉じた系ではないから外部をもち、部分的にエントロピーが減少する場合がある。たとえば生物はエントロピーを減少させる活動をおこなっている。

植物は光合成をする。二酸化炭素と水とから炭水化物を合成する。これは植物単独ではできない。かならず外部からエネルギーの供給を受ける必要がある。外部からのエネルギーとは太陽からの光である。草食動物は植物のつくりだした炭水化物を食べ、肉食動物はその草食動物を食べる。そういうふうにして外部からエネルギーをもらい、からだの組織をつくり、その活動を維持する。生物が死ねば、その活動はとまる。からだは秩序をうしない、解体してゆく。

うごかなくてもよくなること、それは自然なことであって、べつにサボっているわけではない。自然とそういうふうに流れてきたということである。無理にうごこうとすると安定へとむかう自然の流れからはずれてしまう。イノベーションがむつかしいのは、それが自然なことではないからである。

人間という生きものは、死という安定にむかうのは自然なことであるはずなのに、もっと生きていようとする。そして生きているからにはうごいていたいとおもってしまう。やれイノベーションだのクリエイティブだのといった不自然なうごきをもとめてしまう。ただ自然に流れているだけではおもしろくないのだろうか。

生きているものの活動は、自然の全体が安定へとむかっていることに逆行しているかのようにみえる。が、それは宇宙の全体としてはエントロピーが増大しているけれども、その全宇宙の部分という開放系内においてはエントロピーの減少する現象が起こりうるということにすぎない。

宇宙の全体においても、そのなかで多くの秩序が生まれては消えている。星が誕生したり、爆発して消滅したり、さまざまな現象が起こっている。宇宙はまだ死んでおらず、活動している。生きものの活動もそういう宇宙の活動の一部である。

自然は安定へとむかっている。とはいえ自然は生きており、活動している。その活動の一部が人間の生命活動である。自然が安定へとむかっていることと生きものが生きていることとのあいだには、なんらの矛盾も逆行もない。

生きものはエントロピーの増大に逆行するかのような活動をおこなっているが、外部の環境でそれを上回るエントロピーの増大が起こっていれば、全体の差し引きでエントロピーは増大する。まわりの環境がエントロピーの増大を受けもってくれているおかげで、生きものはイノベーションだのクリエイティブだのといった不自然なうごきをすることが可能となる。

そのことは自然の流れのなかで起こっている。それは生きものの本性であり、人間の自然である。

17

最高にすぐれた為政者は（自然の法則にしたがった政治をおこなうから）ひとびとはそういうひとが存在するということをただ知るばかりである。そのつぎのレベルの為政者は（恩恵をほどこすから）ひとびとは親近感をいだき、ホメたたえる。そのつぎのレベルの為政者は（刑罰がきびしいから）ひとびとは恐れはばかる。そのつぎのレベルの為政者は（愚策をやらかすから）ひとびとはバカにする。為政者の言葉に誠実さが足りなければ（つまり言行不一致であれば）ひとびとから信頼されない。悠々としていることよ、（最高にすぐれた為政者による）言葉をもちいない（自然の法則にしたがった）行政のありようたるや。すばらしいことがなしとげられても、ひとびとはみな「われわれ自身があるがままにこうなのだ」とみなす始末である。

太上《たいじょう》は下之《しもこれ》有るを知るのみ。其《そ》の次は之を親しみて之を誉《ほ》む。其の次は之を畏《おそ》る。其の次は之を侮《あなど》る。信足らざれば、信ぜられざること有り。

太上下知有之。其次親之誉之。其次畏之。其次侮之。
信不足焉、有不信焉。

悠《ゆう》として其れ言を貴《わす》る。功成り事遂《と》げて、百姓《ひゃくせい》皆我を自《おの》ずから然《しか》りと謂《い》う。

悠兮其貴言。功成事遂、百姓皆謂我自然。

為政者のレベルを四つのランクに分けて格づけしている。下々からみてお上がどうみえるかという観点からの格づけである。

（1）人民は為政者が存在するということを知るのみであって、為政者にたいしてなんらの感情をもいだかぬような政治のありかた。老子のいう無為の政治。

（2）為政者がなにくれとなく恩恵をほどこしてくれるので、人民が為政者にたいして親愛の情をいだくような政治のありかた。儒家のめざす仁愛の政治。

（3）為政者がきびしい刑罰によって人民を統制するので、人民が為政者を恐れるような政治のありかた。法家的な権力支配による政治。

（4）為政者が人民から軽蔑されるような政治のありかた。これは論外。

為政者についての四つのランク分けは、すべての場合をつくしているわけではない。かつて存在した為政者について考えてみても、（1）～（4）のどれにも分類しがたいもの、すなわち善政もほどこしたけど失政もやらかしたという凡庸《ぼんよう》な為政者がその大半をしめるだろう。

四つのランク分けは、すべて下々からみてお上はどうであるかという下からの視線で構成されている。

このことは老子のころには民主主義という発想がなかったということを示唆《しさ》している。もとより民主主義の発想がないからには、老子の説くところを民主政治がおこなわれている現代にあてはめて考えることには無理があろう。

（1）の為政者の統治ぶりについて「自然の法則にしたがった政治をおこなうから」という言葉をおぎなって訳してみた。自然の法則にしたがった政治をおこなう主体は為政者である。その政治を自然であると感ずるのは人民である。

すぐれた為政者は、人民に「自分は自然にふるまっているだけである」と感じさせる。すぐれた為政者は、たんに自然の法則にしたがった政治をおこなうだけではなく、おのれが自然の法則にしたがって生きているかのように人民に感じさせる。

人民をしてみずから自然の法則にしたがっているかのごとくおもわしむる統治のありかたについて、老子は具体的にはなんにも語っていない。ただし、それが「なんにも為さない」ことではないということは明らかである。なんにも為さないというなりゆきまかせでは、いずれにしても統治できっこない。

（1）の統治のありかたを、なんとなく空恐ろしいものとみなすならば、こんなふうに読むことになろう――真にすぐれた統治がおこなわれれば、下々のものは、統治者が存在することはなんとなく知っていても、統治されているということは意識できない。だから統治者に親しむことも、ホメることもない。なにかがなしとげられても、じっさいは何者かによって統治されながらなしとげたにもかかわらず、いつのまにか「ひとりでに」そうなったかのようにおもってしまう。

（1）の統治のありかたを、あらまほしき政治の理想としてとらえるならば、こんなふうに読むことになろう——世界がまったく平和であれば、ひとびとはそのことを享受し、謳歌して、それをもたらした為政者の存在のことなど気にもかけない。そしてこの世界は「自分たちの世界である」というふうに感じながら満ち足りている。

（A）なにかがなしとげられても「ひとりでに」そうなったかのようにおもってしまう。

（B）この世界は「自分たちの世界である」というふうに感じながら満ち足りている。

（A）と（B）とはおなじだろうか。もちろんおなじではない。ただし（A）と（B）とは両立可能である。どのように両立するかというと、表面的には（B）であるが、じつは（A）である、というふうに。

ひとびとはこの世界は「自分たちの世界である」と感じて満ち足りている。だが、その世界にはじつは凄腕《すごうで》の為政者がいる。その統治ぶりがすばらしいので、ひとびとは統治されていることに気づけない。あたかも自分たちの力でつくりあげた世界であるかのようにおもっているが、そのような世界であることはじつは為政者のはからいによるものなのである。

そうおもって「功成り事遂げて、百姓皆我を自ずから然りと謂う」を味わうと、そこはかとなく蒙昧《もうまい》なるものどもの無自覚ぶりへの皮肉っぽい口吻《こうふん》をおぼえぬでもない。

18

大いなる道がおとろえると（つまり自然の法則にしたがわないものがふえてくると、もとより不自然なものである）仁愛や正義といった規範がやかましくいわれるようになる。頭でっかちな知恵がはびこってくると（もとより不自然なものである）人為のきわみである規則でしばりつけるようになる。身内にもめごとが起こると（もとより不自然なものである）子の孝行や親の慈愛といった徳目がもてはやされるようになる。国家の秩序が乱れはじめると（もとより不自然なものである）忠義づらをした臣下があらわれてくる。

大道廃《たいどうすた》れて仁義有り。智慧出《い》でて大偽《たいぎ》有り。六親《りくしん》和せずして孝慈《こうじ》有り。国家昏乱《こんらん》して忠臣有り。

大道廃有仁義。智慧出有大偽。六親不和有孝慈。国家昏乱有忠臣。

老子が「大道廃れて仁義有り」というときの大いなる道とは、儒家の説く人倫道徳のことではない。儒家のいう道とは「道とす可《べ》き」ような道であって、老子のいう「常の道」ではない。

自然の法則をないがしろにするようになると、いろいろ面倒なことが生じてくる。それに対処すべく「仁義」などという人為的な規範がもちだされれば、世のなかはいよいよ息苦しくなる、と老子は警鐘を鳴らしている。

ひとびとが自然の法則にしたがっているだけで世のなかに秩序がたもたれていた時代にくらべて、現に目《ま》のあたりにする現実のありさまは惨憺《さんたん》たるものである。その証拠に、儒教による人倫道徳などというものがはびこっている。

大いなる道がすたれてしまったもんだから、ことさらモラルやマナーを説かねばならなくなったのであって、大いなる道がおこなわれてさえいれば、仁義などというものの出る幕はない。世間的には望ましいとされる「智慧」「孝慈」「忠臣」なども、じつは大いなる道がうしなわれた世になって、しょうがなく必要とされるようになったものにすぎない。道がおこなわれてさえいれば無用のものである。

みぎのように理解しようとすると、老子の思想はただ道がおこなわれていた往時をなつかしむだけの懐旧的なものになってしまう。

ふるきよきむかしを礼賛するばかりでは、現実の世のなかはよくならない。現実をよくするためにはどうすればよいかという処方箋を示そうとしないようでは、語のわるい意味での無為な（つまり無気力な）思想ということになってしまう。

そもそも「大道廃《すた》れて」という言葉づかいがよろしくない。道とは「廃れ」うるような実体的なものではないはずである。「廃れ」うるのは「道とす可き」ような道であって、およそ「常の道」ではない。どうしても「廃れ」るといいたければ、まずは道の神秘化をしりぞけてからにすべきである。

万物がそれにもとづいている必然的かつ客観的な理法、すなわち自然の法則がみうしなわれると、人為にもとづく徳目がもてはやされる。こざかしい知恵をひけらかすものがふえると、でっかいウソがはびこる。ヘタに知恵がついたもんだから知能犯がふえてきて、かつてはお目にかからなかったような犯罪をやらかすようになる。

家庭における睦《むつ》みあいがなくなると、「親を大切にしなきゃ」と肩ヒジはった孝行息子がでてくる。家族はなかよくするのがあたりまえなのに、それがあたりまえでなくなると、親孝行というあたりまえのことがあたりまえでなくなり、不自然にホメたたえられるようになる。

国家が乱れてくると、「なんとかせねば」と危機感をつのらせる連中がしゃしゃりでてくる。国家は安寧であるのがあたりまえなのに、それがあたりまえでなくなると、律儀な役人というあたりまえのものがあたりまえでなくなり、不自然にもてはやされるようになる。

「仁義」「大偽」「孝慈」「忠臣」といったものは、どれもみな「あらずもがな」のものである。人間らしい自然なありかたがみうしなわれると、必要悪でしかない儒教的なモラルが声高にとなえられるようになる。それは自然の法則がみうしなわれたせいであらわれた濁世《じょくせ》ならではの無用の長物にすぎない

——けだし正論である。正論は正しい。もっとも、正論をとおそうとすることは往々にして正しくない。

19

（為政者が世間にはびこっている不自然かつ無用な価値観である）道徳や知恵を捨ててしまえば、ひとびとの利益は百倍にもなるだろう。（不自然かつ無用な価値観である）仁愛や正義を捨ててしまえば、ひとびとは（もともと有している）孝行や慈愛のこころをとりもどすだろう。（不自然かつ無用な価値観である）技巧や功利を捨ててしまえば、（それをうばおうとする）盗人もいなくなるだろう。

この三つのことは（これだけでは自然の法則にしたがうための）教えの言葉とするには十分でない。そこで拠《よ》りどころとなる文句をつけくわえておこう。染められていない素地を外にあらわし、彫《ほ》られていない純朴さを内にまもりつつ、私心をへらし、欲望をすくなくする、と。

聖を絶ち智を棄《す》つれば、民の利は百倍す。仁を絶ち義を棄つれば、民は孝慈《こうじ》に復す。巧を絶ち利を棄つれば、盗賊有ること無し。

此《こ》の三者は、以《もつ》て文《ぶん》足りずと為《な》す。故《ゆえ》に属せる所有らしむ。素《そ》を見《あらわ》し樸《はく》を抱き、私《わたくし》を少なくし欲を寡《すく》なくす、と。

絶聖棄智、民利百倍。絶仁棄義、民復孝慈。絶巧棄利、盗賊無有。

此三者、以為文不足。故令有所属。見素抱樸、少私寡欲。

「聖・智・仁・義・巧・利」は、ひとびとが「素・樸」をうしない「私・欲」にはしるようになったせいであらわれた二束三文のガラクタにすぎない。そういった自然体であることのさまたげになるものを捨ててしまえば、ひとびとは自然の法則にしたがって暮らしてゆける。

前章では「仁義・大偽・孝慈・忠臣」といった否定すべき無用のものを指摘することに終始していたが、本章では「聖を絶ち智を棄つれば」「仁を絶ち義を棄つれば」「巧を絶ち利を棄つれば」といった条件がクリアされれば「民の利は百倍す」「民は孝慈に復す」「盗賊有ること無し」というふうに大いなる道はよみがえると説いている。人間のこころがけ次第で、道はよみがえってくれるようである。

ただ「此の三者は、以て文足りずと為す」と老子は懸念する。道をよみがえらせるためにこの三つの条件をクリアせよといわれても、おそらくピンとこないだろう。そこで「素を見《あらわ》し樸を抱き、私を少なくし欲を寡なくす」べし、と親切にアドバイスをあたえる。めずらしく至れり尽くせりの配慮をしてくれている。

ちいさな単位で採集狩猟の生活をしていたころ、生きる環境はきびしかったが、ひとびとは自然の法則にしたがって暮らしており、こざかしい知恵をはたらかさなかった。共同体における「きづな」はつよかった。やがて農耕牧畜といった生産経済がはじまり富が蓄積されるようになるにつれて雲ゆきがあやしくなってきて……というふうに生活様式のうつりかわりは避けられない。かりに狩猟採集のころが理想のありかたであるとしても、いまさら原始的な暮らしにもどることはできない。

老子は卑近なかたちでアドバイスしてくれている。「素を見し樸を抱き、私を少なくし欲を寡なくす」べし、と。虚飾をなくし、内面をやしない、我をおさえ、欲をへらせばよい、と。

欲望のハードルをあらかじめ低めに設定しておくというのは、安らかに生きてゆくうえで有効なやりかたである。わずかのことで安上がりにハッピーになれるというのは、とても大事な能力だとおもう。

はなから無理なところに目標を設定しても、じっさい意味はない。さしあたり目標は手のとどくところにおいておき、やがて目標なんていう不粋なものはしつらえないという境地にたどりつけばよい。

そういう生きかたは「覇気がない」とバカにされがちである。しかし人間、バカにされてようやく一人前である。「下士《かし》は道を聞かば、大いに之《これ》を笑う」（第41章）のである。ひとの毀誉褒貶《きよほうへん》なんぞ意に介すべからず、と老子はいう。

いい加減なところで手を打つためには、おのれの限界をわきまえておかねばならない。限界をわきまえるとは、とりあえず最小限の努力をはらってみて、無理だとなったらやめられるということである。

むやみにガンバるのは、じつは欲望にとらわれているのである。おのれの可能性に多くを期待しすぎると、自分で自分を苦しめることになる。無理せずにやれる最小限のことをこなしておればよい。

老子が「素を見し樸を抱き」というのは、生糸《きいと》や原木のように、おのれがどう加工されるかなどということに屈託せず、あるがままの素朴であれといっているのである。さらに「私を少なくし欲を寡なくす」というのも、けっして滅《めっ》「私《し》」奉公をすすめているわけではない。ナチュラルであればよい、おのれに非寛容になってどうする、と老子はいう。

20

（無理に）学ぶことをやめれば（無理をすることによってもたらされる）憂いはなくなる。「はい」と承諾することと「なにを」と反撥《はんぱつ》することとのあいだになにほどのちがいがあろうか。「よい」と「わるい」とのあいだになにほどのちがいがあろうか。（だから無理に学ぶことによって得られるものなど捨ててしまってよいのだが、この世間に身をおいているかぎり）ひとの気にかけることは、わたくしとしても気にせざるをえないのであって、（とはいえ無理に学ぶことがもたらすであろう細々した詮索にかかずらったところで）どこまでもキリがない（から気にしてみてもしょうがない）。（自然の法則にしたがわない）ひとはウキウキとして、まるで宴会ではしゃいでいる酔客のようであり、春の高殿《たかどの》でうかれている物見客のようである。わたくしだけは（自然の法則にしたがっているので、からだは）ひっそりと静まりかえり（こころの）はたらく気配さえないことは、まだ笑うこともできない赤ん坊のようであり、疲れても帰るねぐらのない野良犬のようである。

ひとはみなあり余るものをもっているのに、わたくしだけはなにもかも失ったかのようである。わたくしのこころは愚かきわまりなく、まったくもってボンクラである。

世間のひとはキラキラとかがやいているのに、わたくしだけはボンヤリと暗い。世間のひとはテキパキ・ハキハキしているのに、わたくしだけがグズグズ・モタモタしている。

ゆらゆらと海をただようみたいにあてどなく、ヒュウヒュウと風が吹きすさぶようにとめどない。

ひとはみなそれなりに有能であるのに、わたくしだけはものの役にたたない。わたくしだけは世間のひとをちがっていて、（万物をはぐくむ）乳母《うば》（にも譬《たと》えられる自然の法則にいだかれること）を大切にしている。

学を絶てば憂《うれ》い無し。

唯《い》と阿《あ》と相去《あいさ》ること幾何《いくばく》ぞ。善と悪と相去ること何若《いかん》。人の畏《おそ》るる所は、畏れざる可《べ》からざるも、荒《こう》として其《そ》れ未《いま》だ央《つ》くさざるかな。

衆人は熙熙《きき》として、太牢《たいろう》を享《う》くるが如《ごと》く、春台《うてな》に登るが如し。我独《ひと》り怕《はく》として其の未《いま》だ兆《きざ》さざること、嬰児《えいじ》の未だ孩《わら》わざるが如く、儽儽《るいるい》として帰する所無きが若《ごと》し。

衆人は皆余り有るに、我独り遺《うしな》えるが若し。我は愚人の心なるかな、沌沌《とんとん》たり。

俗人は昭昭《しょうしょう》たるも、我独り昏昏《こんこん》たり。俗人は察察《さつさつ》たるも、我独り悶悶《もんもん》たり。

絶学無憂。

唯之与阿、相去幾何。善之与悪、相去何若。人之所畏、不可不畏、荒兮其未央哉。

衆人熙熙、如享太牢、如春登台。我独怕兮其未兆、如嬰児之未孩、儽儽兮若無所帰。

衆人皆有余、而我独若遺。我愚人之心也哉、沌沌兮。

俗人昭昭、我独昏昏。俗人察察、我独悶悶。

澹兮若海、飂兮若無止。

澹《たん》として海の若く、飂《りゅう》として止《とど》まる無きが若し。
衆人は皆以《もち》うる有りて、我独り頑《かたくな》にして鄙《ひ》に似たり。我独り人に異なりて、食母《しょくぼ》を貴《とうと》ぶ。

衆人皆有以、而我独頑似鄙。
我独異於人、而貴食母。

「学を絶てば憂い無し」の学を「知識の習得のほか、礼儀作法を身につけること、いわゆる徳育なども含まれ、儒家が尊重したもの」（蜂屋本）というふうに読めば、相変わらず儒家批判ということがモチーフとなっていることになる。そうなのかもしれないが、ここはもうちょっと普遍的な学ぶこととしてとらえておいてよいような気がする。

老子の「学を絶てば憂い無し」とは、文字どおりの反知性主義なのだろうか。そうであるならば『老子』という書をあらわすという行為とまったく矛盾している。いったい老子の思想を尊重するものは『老子』の書を学ばなくてもよいのだろうか。

学ぶことをまったく否定してしまっては、みずから拠ろうとする思想を否定することになる。で、いささか姑息《こそく》ではあるが、「（無理に）学ぶことをやめれば」と補足つきで訳した。学ぶこと全般をやめるのではなく、無理に学ぶことをやめるだけである、と。

「無理に」の意味としては、「学びたくないのに無理をして」という学ぶ主体のありかたと「学ぶべきでないことを無理をして」という学ぶ対象のありかたとがあるが、ひとまず後者のほうで理解しておく。ただし無理をして学ぶ必要のない対象があることをみとめるからには、学ぶべきものと学ばなくてもよいものとを区別するための基準が示されねばなるまい。

老子は「唯と阿と相去ること幾何ぞ。善と悪と相去ること何若」という。蜂屋本は「道から見れば『唯』と『阿』、『美』と『悪』の違いは問題にならないことを論じている」と注する。「真偽」「善悪」といった対立概念も「道から見れば」大差ないのであって、その差なんて「問題にならない」と。

問題にならないといってしまえば、もはやなんにも考える必要はなくなってしまう。だが、そんなことで日常生活はたちゆくだろうか。いつ種をまけばよいのか、いつ収穫すべきなのか、そういったことは「問題にならない」のだろうか。

日常生活のことがらは自然のなりゆきにしたがえばよい。自然界のうごきを注意ぶかく観察していれば、それぞれ適切な時期がわかる。こういった日々の生活に必要な知識をも、老子は否定してしまうのだろうか。

自然の法則にしたがって生きることをそこなう「さかしら」と、ふつうに生活してゆくうえに必要な知識とは、ちゃんと区別せざるをえない。いろいろな知識をひとくくりにしてしまわないで、さまざまな知識のあいだの区別をつけてゆくこと、そういう努力から「学」は生まれる。

知の営みそのものを否定するようなことを、老子はしないとおもう。くだらない学識はひとの自由をそこなう、と主張しているだけであると読みたい。ただし、そう読むためには、くだらない知識とそうでない大切な知識との区別をハッキリさせるべきなのだが、それを老子の言葉のなかにみいだすことがむつかしい。

「人の畏るる所は、畏れざる可からざるも」とことわっているように、老子とてひとびとの関心事（生活に必要な知識）をことごとく無視することはできないと考えている。とはいえ「荒として其れ未だ央《つ》くさざるかな」というように、そういう知識の探究ということには際限がない。「際限がないから、やめておこう」とも読めるが、「際限がないけど、やりつづけねばならない」とも読める。際限がないからやめておこうというふうに解釈すると、老子は反知性主義ということになってしまう。

『老子』というのは奇妙なテクストで、老聃《ろうたん》というひとの書いたものだということになっているけれども、このひとは全篇のどこにもみずから名のってあらわれてこない。ところが本章には「我独り怕として」「我独り遺えるが若し」「我は愚人の心なるかな」「我独り昏きが若し」「我独り悶悶たり」「我独り頑にして」「我独り人に異なりて」と、たてつづけに七回も「我」という一人称の代名詞がでてくる。

注目されるのは、本章において「我」と相対するものは「衆人・俗人」といった自分と相容れない関係にあるところの大多数の世間だということである。

健全に生きてゆくうえで必要な知識の探究につとめる「我」は、おのれの無知を自覚し、おのれの蒙《もう》昧《まい》を自認している。それにひきかえ無理に学んでいる「衆人・俗人」は、むやみに知識のための知識を追いもとめている。「衆人」はウキウキしているが「我」だけはションボリしている。「衆人」はリッチであるが「我」だけはスッカラカンである。「俗人」はキラキラとかがやいているが「我」だけはボンヤリしている。「俗人」はテキパキしているのが「我」だけはグズグズしている。「衆人」は有能であるのに「我」だけは無能である……要するに「衆人・俗人」のありかたはポジティブであるのにたいして「我」ひとりネガティブなありかたをしている。

老子はふてくされているわけではない。もっぱらマイナスなものいいで自分を形容しているが、それは「衆人・俗人」の目に映る「我」のイメージにすぎない。「我」と「衆人・俗人」とでは価値観がちがう。「我独り人に異なりて」というのは、ひとり世俗の価値観を超えてあることを自負しているのであって、けっして世間からの疎外感にさいなまれているわけじゃない。世間の有象無象《うぞうむぞう》とちがって「我」ひとりのみが万物の慕《した》うべき「食母」をとうとんでいるのだとうそぶいているのである。

「我」に相対するものは、多数であることが明らかな「衆人・俗人」であり、しかも「我」には単独であることを示す「独」の字がかならず附随している。本章における「我」は、我と汝《なんじ》との対峙におけるそれではなく、多数の「衆人・俗人」に相対する単独者であるということが、いやがうえにも強調されたものである。

老子は、いちいち「我独り」とことわったあげく、とどのつまりは「我独り人に異なりて」というふうに自嘲めいた言葉でむすんでいる（もちろん心底では卑下しているわけではないとしても）。無為によって有為を批判する老子の立ち位置は、どこまでもマイノリティーであったということだろう。

この世界の屋台骨は自然の法則がささえている。にもかかわらず、頭でっかちの「衆人・俗人」は、愚かしくもそのことをわきまえない。本章における老子はいささか業《ごう》を煮やしているのではなかろうか。

21

（万物をして万物たらしめている）大いなるはたらきのありさまは、ひたすら道（という自然の法則）としてはたらいているだけである。

いったい道というものは、おぼろげで、とらえどころがない。とらえどころがなく、おぼろげではあるが、そのなかに（ありとあらゆる）「すがた」がある。おぼろげで、とらえどころがないが、そのなかに（ありとあらゆる）「もの」がある。ほのかで、かすかであるが、そのなかに本質がある。その本質はまったく雑《ま》じりけがなく、そうであることのなかに（自然の法則としての）真理がある。

過去から現在にいたるまで、その（道という）名（でよばれる自然の法則のはたらき）は消え去ることはなく、万物をそのはじまりからつかさどってきた。わたくしがどのようにして万物のはじまりの状態をわきまえるかといえば、それは自然の法則のはたらきによってにほかならない。

孔徳《こうとく》の容《かたち》は、惟《た》だ道に是《こ》れ従う。
道の物為《た》る、惟《こ》れ恍《こう》、惟れ惚《こつ》。惚たり恍たり、其《そ》の中《うち》に象《しょう》有り。

孔徳之容、惟道是従。
道之為物、惟恍惟惚。惚兮恍

恍たり惚たり、其の中に物有り。窈《よう》たり冥《めい》たり、其の中に精《せい》有り。其の精甚《はなは》だ真《しん》、其の中に信《しん》有り。
古《いにしえ》自《よ》り今に及ぶまで、其の名去らず、以《もっ》て衆甫《しゅうほ》を閲《す》ぶ。吾《われ》何を以てか衆甫の状を知るや。此《これ》を以てす。

兮、其中有象。恍兮惚兮、其中有物。窈兮冥兮、其中有精。其精甚真、其中有信。
自古及今、其名不去、以閲衆甫。吾何以知衆甫之状哉。以此。

ぼくは「孔徳の容」を「(万物をして万物たらしめている) 大いなるはたらきのありさま」と自然の法則のこととして訳している。蜂屋本は「大いなる徳を持つ人のありさま」と聖人のありさまとして訳している。

「孔徳の容」について、河上公《かじょうこう》は「孔は大なり。大徳の人は容《い》れざる所無く、能《よ》く垢濁《くじょく》を受け、謙卑《けんぴ》に処《お》るなり」と注するように「大徳の人」のふるまいと解する。蜂屋本は河上公注をとっている。

王弼《おうひつ》は「孔は空なり。惟《た》だ空を以《もっ》て徳と為す。然《しか》る後《のち》に乃《すなわ》ち能く動作するに道に従う」と注する。自然の法則のはたらきを五感によってとらえることはできない。だがそれは万物がしたがうべき理法としてはたらいており、たんなる虚無ではない。この名状すべからざる自然の法則のはたらきを欠《か》いては、ありとあらゆるものは存在しえない。ぼくは王弼注をとりたい。

道がいかなる「物為《た》る」かというと、そもそも「物」ではないので、それは「恍・惚・窈・冥」としか表現のしようがない。

恍も惚も、ボンヤリして有るのか無いのかわからないようなさまである。窈も冥も、暗くかすかなことである。しかしそのボンヤリと薄暗いなかに「象・物・精」がある。とりわけ「精」は「真」なるものであり、そのなかには「信」がある。

はなはだ抽象的なもののいいではあるけれども、自然の法則のはたらきをなんとか概念的に把握しようとする老子の姿勢がうかがわれる。

いったい「象・物・精・信」をむすぶ概念のネットワークはどういうものだろう？　残念ながら具体的な説明はない。ただ「其の精甚だ真、其の中に信有り」というあたりに概念のネットワークの片鱗《へんりん》はうかがわれる。

ぼくは「精」を「本質」と訳している。まずまず的確な訳だとおもう。ものごとのありさまの本質はとことん「真」実であり、ひとがその真実のありさまをとらえることによって、そのものごとについての「信」念が生ずる。知識とは正当化された真なる信念である。ものごとの精（本質）をとらえた真なるものこそが知識であり、それがひとの信念をかたちづくる。

大いなる道にもそれなりの正体はあるにちがいない。なぜなら「恍・惚・窈・冥」と表現されているのだから。ただし、そのもの自体のありようが限定的に説明されることはない。ハッキリと知ることはできぬということがハッキリしているのである。

有徳のひとは自然の法則にしたがっているのだから、自然の法則をわきまえているはずである。ただしそれは老子にとって知識というよりもむしろ身につけるもの（身体知）なのではなかろうか。

たとえば茶道の修練をかさねることによって身につけられる自然な身のこなしのようなものである。なにも為さないかのような、ひたすら無理のないふるまいである。

そうであるならば、いわゆる無為自然というありかたは、自然の法則を体得した結果なのであって、自然の法則に到達するための方法ではないということになる。

大いなる道のはたらきは、一切のものごとの生成にかかわっている。同時にひとの為すことがらにもかかわっている。

ありとあらゆるものごとが自然の法則にしたがっているからこそ、「吾」は「衆甫の状」すなわち万物のはじまりの状態を知りうる。ではどうやってそれを知るのかというと、もっぱら「此《これ》を以てす」としか言挙《ことあ》げできない。

「孔徳の容」を「大いなる徳を持つ人のありさま」（蜂屋本）というふうにとらえると、そういう有徳のひと＝聖人が道にしたがっているというのは、なにかしら人並みはずれた修行によって体得した境地である、という神秘的な理解にゆきつかざるをえない。

「孔徳の容」を「（万物をして万物たらしめている）大いなるはたらきのありさま」（拙訳）ととらえると、それは「此」すなわち「古自《よ》り今に及ぶまで、其の名去らず、以て衆甫を閲《す》ぶ」るところの自然の法則のはたらきそのものが、ひとを「真」にたいする「信」を身につけるべくいざないつづけている、というふうに理解することになる。

22

（曲がりくねった木は）曲がっていればこそ（役たたずなので、生をおだやかに）まっとうすることができる。（尺取り虫は）ちぢんでいればこそ（屈しているので、身をまっすぐに）のばすことができる。（くぼみは）凹《へこ》んでいればこそ（凹んだところに、水などを）満たすことができる。（着古した服は）破れていればこそ（破れたところを、つくろって）新しくすることができる。（欲望が）少なければこそ（欲するものを、たやすく）得ることができる。（知識が）多ければこそ（知りすぎるがゆえに、あれこれ）迷ってしまう。

だから聖人は（この世のなかの）唯一のもの（である自然の法則）をまもって、世のなかの手本となる。（おのれが自然の法則にしたがって生きるのみで）みずからみせびらかさない。だから（かえってその存在が）あらわれる。みずから善しとしない。だから（かえってその善行が）よくわかる。みずから鼻にかけない。だから（かえってその手柄が）自分のものになる。みずからエラそうにしない。だから（かえってそのが功績が）ながつづきする。

けっして（自分をふりかざして他人と）争おうとしない。だから世のなかに敵対するものがいない。

古人は「曲がっていればこそ、まっとうすることができる」といったが、じっさいデタラメな言葉ではない。（そのように生きれば天寿を）まっとうして（おのれの生きかたを）自然の法則に帰することができる。

曲がれば則《すなわ》ち全《まった》し。枉《ま》がれば則ち直《なお》し。窪《くぼ》めば則ち盈《み》つ。敝《やぶ》るれば則ち新《あら》たし。少なければ則ち得る。多ければ則ち惑《まど》う。是《ここ》を以《もっ》て聖人は一《いつ》を抱きて天下の式《のり》と為《な》る。自《みずか》ら見《あらわ》さず。故《ゆえ》に明らかなり。自ら是《ぜ》とせず。故に彰《あらわ》る。自ら伐《ほこ》らず。故に功有り。自ら矜《ほこ》らず。故に長《ひさ》し。

夫《そ》れ唯《た》だ争わず。故に天下能《よ》く之《これ》と争う莫《な》し。古《いにしえ》の所謂《いわゆる》曲がれば則ち全しとは、豈《あ》に虚言《きょげん》ならんや。誠に全《まっと》うして之を帰す。

曲則全。枉則直。窪則盈。敝則新。少則得。多則惑。
是以聖人抱一、為天下式。不自見。故明。不自是。故彰。不自伐。故有功。不自矜。故長。
夫唯不争。故天下莫能与之争。
古之所謂曲則全者、豈虚言哉。誠全而帰之。

ぐ

ねぐねと曲がっていて建材として使いものにならない。だから伐《き》られずにすむ。身体をのびたりちぢんだりさせる。だから尺取り虫はまえにすすむことができる。凹んでいるところには水をためることができる。ボロっちくなった服は新しく買いなおしてもらえる。所有していなければこれから所有する可能性を豊かにもっている。すでに所有していれば盗まれはせんかとビクビクするばかり。マイナスのようにみえるものが、じつはプラスの価値をはらんでいる。人間の生きかたも直線的であるよりも曲線的であるほうがよい。

つっぱっているものは、大胆不敵でカッコよいが、意外ともろい。一歩しりぞいて自分をゆずれるものは、優柔不断でカッコわるいが、存外しぶとい。プライドを捨てて、あえて屈辱的な立場に身をおいたほうが、むしろ安らかに生きられる、と積極的に考えてみたらどうだろう。

例によって逆説的な言辞のオン・パレードであるが、老子が説いているのは、ひとつの（とりわけ自分の）立場を絶対視しちゃいけないということだろう。曲がっているのはダメだというふうにきめてかからない。そのつど融通無碍《むげ》にやってゆけばよい。

「曲則全」以下「枉則直。窪則盈。敝則新。少則得。多則惑」とつづく。これらはみな似たり寄ったりの趣旨のものをただ景気づけのようにならべたてているだけなのだろうか。

「曲則全」はわかりやすい。曲がった木は建材として使えないので伐られることがない。おかげで寿命をまっとうできる。「曲がっている＝建材としての価値がない」→「建材としての価値がない＝伐られない」→「伐られない＝寿命をまっとうできる」という連鎖はたしかに説得力に富む。

この「曲則全」には、人間のほうからみた「ものごとにそなわる価値」ということから、それとは無関係であるものごと自体にとっての「生命の存続という価値」へ、という観点の転換がある。

この「人間からみたものごとの価値」から「ものごと自体にとっての価値」へという観点の転換をそなえている「曲則全」というテーゼのみ、章末に「古の所謂曲がれば則ち全しとは」とふたたび呈示されている。

「枉則直。窪則盈。敝則新。少則得。多則惑」は、たんにひとつのことがらについてだけのべている。

それぞれ価値の逆転をテーマにしてはいるが、「人間のほうからみたものごとの価値」から「ものごと自体にとっての価値」へという観点の転換はみられない。

「尺取り虫は、いったん屈するから、伸びることができる」「容器は、凹みがあるから、それを満たすことができる」「衣服は、破れているから、新しくすることができる」これら三つは、それぞれ単独で価値の逆転をしている。「欲望は、少ないから、得ることができる」「知恵は、多いから、迷ってしまう」これら二つは明らかに対をなしている。

「少則得」と「多則惑」とはセットになって、少ないほうが多いよりもよい、と常識的な価値観を否定している。なにが「少」でなにが「多」かは明示されていない。「欲望が少なければ」「知識が多ければ」と異なったものを想定してみたが、おなじものが「少」のときと「多」のときというふうに考えることもできる。

「欲」が少なければ安心を得ることができ、「欲」が多ければ迷うばかりである。「知識」が少なければ安心を得ることができ、「知識」が多ければ迷うばかりである。手段が少なければ、ただちに行為にうつって成果を得ることができ、手段が多ければ、あれこれ迷ってなかなか行動にうつれない。

いずれにしても「枉則直。窪則盈。敝則新。少則得。多則惑」はたんにひとつのことがらについてだけのべている。それぞれ価値の逆転をテーマにしてはいるが、どれもみな人間的な観点のほうからした価値の逆転である。人間の観点そのものを相対化するところがない。それにたいして「曲則全」には、価値の逆転のほかに観点の転換もみられる。このちがいは是非とも押さえておきたい。

「曲」がよくないというのは人間にとっての価値である。そうであるからこそ樹木は寿命を「全」うできるということには、人間にとっての価値から樹木にとっての価値へという、まったくちがう観点への転換がある。

なぜこのことに留意するかというと、老子はこれを受けて「是を以て聖人は一を抱きて天下の式《のり》と為る。自ら見《あらわ》さず。故に明らかなり。自ら是《ぜ》とせず。故に彰《あらわ》る。自ら伐《ほこ》らず。故に功有り。自ら矜らず。故に長《ひさ》し」という結論をみちびいているからである。

聖人は「一」をまもり、世のなかの「式」となる。ひたすら「一」をまもるだけで自分をひけらかさず、自分をよしとせず、自分を鼻にかけず、エラそうにしない。「一」をまもるという自分なりの価値は、あくまでも世のなかの手本のひとつにすぎない。聖人とは、おのれの観点そのものを相対化することができるひとである。

おのれの観点そのものを相対化できるがゆえに、聖人は常識的な価値観にとらわれない。ものごとの本質をとらえた価値観へと、おのれの観点の転換をおこなうことができる。聖人とは、世にも稀《まれ》な特別の人格というわけではなく、自分自身の観点を相対化することができるひとなのである。

おのれの観点を相対化することができる聖人は、ものごとを大所高所からながめることができる。相手がまっすぐすすんでくるとき、自分もまっすぐすすもうとすると衝突してしまう。我《が》を張らず、大局的なところからながめられれば、自分のほうから相手をよけることができる。そういう無理のない生きかたをしていれば、さしあたり大怪我せずに「全うして之を帰す」ることがかなう。

23

めったにしゃべらないというのが自然なありかたである。だから（自然なありかたでない）つむじ風は朝からずっと吹きつづけることはできず、どしゃ降りの雨は晩までずっと降りつづけることはできない。

いったい風を吹かせ、雨を降らせるのはなにかというと、それは天地である。天地ですら風雨（という自然でないありかた）をいつまでもつづけられないのに、まして人間ふぜいが（おしゃべりという自然でないありかたを）つづけられるはずはない。

そこで（為政者たるもの）道のよう（な自然の法則にしたがったありかた）であることにつとめるべきであるが、（よい為政者がそうであるように）道にのっとる（という自然の法則にしたがったありかたの）ものは道とひとつになり、徳をふまえる（という自然の法則にしたがったありかたの）ものは徳とひとつになり、（わるい為政者がそうであるように道や徳を）うしなった（自然の法則にしたがわない）ありかたのものは（道や徳を）うしなったものとひとつになる（から為政のありかたが暴風雨のような苛政《かせい》になる）。（よい為政者がそうであるように）道とひとつになるものは道のほうでもそれをよろこんで受けいれ、徳とひとつになるものは徳のほうでもそれをよろこんで受けいれ、（わるい為政者がそうであるように道や徳を）うしなったものとひとつになるものは（道や徳を）うしなったもののほうでもそれをよろこんで受けいれる（から結果として暴風雨のような苛政をおこなうことになる）。（自然の法則にしたがうという）誠実さのないものは、ひとびとに信頼されない（から受けいれてもらえない）。

希《まれ》に言うは自《おの》ずから然《しか》るなり。故《ゆえ》に飄風《ひょうふう》は朝《あした》を終えず、驟雨《しゅうう》も日を終えず。孰《たれ》か此《これ》を為《な》す者ぞ、天地なり。天地すら尚《な》お久しき能《あた》わず、而《しか》るを況《いわ》んや人に於《おい》てをや。故に道に従事するに、道なれば道に同《どう》じ、徳なれば徳に同じ、失《しっ》なれば失に同ず。道に同ずれば、道も亦之《またこれ》を得るを楽しみ、徳に同ずれば、徳も亦之を得るを楽しみ、失に同ずれば、失も亦之を得るを楽しむ。信足らざれば、信ぜられざること有り。

希言自然。故飄風不終朝、驟雨不終日。孰為此者、天地。天地尚不能久、而況於人乎。故従事於道者、道者同於道、徳者同於徳、失者同於失。同於道者、道亦楽得之、同於徳者、徳亦楽得之、同於失者、失亦楽得之。信不足焉、有不信焉。

「故従事於道者、道者同於道」の「道者」は衍字《えんじ》とみなすべきなのかもしれないが、あえて王弼本《おうひつ》にしたがって読んでおく（なにぶんソバ型でゆくので）。

つむじ風であれ、どしゃ降りの雨であれ、永遠につづくことはない。自然界の現象でさえそうなのに、まして人間界の出来事であれば、永遠につづくものなどありえない。そのことを心得て、暫定的なありかたにふりまわされないようにすべし。その出来事をしてそのようであらしめている自然の法則のはたらきを受けとめるべし。

「希《まれ》に言うは自ずから然るなり」というように、要らぬことはしゃべらぬというのが自然なありかたである。それかあらぬか、自然の法則はなんにもしゃべってくれない。われわれは耳をすませて、その「希に言う」ところを受けとらねばならない。

聖人の政治のやりかたは、人民にたいして頭ごなしに命令することがほとんどない（希に言う）ものである。そのような為政《いせい》がどうして可能であるかということを、老子は「道・徳・失」の語をもちいて説いている。

「道・徳」とは自然の法則にしたがった為政のありかたであり、「失」とはそれがうしなわれた状態のことである。為政者が道・徳にしたがえば、人民も道・徳と一体化する。為政者が道・徳にしたがうという姿勢をうしなえば、人民も道・徳と一体化することはない。

道・徳にかんしては為政者と人民とは一心同体である。お上がしっかりしていれば下々もちゃんとする。なぜそのような感応道交《かんのうどうこう》が可能であるかというと、人間が道・徳にしたがおうとすれば、道・徳のほうでもその姿勢を受けいれてくれるからである。世のなかはそういうふうにできているのである。

自然の法則にしたがって生きようとつとめれば、天地の自然のほうもむやみに荒れ狂うことはない。そのような「天地」と「人」との関係がなりたっていれば、為政者が人民にたいして高圧的に命令することがほとんどない（希に言う）ような政治が可能となる。

自然の法則にしたがうという誠実さ（信）のない為政者は、もちろん人民から信頼されない。聖人であれ人民であれ、万物のはしくれであるからには、こざかしい人為をはなれて、天地の自然にしたがうことが大事である。

本章はみぎのように老子の政治思想をのべたものとして読んでおけばよいとおもうが、ひとつだけ気になる（というか違和感をおぼえる）のは「希に言うは自ずから然るなり」である。

「希に言うは自ずから然るなり」とは、おのれの内なる法則にしたがうものという意味での「自然」のことではなく、「道に同」ずるか否かという人間界における為政のありかたを譬《たと》えているものとして読んだ。けれども、われわれにとっての自然とは、まずもって山川草木という生活の場、すなわち森羅万象そのものだろう。

自然界はさまざまの音で満ちあふれている。風の音、雨の音、鳥の声、虫の声……蜂屋本の「耳を澄ましても何も聞こえないのが自ずから然る道である」という訳は、「之を聴けども聞こえず。名づけて希《き》と曰《い》う」（第14章）をふまえてのものであるとはいえ、きわめて異様なありようである。

「希に言うは自ずから然るなり」における自然とは、ほぼ「無為《むい》」というにひとしい。つまり人為に対立する自然だろう。もしこれが「自然はなんにも為さない。人間だけがなにかを為そうとする。それは自然のありかたからはずれた愚かなことである」といった人為と対立するような自然観をのべているのだとすると、老子には「人間もまた自然界の一部である」という発想はあるのだろうか――もちろんある。あるからこそ人間もまた自然のように無為であらねばならぬという思想も生まれてくる。

しかしながら「無為」一辺倒では、人間と自然との対立は解消されない。たんに無為であるというのは、はたして生きものの本質だろうか。生きものは、つねに生きようとする存在、もっと生きようとする存在、もっとよく生きようとする存在なのではなかろうか。そういう生きものであふれた世のなか、それこそが自然界ではなかろうか。

生きものはつねに生きようとしている。人間も例外ではない。そういう生きもののありかたを肯定して、はじめて人間と自然との対立を解消する道がひらける。

しばしば（否、むしろ頻繁に）人為は自然を破壊する。そういう愚かしい人為にたいして生きものは声をあげている。その声なき声に耳をかたむけられぬようであれば、人間には万物の一員たる資格がないのではなかろうか。

あらゆる生きものが共存しうるような自然、そういう自然をそこなわない人為のありかたをこそ、老子はもとめているような気がしてならない。

もうひとつ気になっていることがある。本章における「道・徳・失」と「道を失いて而る後に徳あり、徳を失いて而る後に仁あり、仁を失いて而る後に義あり、義を失いて而る後に礼あり」（第38章）におけるそれとの関係である。

第38章では「失道→徳→失徳→仁→失仁→義→失義→礼」というふうに「道・徳」から「仁・義・礼」へという堕落の契機として「失」ということが考えられている。なにかを喪失することによって、ひとは道をふみはずす。してみると本章における「失」とは、自然の法則にしたがわないありかた、すなわち「仁・義・礼」というありかたのことを想定しているのかもしれない。

さらにもうひとつ気になるのは、本章の「信足らざれば、信ぜられざること有り」は「信言は美ならず、美言は信ならず」(第81章)をおもわせるということである。

孔子は「巧言令色《こうげんれいしょく》、鮮《すく》なし仁」(『論語』学而《がくじ》)という。口がうまく愛想がよい、そういうものに相手の身になって考えるひとはすくない、と。孔子は「仁」を重んじ、老子は「信」を重んずる。孔子も老子もともに口先だけの美辞麗句をきらう。ただしその事由がちがう。

孔子は「仁が足りない」からだという。老子は「信が足りない」からだという。

「仁」とは「人+二」という情による親しみである。「信」とは「人+言」という客観的な区切りである。孔子は人情における愛をもとめる。老子は合理的な真理をもとめる。

24

（ひとよりも目だとうとして）爪先《つまさき》だちするものは（ながくは）たっていられず、（ひとよりも早くゆこうとして）大股で歩くものは（遠くまで）歩くことはできない。自分（の知見）をうぬぼれるものは（かえってその知見を他人に）みとめてもらえず、自分（の行為）を正しいとするものは（かえってその行為が他人に）正しいとされない。自分（の功績）をひけらかすものは（かえってその）いさおしをうしない、自分（の才能）をみせびらかすものは（かえってその才能が）ながつづきしない。

これら（の自然の法則に反するありかた）は道の立場からすれば、余った食いものや要らないふるまいのようなものだ。（余った食いものや要らないふるまいは）たれもがイヤがるものである。したがって自然の法則にしたがうものは、そういった（オレがオレがという自己チューなありかたをするものといっしょの）ところには身をおかない。

企《つまだ》つ者は立たず、跨《また》ぐ者は行かず。自《みずか》ら見《あらわ》す者は明らかならず、自ら是《ぜ》とする者は彰《あらわ》れず。自ら伐《ほこ》る者は功無く、自ら矜《ほこ》る者は長《ひさ》し

企者不立、跨者不行。自見者不明、自是者不彰。自伐者無功、

からず。
其《そ》の道に在《お》けるや、余食贅行《よしぜいこう》と曰《い》う。物或《ある》いは之《これ》を悪《にく》む。故《ゆえ》に道有る者は処《お》らず。

自矜者不長。
其在道也、曰余食贅行。物或悪之。故有道者不処。

爪先でたつのは、ほんものより大きくみせようとしているのである。大股で歩くのも、じっさいより速くみせようとしているのである。それを自分から示すのは、自己顕示欲が剝《む》きだしということである。

おのれの実力はきまっている。実力以上にみせようとすると、かならずしくじる。自然の法則にしたがいながら、実力どおりに生きておればよい。

実力以上にみせられるというのは、それもまた実力のような気もするが、そういうのは要らない実力だろう。すごいものがあるとしても、すごい声でしゃべる必要はない。静かな声こそが、むしろ細大もらさずきいてもらえる。声を大にして語ろうとすると、かえって大事なことを語りそこねる。

「其の身を後にして身先んじ、其の身を外にして身存す」（第7章）といっていたように、自分をひけらかさないほうが、むしろ他人はみてくれる。「お先にどうぞ」と自分をあとまわしにしたほうがかえって先になる、といったことは世間にザラに転がっている。

「余った食いものや要らないふるまい」として槍玉にあげられるのは、爪先だつこと、大股で歩くこと、つまり自分の実力以上に背伸びをすることである。さらに「自ら見《あらわ》す」「自ら是《ぜ》とする」「自ら伐《ほこ》る」

「自ら矜《ほこ》る」こと、すなわち他者からの評価をあおぐべき行為について「自ら」高い評価をあたえてしまうことである。客観的な評価にしたがうのではなく、恣意的に自分を評価（しかも高く）することである。

自分の実力以上に背伸びをしたり、自分を不当に高く評価したりすることは、自然の法則にしたがうことに反する生きかたである。この老子の説くところに異論はない。ただ、すこしだけ気になるのは、そういう批判さるべきありかたについて、それを「余食贅行」とよんでいることである。

余った食いものや要らないふるまいといった譬喩《ひゆ》は、どちらかというと社会における富裕層・上位層にあてはまるものじゃなかろうか。底辺にあってギリギリの生活をしているものにとって、食べものが余るということはないし、よけいな無駄口をきいている余裕などもない。揚げ足をとるつもりはないけれども、すこし気になる。

老子が「企《つまだ》つ者は立たず、跨《また》ぐ者は行かず」というのは、自分ひとりで爪先だちしたり、自分ひとりで大股で歩くもの、なにものにも依存せずに自立自存するといった「自己なるもの」をしりぞけたいのかもしれない。

その証拠に、老子はつづけて「自ら見す者は」「自ら是とする者は」「自ら伐る者は」と畳みかけるようにして「自ら」という自己へのこだわりを否定している。

あくまでも自然の法則にしたがって生きていればよいのであって、なにものにも依存せずに自立自存するような自己にこだわるべきではない。

西田幾多郎《きたろう》は「個人あつて経験あるにあらず、経験あつて個人あるのである。個人的区別より経験が根本的である」（『善の研究』序）という。「経験あつて個人ある」とき、ぼくは根拠づけのないまま、まさに然《しか》るべくふるまう。ふるまいになにかしら根拠が必要であるとすれば、その根拠によってふるまうための根拠が必要になるというふうに無限後退におちいってしまう。

ぼくは老子のことを根源的な実在などというものを信じない思想家であるとおもっている。西田が「個人あつて経験あるにあらず、経験あつて個人あるのである」というのも、もし経験以前の個人があるとしたら、それはなにものにも依存しない自己ということになるが、そのような自立自存する自己などというものは存在しないといっているのだろう。この点はまったく同意できる。同意できないというか、よくわからないのは「自己はなにに依存しているのか」ということである。

西田はきっと「経験に」と答えるだろう。でも、それは「たれの経験か」とかさねて問うことができる。もし西田が「主客未分の経験に」と答えるとすれば、そのような「たれのものでもない経験」をどうして経験とよべるのか、とさらに問うことができる。そのような経験は、定義上、自己の経験することができる経験ではなくなってしまうので、不可知なものをただ信じなさいと命ぜられているような気分になる。

もし西田にとってそのような純粋経験こそが根源的な実在であるとするならば、そういう思考法から脱《ぬ》けでるためにこそ、ぼくは『老子』を読みたい。

電車が走っているのをみる。電車をとめるにはどうすればよいか。電車に乗ればよい。電車に乗れば、走っている電車は自己にたいしてはとまっている。

電車に乗れば自己にたいしては電車はとまる、ということがゆるされるならば、老いに乗れば自己にたいしては老いはとまる、死に乗れば自己にたいしては死はとまる、ということができるのだろうか。

問題は、電車に乗るには電車をいったんとめねばならぬということである。この窮地をいかにして乗り越えればよいのか。

生きているぼくは老いに乗っているが、老いをとめることはできない。生きているぼくは死に乗っているが、死をとめることはできない。

オレがオレがと自己をひけらかすと、かえって自己をみうしなう、と老子はいう。「我おもう、ゆえに我あり」とわかったようなことをいってみても、自分の人生の主人公が自分であるということは自明でもなんでもない。おのれの人生にとっておのれが通行人でしかないような生きかたを、老子は「余食贅行」といっているのかもしれない。

25

（なにかしら渾沌《こんとん》たる）ものがあって、この世界が生まれるまえから存在している。（その音をきこうとしても）ひっそりとして音もなく、（その形をみようとしても）ぼんやりとして形もなく、（それ自体において存在していて）なにものにも依存せず、なんらの変化をもせず、あまねくゆきわたっておとろえることがない。（そういう自然の法則のはたらきは）この世界のすべてを生みだした母ともいうべきものである。

わたくしはその名を知らない。かりそめに「道」とでもよんでおこう。どうしても（そのありかたを）名づけるのであれば「大」とでもいおうか。（道が）大きいとは、はたらきいづることであり、はたらきいづるとはあまねくひろがることであり、あまねくひろがるとはめぐりつづけることである。

かくして道は大いなるものであり、（その道にもとづく）天も大いなるものであり、（その天をいただく）地も大いなるものであり、（その地をふまえる）王もまた大いなるものである。この世界には四つの大いなるものがあり、王はそのひとつを占めている。

（王もそのひとりである）人は地のありかたにのっとり、地は天のありかたにのっとり、天は道のありかたにのっとり、道は（みずからの）あるがままのありかたにのっとる。

物有り混成《こんせい》し、天地に先だちて生ず。寂《せき》たり寥《りょう》たり、独立して改《あらた》まらず、周行《しゅうこう》して殆《つか》れず。以《もっ》て天下の母と為《な》す可《べ》し。吾《われ》其《そ》の名を知らず。之《これ》に字《あざな》して道と曰《い》う。強《し》いて之が名を為して大と曰う。大は逝《せい》と曰い、逝は遠《えん》と曰い、遠は反《はん》と曰う。故《ゆえ》に道は大、天も大、地も大、王も亦《また》大なり。域中《いきちゅう》に四大《しだい》有り、王其の一に居《お》る。
人は地に法《のっと》り、地は天に法り、天は道に法り、道は自然に法る。

有物混成、先天地生。寂兮寥兮、独立不改、周行而不殆。可以為天下母。
吾不知其名。字之曰道。強為之名曰大。大曰逝、逝曰遠、遠曰反。
故道大、天大、地大、王亦大。域中有四大、而王居其一焉。
人法地、地法天、天法道、道法自然。

「物」

有り混成し、天地に先だちて生ず」における「物」とはなにを指しているのだろう？ ふつうの物体ではなさそうである。それは天地に先だって存在する「なにか」であり、しかも「天下の母」たるべきものである。

その天地に先だってある渾沌たる無限定のものは、天地があらわれてよりのちは「独立して改まらず、周行して殆《つか》れず」というふうに規則正しくはたらく。渾沌たる無限定のものでありながら、無名は有名を宿し、非合理性は合理性を蔵す、といわんばかりに規則正しくはたらく。

無限定のものでありながら、否、無限定であるがゆえに、それは規則正しくはたらいている。その規則的なはたらきこそが、この世界をこのようであらしめている自然の法則であるとしたら、それは「ない」のなかにすでにふくまれている。

そういう有をはらむ無のような「ない」のはたらきについては、頭でもって理解しようとするかぎり非合理でしかない。けれども、それは合理性をふくんでいるのだから、たんなる虚無ではない。「其の名を知ら」ないから、かりに「道」とでもよんでおくよりない。そのはたらきについても「大・逝・遠・反」とでもいっておくよりない。この「道」とよばれ「大・逝・遠・反」というはたらきかたをしているものが、とりもなおさず「天地に先だちて生ず」るところの「天下の母」たるもののようである。

「名無し、天地の始めには。名有り、万物の母には」（第1章）を勘案してみよう。

「名無し、天地の始めには」は「物有り混成し、天地に先だちて生ず」にあたる。「名有り、万物の母には」は「以て天下の母と成す可し」にあたる。名もなき「天地の始め」には「天地に先だちて生ず」るところの渾沌たる「物」が存在し、かりに「之に字して道と曰う」ならば、その道にしたがって万物が生ずる。

「物有り混成し」というふうに、それが存在する場所をそこはかとなく示すだけのものに、ひとまず「道」と名づける。名づけるのは人間である。人間が天地に介入してはじめて万物が生ずる端緒《たんしょ》がひらける。

道は「寂たり寥たり、独立して改まらず、周行して殆れず」というふうに、それ自体は具体的なものとしては存在しないにもかかわらず、それを欠《か》いては万物が存在しえないようなものとしてはたらく。万物をして然《しか》るべくせしむる所以《ゆえん》のものとしてはたらく。

道という自然の法則は、万物を生みながら、けっして生みっぱなしではない。道は「強いて之が名を為して大と曰う。大は逝と曰い、逝は遠と曰い、遠は反と曰う」というふうにはたらくが、この「遠は反と曰う」を蜂屋本は「遠くなるとまた元に返ってくる」と訳し、「どこまで遠くなろうと根元的な道から離れず、やがて道に復帰するから『反』である」と注している。

道はなにやら循環的なはたらきかたをするかのようである。「遠は反と曰う」について、つぎのように注している書もある。

老子も『易』も、道をいつかは帰るべきわが家と考える。道のはたらきの遠心力が強まれば強まるほど求心力も強まるように、道に従う者もそのわが家から遠ざかれば遠ざかるほど帰心をつのらせる。尚古もしくは復古の思想は時間の求心力をいうものであろう。老子や『易』の哲学は、中国人の復帰の思想を代表しているのである。

（福永光司訳『老子』ちくま学芸文庫・98頁）

「根に帰るを静と曰い、是《これ》を命《めい》に復《かえ》ると謂《い》う」（第16章）について、これは万物の生生流転のありさまを

循環とみなしているわけではなく、万物はいかなるありかたをしているときも自然の法則にしたがっているということである、というふうにぼくは理解した。

自然の法則と万物とのあいだには一方向的な従属関係があるわけではない。万物は自然界の摂理にしたがっている、と老子は客観的に説いているのである。

ここで「大↓逝↓遠↓反」と尻取りのかたちで語っているのも、自然の法則の循環的なはたらきかたを示唆しているわけではない。道という自然の法則のはたらきは大きい。その大きさはというと、どこまでも遠くへとゆくが、いくら遠くへゆくといっても、かならず帰ってくる。老子のいいたいことは、自然の法則のはたらきは循環的であるなどということではなく、それは（時間的にも空間的にも）万物にあまねくゆきわたっているということである。

帰ってくるというのは、遠くへいったっきり帰ってこない（いなくなってしまう）ということを否定しているだけである。自然の法則のはたらきは（時間的にも空間的にも）悠久であるといっているだけであって、これを循環的にとらえることによって得るところがあるとはおもいがたい。

老子は「人は地に法り、地は天に法り、天は道に法り、道は自然に法る」と、ふたたび「人↓地↓天↓道↓自然」というふうに尻取りのかたちで語っている。これも道は万物を生みだしながら元のところに復帰するという循環的なありかたを黙示しているわけではない。

かりに道のはたらきかたは循環的であるとして、そのことにどういう意味があるのだろう？　正直にいうと「だからどうだっていうの」といった感じである。所信を表明するばかりで道のはたらきかたが循環的であることの意義をつまびらかに論じてくれないのが、なにはさておき遺憾とするところである。人は地にのっとり、地は天にのっとり、天は道にのっとり、道は自然にのっとる、と素直に読めば、ちっとも循環してなどいない。もし循環しているならば、最後は「自然は人にのっとる」にならねばなるまい。

道は自然にのっとる、とむすばれている。ということは、道はなにものにもしたがっていない、といっているのである。道はおのずから「あるがまま」にあり、道のありかたをきめるなにものも存在しない。

「道は自然に法る」について、王弼《おうひつ》は「自然に法るとは、方に在《あ》らば方に法り、円に在らば円に法り、自然に於いて違《たが》う所無きなり」と注している。自然にのっとるとは、四角であれば四角になり、丸であれば丸になるというふうに、そうであるがままにしたがって逆らうことがないことだ、と。

道のはたらきはおのずからなるようになるのである。万物が然《しか》るべくなるようになる仕方、それが道という自然の法則にほかならない。ここには循環的なありかたといえるようなものはない。ただ直線的に人・地・天・道そして自然へとつなげられているだけである。

万物がおのずからあるありかた、そこには一定の秩序がある。そういう万物のありかたをさだめている一定の秩序を「道」と名づけよう、と老子はいっているだけである。

26

重いものは軽いものの根本である。静かなものは騒がしいものの主人である。

それゆえ聖人たるもの（戦場にあって）朝から晩まで行軍《こうぐん》するときも（重い物資をはこぶ）荷馬車のそばをはなれない。（宮殿において）いそがしく活動していようとも（静かな気持で）おだやかにくつろいでいる。どうして一万輛《りょう》もの戦車をもつ君主（という重かるべき身）でありながら、天下をおさめるにさいして（行軍時に荷馬車のそばをはなれたり、活動時にくつろいでおれないといったふうに）軽《かろ》がろしくふるまうことができようか。

軽がろしくふるまえば（重かるべき柱石としての）わが身をうしない、騒がしければ（静かなるべき主人としての）支配者の地位をうしなうことになる。

重きは軽きの根為《こんた》り。静かなるは躁《さわ》がしきの君為《くんた》り。
是《ここ》を以《もっ》て聖人は、終日行けども輜重《しちょう》を離れず。栄観《えいかん》有りと雖《いえど》も、燕処《えんしょ》して超然たり。奈何《いかん》ぞ万乗《ばんじょう》の主《あるじ》にして、而《しか》も身を以て天下に軽《かろ》

重為軽根。静為躁君。
是以聖人、終日行不離輜重。
雖有栄観、燕処超然。奈何万乗

がろしくせんや。
軽がろしくすれば則《すなわ》ち本《もと》を失い、躁がしければ則ち君を失う。

之主、而以身軽天下。
軽則失本、躁則失君。

「重きは軽きの根為り」とは、重いものは軽いものよりも理の当然として下にしずむ、つまり根っこのほうにくるという意味である。「静かなるは躁がしきの君為り」とは、静かなものは騒がしいものを理の当然として支配する、つまり主人となるという意味である。

したがって、「重」と「軽」とでは重のほうがよく、「静」と「躁」とでは静のほうがよい。それゆえ理の当然として聖人のありかたは、重であり静である、と老子はいう。

重と軽とではどうして重のほうがよいのだろう？　静と躁とではどうして静のほうがよいのだろう？　その理由はなにひとつ説かれていない。説くまでもないということだろうか。

もともと重いもののほうが軽いものよりも価値があり、もともと静かなもののほうが騒がしいものよりも価値がある、などということはない。ものごとはケース・バイ・ケースである。漬《つ》けもの石は重いほうがよいが、荷物や困難は軽いほうがよい。

どうやら老子が「重・軽」「静・躁」で譬《たと》えているのは、ことがらの本質にもとづいた議論をしているわけではなく、よいほうを「重・静」でイメージし、わるいほうを「軽・躁」でイメージするということのようである。

こういうレトリックが『老子』という古典のなかで語られてしまうと、そのことは後生《こうせい》の感覚にはいりこみ、いつしか着古した衣服のようになんとなく身についてきて、一種の美意識として倫理的な価値をもちはじめる。われわれの美意識・倫理感覚というものは、かならずしも本性にもとづくものではなく、むしろ歴史がもたらしたものであるとおぼしい。

たいていの場合、重のほうが軽よりもよく、静のほうが躁よりもよいだろう。でも、ときには軽妙や軽快が、「にぎやか」や「ほがらか」が、もとめられることもあるだろう。重のほうが軽よりも、静のほうが躁よりも、無条件によいと考えるべき根拠はない。

なにごとも片寄るべきではない。軽さのある重さ、重さのある軽さ、静けさのある騒がしさ、騒がしさのある静けさ、そういうものが好もしいことだってある。

適宜に重にも軽にもなれ、静にも躁にもなれる、そういう臨機応変をそなえるものが聖人ではなかろうか。

27

真に見事に乗るものは（自然の法則にしたがった乗りかたをするので、どんなにけわしい道をゆこうとも車馬の）わだちの跡《あと》をのこすことがなく、真に見事に語るものは（自然の法則にしたがった語りかたをするので、どんなにシビアなことをしゃべろうとも言葉の）キズをあげつらわれることがなく、真に見事に数えるものは（自然の法則にしたがった数えかたをするので、どんなに複雑な計算をするさいも道具である）算木《さんぎ》をもちいない。真に見事に閉じるものは（自然の法則にしたがった閉じかたをするので）戸締まりをしなくても開けることができず、真に見事にむすぶものは（自然の法則にしたがったむすびかたをするので）縄でしばらなくてもほどくことができない。

そこで聖人（による自然の法則にしたがった公平な政治）は（こいつは救うがあいつは救わないなどということがなく）かならず万人をあまねく救う。なんぴとをも見捨てない。かならず万物をあまねく救う。なにものをも見捨てない。これを明知のなかの明知という。

かくして（聖人による自然の法則にしたがった政治がおこなわれている世にあっては）善いひとは善くないひとの（善くなるための）手本となり、善くないひとは善いひとの（善くないようにならないための）

材料となる。おのれにとっての手本をとうとばず、おのれにとっての材料に学ばなければ、どんなに知恵があっても最終的には迷うことになろう。これを玄妙なる道理という。

善《よ》く行くものは轍迹《てつせき》無く、善く言うものは瑕謫《かてき》無く、善く数うるものは籌策《ちゅうさく》を用いず。善く閉ざすものは関楗《かんけん》無くして而《しか》も開く可《べ》からず、善く結ぶものは縄約《じょうやく》無くして而も解く可からず。

是《ここ》を以《もっ》て聖人は、常に善く人を救う。故《ゆえ》に人を棄《す》つること無し。常に善く物を救う。故に物を棄つること無し。是《これ》を襲明《しゅうめい》と謂《い》う。

故に善き人は善からざる人の師、善からざる人は善き人の資なり。其《そ》の師を貴《とうと》ばず、其の資を愛せざれば、智ありと雖《いえど》も大いに迷う。是を要妙《ようみょう》と謂う。

善行無轍迹、善言無瑕謫、善数不用籌策。善閉無関楗、而不可開、善結無縄約、而不可解。

是以聖人、常善救人。故無棄人。常善救物。故無棄物。是謂襲明。

故善人者、不善人之師、不善人者、善人之資。不貴其師、不愛其資、雖智大迷。是謂要妙。

本章は「善いありかたの五つの事例」「聖人の善いありかた」「善人と不善人との関係」という三つの段落から構成される。

第一段落は具体的な事例をあげている。「行く」「言う」「数うる」「閉ざす」「結ぶ」という具体的な行為について、それぞれの真に見事な、つまり自然の法則にしたがったやりかたが例示される。ところが、それぞれの「善く」やった具体例をみるにつけ（いくら譬喩《ひゆ》とはいえ）どれもみな信じられないくらい非現実的なやりかたである。

◆1「善く行くものは轍迹無く」

およそ想像を絶する。運転の達人は、ぬかるみを巧みに避けるからか、わだちの跡をのこさない。が、どんなに見事に乗ろうとも、なんらかの痕跡はのこるはずである。

◆2「善く言うものは瑕謫無く」

唯一これはうなづける。表現に過不足がないということだろう。もっとも、すぐれた作家の書くものやすぐれた噺家《はなしか》の語るところは、ながい修練のなせるわざではあるが。

◆3「善く数うるものは籌策を用いず」

計算機を使わないでやる計算には限度があるだろう。ものすごく複雑な計算を計算機なしでできるものではない。筆算だって紙や鉛筆などの道具を使っている。

◆4「善く閉ざすものは関楗無くして而も開く可からず」

鍵をかけてもいないのに開けられないなら、鍵をかけたらどうなるのかなあ。鍵をかけても開けられないのなら、けっきょく開けられないということになりそうである。

◆5「善く結ぶものは縄約無くして而も解く可からず」

縄でしばらないのにほどくことができないって、なにをほどくの？　縄でしばらないなら、ほどくものはない。ひょっとすると荷づくりのイメージだろうか。不器用なぼくが荷づくりすると、あっちこっちガンジガラメにしばるもんだから不恰好になり、そのくせすぐにグズグズとほどける。上手なひとの荷物はすっきりしていて、しかもほどけない。

どれもみな「なんにも為さないかのようでありながら、しっかり目的を達成している」という超人的なやりかた、ほとんどマジックのようなやりかたの譬《たと》えである。

そこにはなにかしら秘訣《ひけつ》がありそうである。しかし秘訣があるようでは、おそろしく人為的なやりかただということであり、およそ自然の法則にしたがったやりかたとはいえまい。

これらの超自然的なことをなんの秘訣もなしにやることが可能であるならば、その見事なやりかたをこそ明らかにすべきだろう。その種明かしもなしに「善く」するものがあるのだと納得してしまうことは、老子の所説を神秘化するようなしわざ以外のなにものでもない。

日常生活での個々の具体的な行為のなんともはや信じがたいやりかたをのべた第一段落につづく第二段落は、一転して、聖人はこいつは救うがあいつは救わないといった差別をすることなく万人を平等に救うのだとのべられる。

善いひとであるか善くないひとであるかを問わず、聖人はたれひとりとして見捨てることはない。これは聖人の政治の公平性をいっているというふうに読むのがふつうである。ぼくは万能性をいっているものとして読んでみたい。たれも見捨てないというのは、どんなひとの要求にもこたえられ、どんなものの作業にもこたえられるという万能性である、と。

ここにおいて第一段落と第二段落とが「是を以て」でつながれているという論理的な関係が問題となる。第一段落で例示されているのは、具体的な行為にかんする真に見事な、つまり自然の法則にしたがったやりかたである。第二段落にあげられるのは、聖人の政治のやりかたの万能性である。では、個々の行為における見事なやりかたが、どうして聖人の政治のやりかたの万能性の理由になるのだろう？

いたずらに重箱の隅をほじくっているかのようだが、これは『老子』を読むうえで看過すべからざる論点である。

老子の（暗黙裡に前提している）論理とは「個々の行為における見事なやりかたは自然の法則にしたがうことによって身につけることができる。聖人は自然の法則にしたがった見事なやりかたをする。ゆえにその政治のありかたは万物（万人）にあまねくゆきわたる万能性をもっている」というものである。

しかしながら「個々の行為のやりかた」から「聖人の政治のありかた」へと無造作に話をつなげてよいのだろうか（これはレベルのちがう話ではなかろうか）。

『老子』にでてくる聖人の真に見事なやりかたをみるにつけ、ぼくには聖人がスーパーマンのようにおもえてしょうがない。自然の法則にしたがってやるというのは、そういう超人的なやりかたのことなのだろうか。

第三段落では、善いひとは善くないひとにとっての指導の手本になり、善くないひとは善いひとにとっての反省の材料となる、と説かれる。自分を指導してくれるひとをとうとばず、自分を反省させてくれるひとに学ばなければ、どんなに知恵があっても迷うことにならざるをえない（つまり自然の法則にしたがった生きかたはできない）。

第二段落と第三段落とは「故に」でつながれている。聖人の為政の万能性から、万人どうしの学びあいということが、なんらの論理的な脈絡もなしにみちびかれている。いかにも行論《こうろん》に飛躍がある。

いったい『老子』というテクストは、もっぱら老子の思想と感応《かんのう》できるもののみが読むべきものであって、縁なき衆生《しゅじょう》にとってはどこまでも敷居が高いものなのだろうか。まさか『老子』ほどの古典がそんな内輪ウケや楽屋オチにふけるものであるはずはなかろう。

ぼくとしては老子の思想と感応できる（つもりになっている）ものたちの片棒をかつぐような読みかたはしたくない。そこで原文および拙訳をあらためて反芻《はんすう》してみたのだが、とくと吟味するうちに期せずして奇矯《ききょう》な解釈が浮かんできてしまった。

◆1「善く行くものは轍迹無く」

真に見事に乗るものは、そもそも乗りものに乗らないので、わだちの跡をのこすことがない。

◆2「善く言うものは瑕讁無く」

真に見事に語るものは、そもそも言葉で語ることをしないので、語りのキズを指摘されることがない。

◆3「善く数うるものは籌策を用いず」

真に見事に数えるものは、いちいち数えなくとも数がわかるので、計算の道具を使うことなどない。

◆4「善く閉ざすものは関楗無くして而も開く可からず」

真に見事に閉じるものは、なんにも盗られるものをもっていないので、戸締まりをしなくてもたれも開けようとしない。

◆5「善く結ぶものは縄約無くして而も解く可からず」

真に見事にむすぶものは、なんにも荷物がないので、ちゃんと縄でむすばなくてもだれもほどこうとしない。

第一段落では、「行く」「言う」「数うる」「閉ざす」「結ぶ」という具体的な行為について、真に見事な、つまり自然の法則にしたがった、やりかたが例示される。それぞれが「善」いといわれる理由としては、つぎのふたつが考えられる。

(A) 行為をするものが、そのことに習熟し、達人の域に達しているから。

(B) 行為をするものが、そもそも人為的・作為的なことをやらないから。

はじめに呈した拙訳は、理由 (A) によって訳したものである。はたしてこれを理由 (B) によって訳すことも可能だろうか。

理由 (A) によって訳すというのは、行為をするものの自然の法則にしたがったやりかたを、その行為に習熟することによる達人のしわざとみなすという理解である。そのような妙技が可能かどうかということは問わぬとしても、「行く」「言う」「数うる」「閉ざす」「結ぶ」という行為にはそれぞれ別々の修練が必要であって、ひとつのことに通じても、ほかのことすべてに通じているとはかぎるまい。この路線でゆこうとすると、第二段落における万事を自然の法則にしたがってやってのける聖人のことをスーパーマンめいた不自然な存在にまつりあげることになってしまう。

理由（B）によって訳すというのは、ひたすら自然の法則にしたがうのみであって、まったく人為的・作為的なことはしないという理解である。「行く」ものは乗りものに乗らず、「言う」ものは言葉で語らず、「数うる」ものは計算の道具を使わないというのは、その路線でうまく読めそうである。「閉ざす」ものは盗まれるものをもっていないので戸締まりをする必要がなく、「結ぶ」ものは荷物をもっていないので縄でむすぶ必要がないというのは、いささか苦しい。自分であげておいていうのも恥ずかしいのだが、事例としては成立しにくいとおもわれる。

なにもかも辻褄《つじつま》を合わせられるような解釈はありそうもない。だが、ぼくの妄想はまだ全滅したわけではない。なかなか賛同を得られないだろうが、江湖《こうこ》に問うてみたいアイデアがある。

もうバレているかもしれないが、ぼくの『老子』解釈の底を流れているのは、つぎの一事であるといってもよい——老子が「轍迹無く」「瑕謫無く」「籌策を用いず」「関楗無く」「縄約無く」と否定的にいっているのは、なんにも為さないということではない。最小限の力をもちいて最小限のことを為すのである。最小限の力によってやるとは、ガンバらないで、つまり自然の法則にしたがってやるということである。

真に見事に乗るものは、自然の法則にしたがって、つまり最小限の力をもちいて、かぎりなくゼロに近い乗りかた、語りかた、数えかた、閉じかた、むすびかたをする。

最小限というのが、かぎりなくゼロに近い量のことだとしたら、それは假想《かそう》的なものであって、しょせん「行く・言う・数う・閉ざす・結ぶ」といった具体的な営みについて語るために便宜的にもってきたものにすぎない。しかしながら、たとえば勉強のコツとは、「むつかしい問題があったら、そいつを最小限の力でやれる簡単な問題にまで分け、その分けたひとつひとつを解決し、その結果を総合して、もとの問題を解決することをめざす」というやりかたではなかろうか。

分けた問題がまだむつかしいなら、なおさらに分ける。そうやって分けてゆき、なんとか解決できる問題にこぎつけるまで分ける。そういうのが勉強の「方法」というものだろう。老子のいう「最小限」作戦についても推《お》して知るべし。

手に負えないことにでくわしたら、それを無理にやろうとはしない。最小限の力でやれることを、つまりガンバらずにやれることを、ちゃんとやる。ものごとをやるコツとはそういうものだろう。

むやみにガンバったりすると、いずれお手上げになる。最小限の力でやれるところまで戦線を縮小すべし。最小限の力でやれることが、つまりガンバらずにやれることが、ほんとうにやるべきことなのである。

無為《むい》とは「なんにも為さない」ことではない。ガンバらずにやれる範囲でやることである。理想をいえば、やっているという意識は微塵《みじん》もなく、ぼちぼち遊びながらやっているうちに、いつのまにかやっちゃっていたという感じでやるのである。

あくまでも最小限の力でやるのであって、「無」の力でやるなどといった神秘的なことをいっているわけではない。無の力でいくらやりつづけても、その成果はいつまでも無にとどまる。最小限の努力はするのである。人間の営みはあくまでも有限の時間のうちでおこなわれねばならない。

最小限の力でやるというのは、「ゴールをしつらえ、そこに到達することをめざす」という窮屈な発想とはちがう。「好きなことをチャランポランとやりつづけ、ことさら完成をめざしたりしない」という余裕をもった姿勢である。怠けもののぼくとしては、老子のお墨つきをもらったとおもって、一定の終着点をめざしたりせず、不断に途上にありつづけることにしたい。

ものごとを最小限の力でできるところまで分割するという方法をとるうえで、ひとつ留意すべきことがある。

たとえば動物を解体するさい、ヘタクソな料理人は肉を骨ごと大雑把にぶったぎって食材を台無しにしてしまう。すぐれた料理人は骨がどのように結合しているのかをわきまえて関節ごとに上手にきりわけてゆく。ものごとの構造をわきまえていなければ分割の方法は使えない。

むやみに細かく分割するだけでは、問題はかえって複雑になり、解決に時間がかかってしまう。問題を解決する力を最小限にするためには、問題の構造について、すなわち自然の法則について、わきまえている必要がある。

「道＝自然の法則」をわきまえてこそ、「無為＝最小限の力でやること」は可能になる。最小限の力でやることが大切なわけではない。あくまでも自然の法則にしたがうことが重要なのである。

最小限の力でやるとは、客観的な自然の法則にしたがってやるということである。およそ人為的・作為的でなく、それでいて見事にやるのである。人間のつくりだした道具は、すべからく自然の法則にしたがったかたちで使用されるべきものである。

ここには自然と万物（とりわけ人間）との関係をどうとらえるかという問題がある。

人間と自然とを対比させて考えると、人間は不自然な存在だということになる。しかし人間もまた自然の一部であるはずである。「天を怨《うら》みず、人を尤《とが》めず」（『論語』憲問《けんもん》）というふうに天と人とを峻別し、あくまでも人間の立場から人間をとらえる孔子の「人為不自然」にくらべれば、老子の「無為自然」はまだしも自然とのかかわりにおいて人間をとらえているといえよう。

無為ということを「最小限の力でやりつづける」こととして理解するというのは、手前ミソではあるけれども、おもしろい考えではなかろうか。この最小限の力でという観点については、これからも一再ならず論及することになろう。

28

男性的な剛強さをわきまえたうえで、女性的な柔軟さをたもてば、（おのずから）世のなかのものがあつまってくる谷間となる。世のなかのものがあつまってくる谷間となれば、ほんとうの徳（すなわち自然の法則にしたがったありかた）が身にそなわって、（万物の本来のありかたである）純真な赤ちゃん（のようなありかた）にたちかえる。

（カオスにつつまれた神秘の）世のなかのものがしたがう模範となる。世のなかのものがしたがう模範となれば、ほんとうの徳（すなわち自然の法則にしたがったありかた）にたがうことはなくなり、（万物の本来のありかたである）どこまでも極まることのない（自然の法則にしたがった）ありかたにたちかえる。

（ロゴスにささえられた論理の）かがやかしい明晰《めいせき》さをわきまえたうえで、奥ぶかい愚昧《ぐまい》さをたもてば、（おのずから）世のなかのものがしたがう模範となる。

（かりそめの喜びである）栄達をわきまえたうえで、（かりそめの苦しみである）恥辱をたもてば、（おのずから）世のなかのものが流れてくる谷川となる。世のなかのものが流れてくる谷川となれば、ほんとうの徳（すなわち自然の法則にしたがったありかた）が満ちあふれて、（万物の本来のありかたである）

伐《き》りだしたままの原木のような質樸《しつぼく》さにたちかえる。

伐りだしたままの原木のような質樸さが（そこに人為がくわえられることによって）分割されると、（さまざまに用途の異なる）道具となる。聖人が（人材をもちいる場合であっても、もとより素材のままにもちいらるべき人材を分割してさまざまに用途の異なる）道具（としてそれ）をもちいれば、（せいぜい役人たちをつかさどる）長官とする（くらいのものとしてもちいることしかできない）。だから真に偉大なる秩序（としての政治体制があるとすれば、それ）は（伐りだしたままの原木のような質樸さをそこなわず、人為的な）分割などしないのである。

其《そ》の雄《ゆう》を知り、其の雌《し》を守らば、天下の谿《たに》と為《な》る。天下の谿と為らば、常徳離れず、嬰児《えいじ》に復帰す。其の白《はく》を知り、其の黒《こく》を守らば、天下の式《のり》と為る。天下の式と為らば、常徳忒《たが》わず、無極に復帰す。其の栄を知り、其の辱《じょく》を守らば、天下の谷と為る。天下の谷と為らば、常徳乃《すなわ》ち足り、樸《はく》に復帰す。

樸散ずれば則《すなわ》ち器《うつわ》と為る。聖人之《これ》を用うれば、則ち官長と為す。故《ゆえ》に大制《たいせい》は割《さ》かず。

知其雄、守其雌、為天下谿。為天下谿、常徳不離、復帰於嬰児。知其白、守其黒、為天下式。為天下式、常徳不忒、復帰於無極。知其栄、守其辱、為天下谷。為天下谷、常徳乃足、復帰於樸。

樸散則為器。聖人用之、則為官長。故大制不割。

三つの事例についてのべる文は、おなじく「自然の法則にしたがって生きていれば、この世に一定の位置を占めることになり、この世に一定の位置を占めていれば、ほんとうの徳を身につけることができ、そうであれば然《しか》るべきありかたにたちかえる」という論理のかたちをとっている。

自然の法則にしたがったありかたとは、「其の雄を知り、其の雌を守」る、「其の白を知り、其の黒を守」る、「其の栄を知り、其の辱を守」るということである。そういうありかたのものは天下の「谿・式・谷」となる。それが「常徳」を身につけることであり、そうであれば「嬰児・無極・樸」という然るべきありかたにたちかえることができる。

然るべきありかたとは自然の法則にしたがったありかたである。それを身につけるためには然るべき「こころがけ」が必要である。自然の法則にしたがったありかたであるためには無為であらねばならぬのだが、それは「なんにも為さず、なんの工夫もしない」ことではない。自然の法則にしたがったありかたとは、ほうっておいてもそこからスタートできる最初の出発点というわけではない。生きることにおいてもとめつづけるべき終極の目標なのである。

「嬰児」とは、なんにも実現していない状態ではない。あらゆる可能性にひらかれた状態である。
「無極」とは、なんにも極められない状態ではない。すべてを極めようとすることができる状態である。
「樸」とは、なんにも役目をもたない状態ではない。いかなる役目にも対応してゆける状態である。

生まれたままの原物にいたずらに人為をくわえると、せっかくの自然さはそこなわれ、せいぜい用途にふさわしい道具（器）となることしかできなくなってしまう。「聖人之を用うれば、則ち官長と為す」

とあるように、さすがの聖人も、トンビをタカにしたり、ウリをナスにしたりすることはできない。してみると「嬰児・無極・樸」のまま生きることがかなうのは、ひとり聖人のみであるのかもしれない。われわれ凡人にゆるされているのは、せいぜい自然の法則にしたがうことをこころがけて、おのおの「器」として分相応に生きてゆくことだけなのかもしれない。

つらつら愚考するに、すべての人間が「嬰児・無極・樸」のまま生きているようであっては、およそ社会はたちゆかぬのではなかろうか。

現実の社会は分業によってなりたっている。聖人はすべての社会的な役割をひきうけているわけではない。君主は農業や工業や商業には従事しない。それらは人民の仕事である。君主が君主でいられるのは、万民がおのおのの職掌《しょくしょう》をこなしていればこそである。

老子がこういう現実のありようにどこまで意識的であったかはわからない。しかし諸「器」による分業が人間社会に利益をもたらしているということも忘れてはなるまい。

こう考えてくると、老子の「故に大制は割かず」という言葉は、文字どおりには「大いなる制度には役割分担がない」(蜂屋本)ということではあるが、むしろ真に大いなる制度とはなんらの無理もなく役割分担がなされていることであるというふうに読みたい気もしてくる。

29

この世のなかをわがものにして、それをうまくおさめてやろうとしても、わたくしにはそんな（人為をはたらかせた）しわざは不可能だとわかっている。世のなかは不可思議な容《い》れものなのである。ひとの力でどうこうできるものではない。（自然の法則にしたがうのでなく人為をはたらかせて）うまくおさめようとすれば、ぶちこわしてしまうし、つかまえておこうとすれば、とりにがしてしまう。

いったい世のなかにあるものは（さまざまのありかたをしており）みずからうごくものもあれば、あとからついてゆくものもある。おだやかなものもあれば、はげしいものもある。強いものもあれば、弱いものもある。うちくだくものもあれば、くずれおちるものもある。

だから聖人は、（人為をはたらかせた）ゆきすぎを捨て、おごりを捨て、たかぶりを捨て（であるがままに自然の法則にしたがったありかたをす）るのである。

天下を取りて之《これ》を為《おさ》めんと将欲《ほっ》すれば、吾其《われそ》の得ざるを見るのみ。

将欲取天下而為之、吾見其不

天下は神器《しんき》なり。為む可《べ》からざるなり。為めんとする者は之を敗《やぶ》り、執《と》えんとする者は之を失う。
故《ゆえ》に物は或《ある》いは行き、或いは随《したが》う。或いは歔《きょ》し、或いは吹く。或いは強く、或いは羸《よわ》し。或いは挫《くじ》き、或いは隳《くず》る。
是《ここ》を以《もっ》て聖人は、甚《はなは》だしきを去り、奢《しゃ》を去り、泰《たい》を去る。

得已。天下神器。不可為也。為者敗之、執者失之。
故物或行或随。或歔或吹。或強或羸。或挫或隳。
是以聖人、去甚、去奢、去泰。

「為《おさ》めん」とすれば「得ざる」ことになる。なぜなら天下とは「為む可からざる」ものであるから。万物をわがものとして、ほしいままにあやつろうとしても、それは不可能である。自然界というシステムは、ひとに属するものではない。それは「神器」である。自然の法則に属するものであって、およそ人為のおよぶべきところではない。

人間だって、みんなバラバラである。その場の状況にうまく乗るものもいれば、そこから落ちこぼれるものもいる。自分でどんどん勉強できるのもいれば、手とり足とり教えてもらわなきゃならぬ甘えん坊もいる。ケンカの強いのもいれば、泣き虫もいる。

それでこそ「神器」なのだろう。悲喜こもごも、多種多様であたりまえなのである。それを人知のさかしらで作為的にひとつにまとめようとするなんぞ、どだい無理というものである。

なにゆえに万物は「為む可からざる」かというと、そのありようが多様だからである。人為をほどこそうとすると、一部のものにはあてはまっても、あてはまらないものがでてきて、かならず不如意なことが生ずる。

世のなかは得てして期待どおりにはならぬものである。先にゆこうとすれば、あとについてゆくハメになる。おだやかにやろうとすれば、はげしくやらざるをえなくなる。強くあろうとすれば、かえって弱くなってしまう。うちくだこうとすれば、むしろくずれおちることになる。

再三のべるように、無為とは「なんにも為さない」ことではない。なんにも為していないかのように最小限の力によって為すのである。はからいを捨て、最小限のことだけをやって、あとは自然の法則にゆだねる。

まとめようとすると、かえってしくじってしまう。まとめようとしなければ、うまくまとまったりする。

最後の一文、忌憚《きたん》なくいえば、蛇足だとおもう。

聖人のふるまいは、もとより「為めん」とするものではありえない。おなじ趣旨をくりかえすと、「無為」万歳、というお題目をとなえているみたいになってしまう。

30

自然の法則にしたがって君主を補佐するものは、武力をもちいて天下に強権をほころうとはせず、その政治はもっぱら自然の法則（にしたがったやりかた）にたちかえろうとする。軍隊が駐屯《ちゅうとん》した土地は（田畑は荒れはてて）イバラがはびこり、大きな戦争のあとには、かならず饑饉《ききん》がやってくるからである。

すぐれた補佐をするものは、ただ為すべきことを（自然の法則にしたがって）為すだけである。（武力をもちいて）強権をふりまわそうとはしない。なしとげても（功績を）いばらず、なしとげても（成果を）うぬぼれず、なしとげても（成功を）ほこらず、なしとげても（最小限のことを為すにとどめて）為さざるをえないことを為したにすぎないとし、なしとげても（武力によって）強権をほころうとはしない。

ものごとは（自然の法則にしたがうのでなく作為によって）いたずらに強壮をほころうとすると（無理をすることになるから、かならず早々に）老衰がやってくる。これを道にはずれたふるまいという。自然の法則にはずれたふるまいは（ながつづきせず）ゆきづまること必至である。

道を以《もっ》て人主《じんしゅ》を佐《たす》くる者は、兵を以て天下に強ならず、其《そ》の事還《かえ》るを好む。師の処《お》る所、荊棘《けいきょく》生じ、大軍の後、必ず凶年《きょうねん》有り。

善《よ》くせる者は果たすのみ。敢《あ》えて以て強を取らず。果たして矜《ほこ》る勿《な》く、果たして伐《ほこ》る勿く、果たして驕《おご》る勿く、果たして已《や》むことを得ず、果たして強なること勿し。

物壮《さか》んなれば則《すなわ》ち老ゆ。是《これ》を不道《ふどう》と謂《い》う。不道は早く已《や》む。

以道佐人主者、不以兵強天下、其事好還。師之所処、荊棘生焉、大軍之後、必有凶年。

善者果而已。不敢以取強。果而勿矜、果而勿伐、果而勿驕、果而不得已、果而勿強。

物壮則老。是謂不道。不道早已。

読

んで字のごとし。ただし「其の事還るを好む」については解釈がさだまらない。

蜂屋本は「もともと『道を以て佐《たす》』けているのであるから、また『根本の道に還る』と言う必要はないはずである」という理由によって「武力で強さを示せば、すぐに報復される」と訳している。ぼくは「其の事」を「道を以て人主を佐くる者」のはたらきととって「その政治はもっぱら自然の法則(にしたがったやりかた)にたちかえろうとする」と訳す。いずれを採るかは読者の好みにゆだねる。

軍事行動はかならず必要な最小限にとどめ、その成果をほこってはならない。戦果はけっして過大評価すべきでない。軍事はあくまでも「やむをえず」とる手段にすぎない。軍事大国になってはならぬと老子は考えている――ひきつづき次章では「いくさ」の愚かしさが論ぜられる。

31

いくさというのは（なるべく避けるべき）忌《い》まわしい手立てであって、たれもが（それをおこなうことを）イヤがることである。だから自然の法則にしたがうものは（そういう忌まわしい手立てにうったえるような状況には）身をおかない。

為政者はふだんの生活では左側を上席としているが、いくさ（という武力を行使せざるをえない有事）のさいには右側を上席とする。いくさというのは忌まわしい手立てであって、為政者がよろこんで手を染めるべきことではない。やむをえずして武力を行使するときには、なるべく（やるべからざることをやってしまったというふうに）おとなしくしているのがよく、たとい勝っても得意がったりしない。もし勝ったことを得意がったりすれば、まるで人殺しを楽しんでいるかのようになる。そもそも人殺しを楽しんだりするようでは、天下をとるという大志をとげることなどできっこない。

（婚儀など）めでたい行事のときには左側を上席とするが、（葬儀など）かなしい行事のときには右側を上席とする。（ところが軍隊では補佐の）副将軍は左側に位置し、（上席である）大将軍は右側に位置する。これは（いくさのさいには）葬儀の礼法によって（あたかもかなしい行事であるかのごとくに席の）配置をさだめているのである。（いくさとなれば）ひとをたくさん殺すことになるから、（勝ったということよりもひとをたくさん殺したという）そのことをかなしんで泣き、いくさに勝ったときであっても葬儀の礼法によって（かなしい行事のときのように席の）配置をさだめるのである。

夫《そ》れ兵は不祥《ふしょう》の器《うつわ》にして、物或《あ》いは之《これ》を悪《にく》む。故に有道者は処《お》らず。

君子、居《お》れば則《すなわ》ち左を貴《とうと》び、兵を用うれば則ち右を貴ぶ。兵は不祥の器にして、君子の器に非《あら》ず。已《や》むを得ずして之を用うれば、恬《てん》淡《たん》なるを上と為《な》し、勝つも美《よ》しとせず。而《も》し之を美しとすれば、是《こ》れ人を殺すを楽しむなり。夫れ人を殺すを楽しめば、則ち以《もっ》て志を天下に得可《うべ》からず。

吉事《きちじ》には左を尚《とうと》び、凶事には右を尚ぶ。偏《へん》将軍は左に居り、上将軍は右に居る。喪礼《そうれい》を以て之に処るを言うなり。人を殺すことの衆《おお》ければ、哀悲を以て之に泣き、戦い勝つも喪礼を以て之に処る。

夫兵者不祥之器、物或悪之。故有道者不処。

君子居則貴左、用兵則貴右。兵者不祥之器、非君子之器。不得已而用之、恬淡為上、勝而不美。而美之者、是楽殺人。夫楽殺人者、則不可以得志於天下矣。

吉事尚左、凶事尚右。偏将軍居左、上将軍居右。言以喪礼処之。殺人之衆、以哀悲泣之、戦勝以喪礼処之。

王《おう》

弼《ひっ》本の「夫佳兵者不祥之器」を帛書《はくしょ》本によって「夫兵者不祥之器」にあらためる。

「兵は不祥の器」は、蜂屋本のように「武器というものは不吉な道具」と読むのがふつうであるが、ぼくは「兵」を武器ではなく戦争という行為ととり、「器」を道具ではなく手段ととる。いくさは、やむをえずにやるものであって、楽しんでやることではない。いくさに勝つことは讃美されがちだが、やらずもがなのことをやったのだから、たとい勝ったとしても得意になるなどもってのほかである。

朝廷における席次は、平時では左側が上席だが、有事には右側が上席となる。また祝いごとのさいは左側が上席だが、弔《とむら》いごとのときは右側が上席となる。いくさとなれば大量殺人という戦果をあげたほうが立派だということになる。いくさは忌まわしい不祥事なのだから、それに勝つことはもてはやされるべきではない。しかしながら、その証拠に「偏将軍は左に居り、上将軍は右に居る」と、サブの副将軍は左側、メインの大将軍は右側というふうに「喪礼を以て之に処る」ではないか。

いくさという殺しあいは、そもそも忌むべき凶事である。にもかかわらず有事にあって価値観が逆転すると、いくさに勝利することがさも吉事であるかのごとくに考えられてしまいがちである。茶化すつもりは毛頭ないけれども、そういうのってマジメにはたらく泥棒をホメるようなしわざである。

たしかに戦争のさいには人殺しにたけた戦士が有能であるとみなされる。さりとて戦争に勝利することを吉事であると考えてよいものだろうか。断じてそうではない、と老子はいう。

「人を殺すことの衆ければ、哀悲を以て之に泣き、戦い勝つも喪礼を以て之に処る」とむすぶように、たとい敵兵であろうとも、人殺しは忌むべきことであり、戦場というのはかなしむべき葬礼の場なのである。この老子の述懐は、冒頭の「夫れ兵は不祥の器にして、物或いは之を悪む。故に有道者は処らず」と見事に呼応している。

32

自然の法則はいつでもどこでもはたらいているが（そのはたらきを限定的に）名づけることはできない。（まだ名づけられていない）伐《き》りだしたままの原木は、どんなにちっぽけな存在であっても（まだ名づけられていないから、どう使ってよいかわからず）世のなかのたれもそれを道具として使うことはできない。（いたずらに名づけることなく、それを名づけられないままの素朴なありかたにしておくことが万物の然《しか》るべきありかたであるように、国をおさめるさいも）為政者がもし（万物とりわけ人民を、名づけられていない自然なままの）伐りだしたばかりの原木のような質樸《しつぼく》なありかたにさせておくならば、（自然の法則にみちびかれて）万物はおのずからその為政者のもとに身を寄せるだろう。（そのような自然の法則にしたがった為政者のもとでは）天と地とは和合して、恵みの雨をふらせ（て万物をはぐくみ）、万物はことさら命令するまでもなくおのずから安らかであるだろう。

（森のなかの木が）ひとたび伐りだされると、さまざまに名づけられることになる。すでに名づけられてしまったからには、（名づけるということは自然の法則をそこなうことだということをわきまえ、名づけられたものである）それは限界づけられたものにすぎないということを知らねばならない。（すでに名づけられたものは）限界づけられたものであるということを知っていれば、ひとまず安全がたもてよう。

自然の法則が世界にあまねくゆきわたっているということを譬《たと》えてみるならば、あたかも（おびただしい）川の流れや谷の水が（たったひとつの）大河や大海にそそぎこんでゆく（すなわち万物がひとつの自然の法則にしたがって存在している）ようなものである。

道は常にして名無し。樸《はく》は小なりと雖《いえど》も、天下能《よ》く臣とする莫《な》きなり。侯王《こうおう》若《も》し能く之《これ》を守らば、万物将《まさ》に自《おの》ずから賓《ひん》せんとす。天地相合《あいがっ》し、以《もっ》て甘露を降《くだ》し、民《たみ》之に令《れい》する莫くして自ずから均《ひと》し。始め制《き》られて名有り。名も亦既《またすで》に有れば、夫《そ》れ亦将《まさ》に止《とど》まるを知らんとす。止まるを知らば殆《あや》うからざる可《べ》し。道の天下に在るを譬《たと》うれば、猶《な》お川谷《せんこく》の江海《こうかい》に於《お》けるがごとし。

道常無名。樸雖小、天下莫能臣也。侯王若能守之、万物将自賓。天地相合、以降甘露、民莫之令而自均。始制有名。名亦既有、夫亦将知止。知止可以不殆。譬道之在天下、猶川谷之於江海。

王《おう》弼《ひつ》本の「知止可以不殆」を帛書本《はくしょ》によって「知止所以不殆」にあらためて「止まるを知るは殆うからざる所以《ゆえん》なり」と読むことはすこぶる魅力的であるが、あえて王弼本のままで読んでおく（くどいようだがソバ型でゆくので）。

言葉はたんに事実を説明するだけの手段ではない。事実はまた言葉に躍動をあたえる手段でもある。

事実と即応するかたちで言葉がもちいられるためには、ものごとは自然の法則にしたがって名づけられねばならない。

この自然界をしてこのようであらしめている自然の法則は、なにかに名づけてそのなにかを特定のものとするといった限定の仕方はしない。あらゆるものは固有の本質にしばられない自由なものである。伐りだしたばかりの原木は、どんなにちっぽけな木切れであっても、それはすでにそれなりの存在なのであって、たれもそれを自分のおもいどおりの存在にすることはできない。人為のなしうることは、もとより自然であるべきものを、削ったり、割ったりして、椅子《いす》やお椀といったかりそめのすがたをつくってみせることだけである。

ひとりひとりの人民もまた無力でちっぽけなものではあるが、それは自由な存在である。「あなたは農夫」「おまえは大工」などと名づけ、その仕事を強制することはできない。たれもみなおのおの「ぼくは医者」「あたしは教師」とおもいおもいのものになるのである。

お上がこの道理をわきまえていれば、下々のものはおのずからその為政にしたがうだろう。そのような政治がおこなわれれば、天地もまた調和して甘露をふらせ、すべての人民はたとい命令されなくても自主的に助けあうだろう。

まるで自由主義経済の理想とでもいうべき政治のありかたである。市場の原理のみが支配していて、ひとびとはたがいに調和し、しかも豊かな社会がなりたっている。世のなかそんなに都合よくはゆかないような気もするが、このまま老子の言葉に耳をかたむけてみよう。

伐りだされたばかりの原木は、いまだ人為にけがされていない。いたずらに細工《さいく》をほどこされることによって、椅子やお椀といった名づけられたものになる。伐りだしたばかりの原木はなんにでもなることができるが、加工されたものは限界づけられている。椅子に汁はよそえないし、お椀には坐れない。使いみちが限定されたものに、それに見合った名をつける。名づけることはいい加減なところでやめるべきである。「止まるを知」ること、つまり名づけることの限界をわきまえることが大切である。

ひとりひとりの人間の役割もいっしょである。農夫・大工・医者・教師などの程度にとどめておくべきである。それ以上に細かく分けはじめると、どんどん身分の上下をつくることになってくる。そうなるとひとびとがおのずから調和し、たがいに助けあうような社会は遠のいてしまう。

名づけるという人為は自然をそこなうものである。しかしながら人間が人為にはしってしまうのは仕方のないことである。人為そのものを否定してみてもはじまらない。その限度をわきまえるということが肝腎《かんじん》である。

名づけることを全廃し、万物をひとしくすべし、などと老子はいっているわけではない。いたずらに限定することなく、おのおのが能力を自由に発揮できるようにすれば、おのずから調和ある社会ができあがるだろうといっているのである。一種のユートピア思想である。

33

他人のありかたがわかるものは（対他的に）ただ頭がよいというだけである。自分のありかたのわかるものが（対自的に）真に知恵があるということである。

他人（と戦って、他人）に勝つことは（対他的に）ただ力が強いというだけである。自分（を抑《おさ》えて、自分）に勝つことが（対自的に）真に強いということである。

満足することを知るというのが豊かであるということである。努力して実行しつづけることが目的をもっているということである。

自然の法則にしたがった生きかたをうしなわないものは（自分にふさわしいありかたが）ながつづきする。（たとい肉体が）死んでも（その自然の法則にしたがった生きかたが）忘れ去られないというのが真の長寿である。

人を知る者は智《ち》なり。自《みずか》ら知る者は明《めい》なり。
人に勝つ者は力有り。自ら勝つ者は強し。

知人者智。自知者明。
勝人者有力。自勝者強。

足るを知る者は富む。強《つと》めて行う者は志《こころざし》有り。
其《そ》の所を失わざる者は久《ひさ》し。死して亡《ほろ》びざる者は寿《いのちなが》し。

知足者富。強行者有志。
不失其所者久。死而不亡者寿。

老子は「人を知る者vs自ら知る者」「人に勝つ者vs自ら勝つ者」「足るを知る者vs強めて行う者」「其の所を失わざる者vs死して亡びざる者」という四つの対《つい》を提示している。

はじめのふたつの対について、ぼくは前者よりも後者のほうがよいと理解している。他人のことをつべこべいうよりも、まずは自分のことをわきまえるべきだという先入観があるせいか、どうしてもそう読みたくなってしまう。ところが、あとのふたつの対については、ただちに前者よりも後者のほうがよいというふうには読めそうもない。

結論づけることをあわてず、四つの対について、なるべく先入観をもたぬようにして読みなおしてみよう。

◆「人を知る者は智なり。自ら知る者は明なり」

他人を知るのは賢明なひとである。自分を知るのは聡明なひとである。他人を知ることと自分を知ることとは似て非なるものである。一方が得意でも他方が苦手ということもあるし、その反対のこともある。両方とも得意だったり、あるいは苦手だったりということは、じっさいは稀《まれ》なんじゃなかろうか。

他人を知るためには、他人の外面をきちんと観察したうえで、さらに他人の内面をもしっかり推量することができねばならない。自分を知るためには、自分の内面をいつわることなくとらえたうえで、さらに自分の外面（すなわち自分が他人にどうみえているか）をわきまえねばならない。他者認識と自己認識とでは、内面と外面とにたいする認識のありかたが異なっている。

◆**「人に勝つ者は力有り。自ら勝つ者は強し」**

他人に勝つのは相手よりも力があるからである。自分に勝つのは自分のありかたが強いからである。なるほど自分に勝つという場合には力の程度というような比較するものがない。もっぱら自分をしっかり律するということのみが大事である。

◆**「足るを知る者は富む。強めて行う者は志有り」**

満足することを知っているものは幸福である。為すべきことをひとすじに為そうという志をもつものも幸福である。欲をおさえること、志をつらぬくこと、この両者は対立するかのようであるが、どちらも幸福をもたらしてくれる。

◆**「其の所を失わざる者は久し。死して亡びざる者は寿し」**

自分のいるべき場所をみうしなわないものはながつづきする。死してのちも忘れ去られないものは生きながらえる。生きているときのあるべきありかた、死んでからのあるべきありかた、この両者は対立するかのようであるが、どちらもあるべきありかたを示している。

こうやって吟味してくると、四つの対は「前者だけでは不十分で、後者になってはじめてすばらしい」といっているのではなく「前者も後者もともに大切であり、ふたつは相互補完的である」といっているようである。

他人を知ることは大事だが、自分を知ることも大切である、というふうに自他を知ることが真の知恵である。他人に勝つことは大事だが、自分に勝つことも大切である、というふうに自他に勝つことが真の勇気である。貧しさに安んずることが豊かだということであり、自分を信じてやりつづけることが向上するということである。自分らしい生きかたをつらぬいて生きるならば、そのような生きかたが他人から忘れられることはない。

本章の解釈はみぎのとおりで大過ないとおもう。ただ「其の所を失わざる者は久し」だけがいまひとつイメージしづらい。

空をみあげると、トンビがゆっくりと舞いあがってゆく。上昇気流をうまく使っているのだろう。トンビが上昇気流にのって舞いあがるように、自分にあたえられた条件をうまく活かしながら、自分にふさわしい居場所をみうしなわないなら、自分らしく生きてゆけるだろう。

自然の法則にしたがって生きていれば「所」をうしなわない。これは有していない「所を得る」という話ではない。

所を得るというのは、「全体の秩序があって、そのなかに自分を位置づける」という発想である。しかしながら、自分が所を得ているかどうか、考えうるかぎりの可能性を考えてみようにも、この世界を超えた高みから自分をみおろすことなど、できない相談である。自分をふくんだ世界全体を対象化し、「おお、ちゃんと所を得ておるわい」と自分のありかたをチェックするなどということは、金輪際《こんりんざい》、できっこない。

考えうるかぎりの可能性を超えたものを考えたとたん、それは考えうるかぎりの可能性のなかにはいってしまう。で、考えうるかぎりの可能性を超えたものは考えられないのだから、もはや考えられないなにかによって、たとえば天だの神だのによって、自分が所を得ているかどうかを意味づけようということになってしまう。それは老子のゆく道ではない。

自然の法則にしたがって生きているものには「自分は所を得ているのだろうか」といった問わずもがなの問いは浮かばない。「所」についてなんにも考えず、ひたすら自分のやりたいことに挺身《ていしん》している。自分のやりたいことがわからないということは（とくに思春期には）ありがちなことである。そのことはさまざまなことを経験しながら自分で解決してゆくよりない。

とうに思春期をすぎたぼくには、時すでに遅し、後悔だけがのこされているかのようである。けれども、どんな年寄りにとっても、これからの人生はいつだって未知の領域である。思春期であれ、思秋期であれ、自分らしく自足していれば「其の所を失わざる者は久し」であるとおもいたい。

現に生きていると、考えもしない出来事がつぎからつぎへと起こる。そういう出来事と新鮮にであいつづけることが、とりもなおさず「其の所を失わざる」ことではなかろうか。

もし考えうるかぎりの可能性を考えることができて、「人生ってこんなもんか」と悟ってしまったら、生きていてもつまらない。自分が所を得ているかどうか、わからないから生きておれる。自分の未来がわかってしまったら、おちおち生きておれまい。

自分が存在することの意味は、上からあたえられるものではなく、横とのつながりから自然に生じてくるものである。トンビが上昇気流にのって舞いあがるように、解決はすでにあたえられているのである。

上昇気流を利用して空に舞いあがってゆくトンビは自然の法則を利用しているというイメージ、わりと気にいっている——自分ではほとんどなんにもしていない。ひょいと気流にのるだけ。まあ、そんなふうにみえるというだけだけど。

この歳になると、身体のいたるところにガタがきて、いきなり指の関節がうごかなくなったりする。突然、意志が介入できなくなる。いままで介入できたのは偶然だったのかとおもったりするわけだが、いったい世界のどの部分でその偶然性はなりたっているのだろう？

その偶然性に意志が介入できるとして、どのあたりでピンポイントに介入できるのかなあ。どのあたりという問いかたはまずいのかもしれない。自分の世界を変えるという仕方で、世界のなかでなりたっている自然の法則性に介入するということだろう。

自分ではなんにもしていないようでも、かならず最小限の意志が介入している。ただしその介入のありさまを言葉でとらえることはできない——ただそれだけの話なんじゃなかろうか。

34

大いなる道は（水のように）あふれいでて左にも右にもどこまでもゆきわたる。万物はこの道にしたがって生まれてくるのだが、（そのことについて道のほうでは）一言もしゃべらない。（道の）はたらきがなしとげられようとも（道はそれをなしとげたものとしての）名をわがものとはしない。（道は）万物をつつみこむようにはぐくみながら（自分こそがはぐくんだのだというふうに）その主宰者となろうとはしない。（このように道は）なにひとつ欲することがなく、（なんにもなしとげていないかのようであるという意味では）小さなものとよぶことができる。（しかし道は）万物がこれにしたがうべきものでありながらも主宰者となろうとしないのであって、（そういう無限の包容力をもつという意味では）大いなるものとよぶことができる。しかも道はあくまでも自分で自分のことを大いなるものだとしないからこそ、かえって真に大いなるものでありうる。

大道は氾《はん》として、其《そ》れ左右す可《べ》し。万物之《これ》を恃《たの》みて生ずるも、而《しか》も辞《ことあげ》せず。功成るも名有せず。万物を衣養《いよう》するも、而も主《あるじ》と為《な》ら

大道氾兮、其可左右。万物恃之而生、而不辞。功成不名有。

ず。常に無欲なれば、小と名づく可し。万物焉《これ》に帰するも、而も主と為らざれば、名づけて大と為す可し。其の終《つい》に自ら大と為らざるを以《もっ》て、故《ゆえ》に能《よ》く其の大を成す。

衣養万物、而不為主。常無欲、可名於小。万物帰焉、而不為主、可名為大。以其終不自為大、故能成其大。

章

末の「其の終に自ら大と為らざるを以て、故に能く其の大を成す」について、ぼくはこれを道のこととして訳した。第63章には「是《ここ》を以て聖人は終《つい》に大を為さず。故に能く其の大を成す」とあり、また「是以聖人終不為大、故能成其大」(河上公本《かじょうこう》)、「是以聖人之能成大、以其不為大也、故能成大」(帛書本《はくしょ》)となっているテクストのあることにかんがみて、これは聖人のこととして訳すほうがよいのかもしれない。しかし本章は一貫して道のはたらきをのべているものとして読みたい。

老子は「大道は氾として、其れ左右す可し」という。「氾」とは、氾濫《はんらん》した川の水のように、どこまでもひろくゆきわたることである。道という自然の法則のはたらきは無限にあまねくゆきわたる。

自然の法則のはたらきが無限であることは、いってみれば公理のようなものである。公理は証明できない(証明できるのは定理である)。それは公理の宿命である。いちばん大事なことは証明できない。というか証明できないくらい正しいものを公理とよぼうというのが公理の定義である。

万物は自然の法則を「恃み」として生まれ、自然の法則は万物を「衣養」し、万物は自然の法則に「帰する」。さりとて自然の法則は万物を所有するわけではなく、主宰するわけでもない。自然の法則はどこまでも「無欲」であって「主」となろうとしない。それゆえ俗眼にはしょせん「小」なる存在のようにしか映らない。けれども、みずから「大」であろうとしないからこそ「大」なのである。

万物を生みだす「主」として道をとらえると、どうしても道を神格化することになる。ひとたび道を神格化しようものなら、それを「大」なるものとみなさざるをえない。

道をいたずらに神格化しようとすると、万物を超越する一者を想定することになる。万物を超えた一者が万物を統《す》べるというのは、あたかも権力者がひとびとに君臨するかのごときイメージである。それは自然を擬人化することであり、いきおい道のはたらきを矮小《わいしよう》化することにつながる。

いわゆる神とは、万物の創造者・主宰者であり、そのままで「大」である。そういう万物を超越する神のごときものによって世界のありようを説明することを、老子は断乎《だんこ》としてしりぞける。

雨がふるのは神の意志によるのではない。だから豊作を祈って天にまします神に雨乞いしてもムダである。それよりも自然の法則をふまえて天候を予測する技術をうちたてるほうがよい、と老子はいうだろう。

万物がそれにしたがって存在している原理を、老子は万物が存在することそれ自体においてもとめる。そのことによって万物は「自然」となる。自然とは「みずからの内に原理・法則をふくむもの」の謂《いい》である。この自然の発見ということは、老子の卓見と称してよいとおもう。

万物（もちろん人間をふくむ）にとっての世界とは、万物からはなれて自立しているものではない。それは万物の営みにおいて不断にかたちづくられている全体の表現である。

それは自然なありかたをしている。自然とは、おのれ自身の内に原理をはらみながら然《しか》るべく存在している世界のことである。老子はそういう自然なありかたをささえるものを「道」とよぶ。

道は「氾として、其れ左右す可し」というように世界の全体にゆきわたるものである。ただしそれ自体は「辞せず」「名有せず」「主と為らず」「常に無欲」「自ら大と為らざる」ものである。それゆえ道のはたらきは万物それ自身の営みの全体的な表現として了解されるよりない。

万物は自然の法則にしたがいながら存在している。万物が自然の法則にしたがっていることは、現に自然の法則にしたがって存在しているという当の事実を巻きこんだ存在の仕方である。それは「自然の法則からはたらきかけられるものでありながら、すでになんらかのかたちで自然の法則にしたがっていなければ存在することがありえない」といった万物のありかたそのものに根ざした存在の仕方である。

自然の法則は、みずからを統べる原理・規則性をみずからの内にはらみながら存立している。世界の全体は自然の法則にしたがって生成されているが、生成される万物にしてみれば「自然のなりゆき」で生成されてしまっているのである。

もっとも、万物はすでに自然の法則にしたがいながら存在しているので、万物（くどいようだが人間をふくむ）は自然の法則にしたがうことで自己が変わらざるをえず、また自己が変わることによって自然の法則のはたらきも変わらざるをえない。万物と自然の法則とはたがいに相俟《あいま》って世界をかたちづくっているのである。

みぎのようなビジョンは、万物それぞれの営みを超えた窮極《きゅうきょく》の一者の絶対性とのかかわりにおいて論じうるものではない。
絶対性を内在させていることにおいて存立している「自然」にあって、一切は万物それ自身の営みにおいて了解されている。超越的な一者、絶対的な根源などといったものは、まったく不要である。万物を超えた神秘的なものがあって、その万物の根源のようなものが「主」として万物を支配している、のでは断じてない。道とは、万物がおのずからたどらざるをえない必然の道程、すなわち自然の法則なのである。

自然の法則は万物を主宰してはいない。自然の法則とは、たんに万物そのものが万物相互の作用において必然的にたどるべき道程でしかない。自然の法則とは、万物のたどる必然性のなりゆきを記述するものである。

老子がしきりに「辞せず」「名有せず」「主と為らず」「常に無欲」「自ら大と為らざる」というのは、そういう自然の法則のありかたを譬喩《ひゆ》的に語るものである。かかる自然の法則の秘められたはたらきについての記述は「之を生じ之を畜《やしな》い、生じて有せず、為して恃《たの》まず、長じて宰《さい》せず」(第10・51章)など枚挙にいとまがない(有《あ》り体《てい》にいえばそういう言辞は、そうおもって読むならば『老子』全篇にちりばめられている)。

自然の法則のはたらきは、これに世俗の物差しをあてがえば最小限のはたらきしかしていない「小」なるものである。しかし万物の自然に即してみれば世界の全体にもひとしい「大」なるものである。

35

（自然の法則という）大いなる拠《よ》りどころをふまえて世のなかをわたってゆくものは、いずこにゆこうとも（自然の法則にしたがっているので）わざわいをこうむることはない。その身はつねに安静・平穏・安泰である。

（にぎやかな）音楽（の響き）や（おいしそうな）ご馳走（の匂い）には（いかにも俗人の耳や鼻をよろこばせる刺激のつよいものであるから、どんなに先をいそぐ）旅人であっても足をとめるけれども、（それにひきかえ世俗のよろこびを超えた）自然の法則にしたがって語りかけられる言葉は（おだやかに最小限の力で語りかけられるので俗耳にとっては）淡々《たんたん》として味も素っ気もない（からたれも耳をかそうともしない）。目をこらしてもみることはできず、耳をすませてもきくことはできないけれども、（その自然の法則にしたがって語りかけられる言葉は）どんなに使おうとも使いつくすことはできない（という無尽蔵のはたらきをもっている）。

大象《たいしょう》を執《と》りて、天下に往《ゆ》けば、往きて害あらず。安・平・太なり。――　執大象、天下往、往而不害。

楽《がく》と餌《じ》とには、過客《かかく》も止《とど》まるも、道の口より出《い》づるや、淡乎《たんこ》として其《そ》れ味無し。之《これ》を視《み》れども見るに足りず、之を聴けども聞くに足りず、之を用うれども既《つ》くす可《べ》からず。

安平太。
楽与餌、過客止、道之出口、淡乎其無味。視之不足見、聴之不足聞、用之不可既。

森

羅万象をつかさどっている自然の法則に身をゆだねてさえいれば、おのずから自然体で生きてゆける。しかしながら、なにぶんにも自然の法則のはたらきかたは、うつくしい音楽やおいしい料理のようにひとを惹《ひ》きつけようとするものではない。知らずして語らざるか、秘して語らざるか、それ自体としては「之を視れども見るに足りず、之を聴けども聞くに足りず、之を用うれども既くす可からず」という不得要領のものでしかない。

自然の法則は、うつくしい音楽やおいしい料理のように五感でとらえることはできない。五感でとらえようとするからいけないのであって、こざかしいはからいを捨てて、ひたすら自然の法則にしたがって生きていさえすれば、あるがままで無理なく生きてゆける。

自然の法則は、耳をたのしませはしないし、舌をよろこばせもしない。それは淡泊きわまりなく、水のように無形無音無味無臭である。ただし自然の法則は、みずみずしい果実のような豊かさをもって、この世界をして円満具足せるものたらしめている。万物としては、そのようにしてもらっているというだけでもうお釣りがくるのではなかろうか。

36

なにかを縮《ちぢ》めようとおもったら、おもいっきり広がらせてやるにかぎる（広がりすぎてしまったら、それを維持しきれなくなり、きっと縮まりはじめるというのが自然の法則である）。なにかを弱くしようとおもったら、おもいっきり強くならせてやるにかぎる（強くなりすぎてしまったら、それを維持しきれなくなり、きっと弱くなりはじめるというのが自然の法則である）。なにかを衰《おとろ》えさせようとおもったら、おもいっきり盛んにさせてやるにかぎる（盛んになりすぎてしまったら、それを維持しきれなくなり、きっと衰えはじめるというのが自然の法則である）。なにかを奪おうとおもったら、おもいっきり与えてやるにかぎる（与えられすぎてしまったら、それを維持しきれなくなり、きっと奪われはじめるというのが自然の法則である）。こういう（逆説めいた道理をわきまえる）ことを微妙なる洞察という。

柔弱なものは剛強なものに勝つ（という逆説めいた真理があるが、それは自分は柔弱をよそおいながら無理せずに実力をたくわえ、相手のほうを剛強であるうえにさらに剛強にさせることによってパンクさせるという、まことに洞察しがたい微妙なはたらきのなせるわざである）。魚は（そこにおいては剛強なものとして自由に泳ぎまわれるということは隠したまま）水のなかから身をはなしてはならない（のであって水のなかでしか生きられない柔弱なものとしてふるまっているべし）。国をおさめるために有用な道具は（そういう剛強なものをもっているということは隠しておいて）ひとに示してはならない（あくまでも道具などもっていない柔弱なものとしてふるまっているべし）。

之《これ》を歙《ちぢ》めんと将欲《ほっ》すれば、必ず固《しばら》く之を張る。之を弱めんと将欲すれば、必ず固く之を強くす。之を廃せんと将欲すれば、必ず固く之を興《おこ》す。之を奪わんと将欲すれば、必ず固く之を与《あた》う。是《これ》を微明《びめい》と謂《い》う。

柔弱《にゅうじゃく》は剛強に勝つ。魚は淵《ふち》より脱す可《べ》からず。国の利器は以《もっ》て人に示す可からず。

将欲歙之、必固張之。将欲弱之、必固強之。将欲廃之、必固興之。将欲奪之、必固与之。是謂微明。

柔弱勝剛強。魚不可脱於淵。国之利器、不可以示人。

老子のすすめる策は、明らかに自分よりも強い相手にたいする、崖っぷちにあるものの最後の手段である。じっさい相手のありようは広く、強く、盛んで、与えられている。そういう強敵にたいして、まともに戦っても勝ち目はない。だから窮余《きゅうよ》の一策として、ただでさえ勢いづいているものを、さらにもっと勢いづけてやれば、やがてオーバー・ヒートするだろう、たんまりもっているやつに、どっさり与えてやれば、きっとパンクするだろう、と目的と反対のことをするわけである。

この奇計は増長しやすいものには有効かもしれないが、ひとつまちがうと相手を有利にさせるだけということにもなりかねない。もし相手が自分とおなじくらい賢明であれば、この奥の手は通用しない。

さまざまのことで負けていても、賢明さにおいてのみ勝っているとき、この策略はうまくゆく。リスクをともなった策であり、まさしく万策尽きたさいの詭計《きけい》である。

「魚は淵より脱す可からず。国の利器は以て人に示す可からず」というむすびの二句は、いささかとってつけたようである。ここまでの趣旨とどうつながるのだろう？

「水を得た魚のよう」というように、魚は水のなかでは元気に生きてゆけるが、水のそとでは生きてゆけない。魚はその生息すべき自然な環境である水のなか、すなわち「淵」からでてはならない。

つづけて「国の利器は」云々とあることから推して、「魚」は「国」とかかわるもの、たとえば為政者だろうとおもわれる。そう考えるならば、魚がそこからはなれてはならない「淵」とは、為政者がみずから統《す》べるべき自国のことではなかろうか。

「国の利器」とは国をおさめるうえで役にたつ道具、たとえば強大な軍事力がそうだろう。あるいは豊かな経済力もそうかもしれない。そういう為政に資する道具を有しているということをライバルである他国に知られてはならない。魚が水のなかにひそむようにして、ひっそりと国力の充実につとめねばならない。

おのれのテリトリーにとどまり、派手なパフォーマンスはつつしみ、もっぱら自国の実力を涵養《かんよう》することにつとめる。そういう低姿勢なありかたは、他国をヨイショして増長させるという対他政策にふさわしい。

みぎのように読んでおいて大過ないとはおもうものの、むすびの二句を為政者の自国民にたいする姿勢として読むこともできそうな気がしてならない。

孔子が「民は之《これ》に由《よ》らしむ可《べ》し。之を知らしむ可からず」（『論語』泰伯《たいはく》）というように、下々には信じさせるべきだが、そのわけを知らせることはない、というのは統治における鉄則である。老子も「古《いにしえ》の善《よ》く道を為《おさ》むる者は、以て民を明らかにするに非《あら》ず、将《まさ》に以て之《これ》を愚《おろ》かにせんとす」（第65章）といっている。「国の利器」という国をおさめるうえで役にたつ道具は、ひとり為政者のみがもつべきものであって人民がもつべきではない。たとえば国家を経営するうえでの情報や知識といった機密は、人民にはなるべく隠しておくほうがよい。

為政者は、いたずらに領土の拡張をはかるべきではない。なにはさておき内政に挺身すべきである。また為政者は、人民にたいして無用の情報開示をすべきではない。人民によけいな知識をもたせないというのが統治の要諦《ようてい》である。

いろいろな読みかたを工夫できそうだが、本章において老子がいいたいことは、煎《せん》じつめれば「柔弱は剛強に勝つ」ということである。つまり「勝つ」ことが目的なわけで、そのための「柔弱」ということである。そういう考えかたは気に食わないけれども、じっさい柔弱をつらぬくというのは（とくに上にたつものにとっては）容易なことでないというのも事実である。

意志の弱いものが意志の強いものに勝つということはありえない（頭の柔らかいものが頭の固いものに勝つということはあるだろうが）。老子は「柔弱は剛強に勝つ」とはいっても「弱者が強者に勝つ」とはいっていない。

弱そうにみえる柔らかいものは、じつは強いのである。弱そうにみえる柔らかいものが強そうにみえる堅いものに勝つといっているのである。

老子の思想というよりむしろぼくの持論なのだが、柔弱をつらぬくというのは、じつは「ガンバらない」ということである。そしてガンバらないというのは、とりもなおさず「最小限の力でやれることだけをやる」ということである。

ガンバらないと実現できないような自分は、ほんとうの自分ではない。だったらなにがほんとうの自分なのかっていうと、つまり最小限の力で実現できることをやるのがほんとうの自分なのである。

ただし最小限の努力はせざるをえないわけで、そこが問題である。どうして問題なのかというと、なにが最小限の努力かっていうことは、やってみなけりゃわからないからである。

ガンバるのはよいことである（ガンバらないのはわるいことである）という風潮がある。それがまちがっていることは言を俟《ま》たない。

ガンバるというのは過剰に適応しようとすることである。ギリギリのところまで能力を使いきることである。最小限の力でやれることだけをやればよいというぼくの流儀とはおよそ相容《あいい》れない。

ガンバるというのは目的にむかって一目散につきすすむことである。なるほどガンバり屋だったら特定の目的にむかって全力でガンバることもできるだろう（ぼくには無理である）。そしてガンバれば成功する可能性もふえるだろう（道理でぼくが成功しないはずである）。しかしながら、いったい人生の「全体」においてガンバることなどできるだろうか（ぼくは無理だとおもう）。

ガンバることを自己目的化し、太く短く生きることを美徳とみなすことは、なにか大切なものをうしなうことになる。そういった目的にむかってまっしぐらというガンバリズムは、いきおい目的に達するためには役にたたないこと（おいしい料理を食べたり、うつくしいを音楽を聴いたり）を犠牲にしてはばからない。それは生きることの全体において好もしいことだろうか。

ねじり鉢巻きで寝る間も惜しんで努力していると、どうしても「これだけガンバったんだから是が非でも成功しなきゃ」という気持になる。そういう手合いは、まんまと「もっと広くならせ、もっと強くならせ、もっと盛んにならせ、もっと与えることによってパンクさせよう」という老子の戦法の餌食《えじき》になるだろう。

もっとも、ガンバることが自己目的化するのはよろしくないけれども、生涯に一度もガンバらないっていうのもさびしい。もし「ここぞ」というときにでくわしたら、ちょっとだけガンバってみるのもわるくないかもしれない。

37

道（という自然の法則のはたらきかた）は、つねに「なんにも為さない」ようでありながら、しかも「なにもかも為している」のである。もし君主が（天下をおさめるにあたって、この「なんにも為さない」ようでありながら「なにもかも為している」といった）道（のはたらき）にしたがって（為政にたずさわって）ゆくことができるなら、万物はおのずから（道のはたらきにしたがった為政に）感化され（て、よからぬ欲望をもたぬようにな）るだろう。（もし万物がその道のはたらきにしたがった為政に）感化されながら、なおも欲望をもちそうになれば、わたくしはそれを鎮静するために（もっとも欲望をもつことと縁遠い）名づけられない原木の質樸《しつぼく》さをもってあたるだろう。名づけられない原木の質樸さ（つまり「なんにも為さない」ようでありながら「なにもかも為している」といった自然の法則のはたらき）によって鎮静すれば（万物は）かならずや欲望をおこさぬようになるだろう。（万物がよからぬ）欲望をおこさずに平静であるならば、この世界はほうっておいても安らかになるだろう。

道は常に為《な》す無くして而《しか》も為さざるは無し。侯王《こうおう》若《も》し能《よ》く之《これ》を守 ―― 道常無為而無不為。侯王若能らば、万物将《まさ》に自《おの》ずから化せんとす。化して作《おこ》らんと欲さば、吾将《われ》に之を鎮《しず》むるに無名の樸《はく》を以《もっ》てせんとす。無名の樸は、夫《そ》れ亦《また》将に欲無からんとす。欲あらずして以て静かならば、天下将に自ずから定《さだ》まらんとす。

守之、万物将自化。化而欲作、吾将鎮之以無名之樸。無名之樸、夫亦将無欲。不欲以静、天下将自定。

ぼくの世界は、それをリアルに経験しているわが身にとって、これが「すべて」であり、この唯一のありかた以外のありかたはない（わざわざ「ぼくの」という必要もないくらいである）。

この世界は、ぼくにとって比較を絶した「すべて」であり、むしろ「ない」にひとしい。世界を経験する主体は、経験していることの全体が「ある」ということと、おのれが世界のなかに項目として対象的に指すことはでき「ない」というかたちで、ピッタリとかさなりあっている。

自然の法則とは、この世界をしてこのようであらしめている自明の所与である。それは思考の対象とならぬものである。のべつ「常に為す無くして而も為さざるは無し」というかたちで十全にはたらいてしまっている。この事実をふまえて「能く之を守」るとき、つまり「化して作らんと欲」することなく「欲あらずして以て静か」であるとき、ただちに「万物将に自ずから化」し「天下将に自ずから定ま」る。

自然の法則にまかせておきさえすれば、すべては自然にうまくゆく。それは「なんにも為さない」ようでありながら、じつは「なにもかも為している」のである。

現に生きている唯一のリアルな世界がなぜこのようであるのか、なぜ自然の法則によって制せられているのか、それは原理的にわからない。ぼくはその頭ごなしの押しつけをすんなり受けいれている。この世界がこのようであることは疑えないわけじゃない。けれども、いっぺんに「すべて」を疑うことはできない。そんなことができたりしたら当の疑うこと自体をも疑わねばならなくなる。

現に生きている世界がこのようであることは、つまり「道は常に為す無くして而も為さざるは無し」であることは、さしあたり鵜呑《うの》みにされている。しかも鵜呑みにしている当人は、鵜呑みにしているという消息について気に病むことはない。そういう脳天気なありかたをしているということは、とりもなおさず自然の法則のはたらきは「ない」も同然だということである。

「道は常に為す無くして而も為さざるは無し」における「為す無くして」と「為さざるは無し」とは、文字どおりには矛盾する。この矛盾を解消するには、「為す無くして」における「為す」と「為さざるは無し」における「為す」とは意味が異なるというふうに考えるよりない。

性急に答えをだすべきではなかろうが、考えるための足場として、「為す無くして」における「為す」は「自然の法則にしたがわずに為す」ことであり、「為さざるは無し」における「為す」は「自然の法則にしたがって為す」ことである、と理解しておこう。

すると自然の法則はつねに自然の法則にしたがわずに為すことはなく、自然の法則にしたがって為すのである、と自然の法則のはたらきを同義反復ふうに力説しているだけというふうに理解することになる。そう理解することに不都合があるわけではないが、当然のこととして、ではその自然の法則をどうとらえるかということが問題になる。

自然の法則とは、この世界を構成している万物それ自体にそなわっている客観的な関係性である。万物が自然の法則にしたがってあることは不可避であるから、はなから「自然の法則にしたがわずに為す」ことなど不可能である。自然の法則にしたがわずに為そうとして、なにかを為しているつもりになってみても、それは錯覚でしかない。

自然の法則という不可避かつ不可知の「ない」も同然のものにしたがっているということを、ぼくは鵜呑みにしている。しかも鵜呑みにしているという消息を知ることはないのだから、自然の法則をどうとらえるかなどということを気に病むことはない。

老子は「道は常に為す無くして而も為さざるは無し」ということを前提としたうえで、「侯王若し能く之を守らば」と、ことがらを為政者のおこなうべき政治のありかたへと敷衍《ふえん》する。

自然界における万物のありかたは客観的な法則にしたがっている。しかのみならず人間界における人事のありかたもまた客観的な法則にもとづいている。人間界における法則は、自然界におけるそれとくらべて、はるかに猥雑《わいざつ》であるような気はするが、いずれにしても客観的な法則であることに変わりはない。俗事の最たるものである為政もまた「自然の法則にしたがわずに為す」ことは不可能であり、すべからく「自然の法則にしたがって為す」べきものである。

人間たれしも「欲」をもっている。みな「生きたい」と望んでいる。みな「幸せになりたい」と願っている。こういった人間の本性ともいうべき欲をたれひとりもたないような社会というものを考えることは、およそ絵空事《えそらごと》でしかない。

たれひとりとして欲をもつべからずと命ずるような体制は、おそるべき専制政治である。為政者としては人民のもつ欲をどうあつかったらよいのだろう？

性急に答えをだすべきではなかろうが、ここでも考えてゆくための足場として、人間にとって「自然の法則にしたがった欲」はしりぞけ、「自然の法則にしたがわない欲」はみとめる、と理解しておこう。

すると当然のこととして、ではその自然の法則にしたがわない欲をどうセーブするかということが問題になる。ところが、それへの答えを老子が直接に語ることはない。ただし間接的には語っている。

ひとびとの欲をセーブするために、老子は「無名の樸」のようなありかたを示す。これについてぼくは「自然の法則のはたらきの象徴である名づけられない原木の質樸さ」ととらえている。われながら正鵠《せいこく》を射ているとおもう。

いわゆる社会的動物であるというのが人間の特徴のひとつである。人間を単体でみると、利己的でどうにも始末がわるい存在のようにみえる。だが社会的動物としてみると、利己的であるとともに利他的でもある。それなりに他人との協調性をもっている。

ひとりでは生きられない、ひとりでは幸せになれない、ということを人間はわかっている。他人とともに生きようとすること、すなわち自然の法則にしたがって生きること、そういう人間にそなわる性向を、老子は「無名の樸」とよぶのではなかろうか。

本章は上篇（道経）の締めくくりである。「道の道とす可《べ》きは常の道に非《あら》ず」（第1章）と説きおこされた「道」が、ここにおいて「道は常に為す無くして而も為さざるは無し」と説きおさめられている。いったい道なるものの意味は、はたして一義的なものだろうか。もし道というものが一義的なものでないなら、そもそも「道とはなにか」と問うことは無意味である。ヘタをするとこの『道経』そのものがナンセンスだっていうことにもなりかねない。

道を論ずることが可能であるかどうかは、道なるものの意味が一義的であるかどうかにかかっているとしても、じつは道についての問いは、「それに答えられるか」ということ以前に、そもそも「なにが問われているのか」ということがハッキリしない。

道の意味をもとめようとして、道とよばれうる事例と道とよばれえない事例とをしらべあげ、道とよばれうる事例だけに共通する本質をもとめようとしてみても、道とよばれうる事例はなにかといえば、それは端的に「すべて」である。道の本来のありかたからして、道という語があてはまらないようなものはありえない。一切のものが道にもとづくとするならば、道なるものの意味を一義的にさだめることは、はなから無理である。

無理なことを考えてみてもしょせん無理だということで、「あらゆるものに共通する一義的な意味をもとめたりせず、あるものはあるがままにあるという単一の事実をそのまま受けいれておればよい。それが単一の事実であるからには、そこには多義性などはありえない」というヤケクソのような立場をとりたくなってくる。この単一の事実について、それを事実とはよばず、あえて道という特別な呼称でよんでおくのだ、と。しかし個々の事実のありようを無視して、あらゆるものの「全体だけ」をいっぺんに問題にすることはできっこない。いったいどうしたらよかろう？

ぼくは不用意にも「あえて道という特別な呼称でよんでおくのだ」と書いた。が、そもそも道とは呼称ではないのではなかろうか。道は「すべて」にかんして語られるが、なにかを指しているわけではない。

老子の説くところは、「すべては法則にしたがっている」というものである。この考えは「すべてはデタラメである」と対立するものであり、また「すべては絶対的な一者の意思による」とも対立するものである。

こう考えることによって、はじめて知識の探究がはじまる。それは古代ギリシアにおける「自然」の発見にも匹敵する知的革命であった。

「万物には法則がある」というときの「ある」は、「都会には自由がある」「かれには勇気がある」というときの「ある」と似ている。この「自由」「勇気」という語はなにかを指してはいない。呼称ではないのである。

呼称ではない語「X」について「Xとはなにか」と問うとき、それはXの意味をたずねている。そしてそれは大切な問いである。ひきつづき倦《う》むことなく問いつづけてゆこう。

38

高い徳（を身につけたもの）はおのれの徳を意識しない。だからこそ徳がある。（その逆に）低い徳（を身につけたもの）はおのれの徳をうしなうまいと意識する。だからかえって徳がない。

高い徳（を身につけたもの）は他者にはたらきかけようとせず（そのとおり）はたらきかけはしない。低い徳（を身につけたもの）は他者にはたらきかけようとはしないつもりで（じつは無意識のうちに）はたらきかけている。

（徳を身につけてはいないが）高い仁（を身につけたもの）は他者にはたらきかけているが（まだしも意識的に）はたらきかけてはいない。（徳はもちろん仁を身につけてもいない）高い義（を身につけたもの）は他者にはたらきかけており（しかも意識的に）はたらきかけている。（徳はもちろん仁・義すら身につけてもいない）高い礼（を身につけたもの）は他者にはたらきかけようとするばかりか（あろうことか）他者がそのはたらきかけに応《こた》えないと腕まくりして他者をひっぱりこもうとする。

だから道（という自然の法則にしたがうこと）がうしなわれると（「為す無くして而も以て為す有り」であるような低い）徳が説かれるようになり、徳がうしなわれると（「之を為して而も以て為す無し」であるような）仁が説かれるようになり、仁がうしなわれると（あからさまに「之を為して而も以て為す有り」であるような）義が説かれるようになり、義がうしなわれると（いよいよ「有為にして之に応えざれば臂《ひじ》を攘《はら》いて扔《つ》く」ような）礼が説かれるようになる。

そもそも礼というのは「まごころ」が薄くなった（がゆえに生じた好もしからざる）ものであり、ものごとが乱れるはじまりである。ことがらを（こざかしいさかしらで）予見する知恵などは道の「あだばな」であり、ものごとが愚かになるはじまりである。

だから一人前の男子たるもの、なるべく（「為す為くして為す無し」であるような、せめて「為す無くして為す有り」であるような）重厚なほうに身をおいて、（「為す有りて以て為す無し」であるような、ましてや「為す有りて以て為す有り」であるような）軽薄なほうには身をおかず、なるべく（「為す無くして為す無し」であるような、せめて「為す無くして為す有り」であるような）充実した「まごころ」のあるほうに身をおいて、（「為す有りて以て為す無し」であるような、ましてや「為す有りて以て為す有り」であるような）うわついた「あだばな」のほうには身をおかない。だからあちら（の礼や前識《ぜんしき》といった好もしからざるもの）を捨ててこちら（の自然の法則にしたがうことのほう）をとるのである。

上徳《じょうとく》は徳とせず。是《ここ》を以《もつ》て徳有り。下徳《かとく》は徳を失わざらんとす。是を以て徳無し。

上徳は為《な》す無くして而《しか》も以て為す無し。下徳は為す無くして而も以て為す有り。

上徳不徳。是以有徳。下徳不失徳。是以無徳。

上徳無為而無以為。下徳無為而有以為。

上仁は之《これ》を為して而も以て為す無し。上義は之を為して而も以て為す有り。上礼は之を為して而も之に応ずる莫《な》ければ、則《すなわ》ち臂《ひじ》を攘《はら》いて之に扔《つ》く。

故《ゆえ》に道を失いて而《しか》る後《のち》に徳あり、徳を失いて而る後に仁あり、仁を失いて而る後に義あり、義を失いて而る後に礼あり。

夫《そ》れ礼は忠信の薄きにして乱の首《はじ》めなり。前識《ぜんしき》は道の華《はな》にして愚の始めなり。

是を以て大丈夫は其《そ》の厚きに処《お》りて其の薄きに居《お》らず、其の実に処りて其の華に居らず。故に彼を去《す》てて此を取る。

上仁為之而無以為。上義為之而有以為。上礼為之而莫之応、則攘臂而扔之。

故失道而後徳、失徳而後仁、失仁而後義、失義而後礼。

夫礼者、忠信之薄、而乱之首。

前識者、道之華、而愚之始。

是以大丈夫処其厚不居其薄、処其実不居其華。故去彼取此。

「下徳為之而有以為」は意をもって「下徳無為而有以為」にあらためる。王弼《おうひつ》本の「下徳為之而有以為」は帛書《はくしょ》本にはない。

「徳」を身につけておればよいものを、どうして「仁・義・礼」といった無用の規範をもとめようとするのかというと、「忠信」が薄くなってきたせいで、どうしても「前識」をはたらかせたくなるからである。

前識とは、ものごとの趨向《すうこう》をまえもって知ろうとするという不自然なこころのはたらきである。他人の思惑、世間の手前、常識人をもって自任するものほど、無惨にも、いや滑稽《こっけい》にも、ひとの目をいちいち気にしながら生きている。まったくご苦労千万である。

ひとに親切にするのはあたりまえである。その意味では、ことさらなことをしているわけではない。「為す無くして」と評さるべきふるまいである。それを「オレはあたりまえのことをしているんだ」と意識するかどうかで、ずいぶんと差がでてくる。

「親切にしなければならない」といった限定された徳にこだわっているようでは徳があるとはいえない。たとい親切であっても、わざとらしい親切でしかない。限定された徳があると、わざとらしく親切ぶったりする。これといって限定されない徳があれば、ことさら親切にしようとはしない。

親切であるべしとおもい、それにしたがって生きるという生きかたもある。だが「べし」という当為《とうい》でないような行為もある。そういう「べし」を超えた生きかたを、老子は「為す無くして」といっているのかもしれない。

カントがこれと正反対のことをいっている。たんに親切なだけの人間がいても、そこに倫理性はない。「親切にしなければならない」という規範意識があり、それゆえに「そうすべきである」から親切にするというのでなければ倫理性はない。

自然は有限であるが、それにたいして無限であるのは意識のほうだということである。自然と意識との関係が洋の東西では逆になっているのかもしれない。

「べし」というとき、なぜそこに規範性があらわれるのか、規範性の根拠はどこにあるのか——それを問うことは、なぜひとは幸せになろうとするのか、と問うようなものである。そのことに答えはない。

なんの合目的性もないのに、なぜそんなことを問うてしまうのだろう？　そんなことを問うのは、後悔してもしょうがないことをなぜ後悔してしまうのか、と悩むようなものである。ひとはハエとり壺のなかのハエのようなものなのかもしれない。

老子はいったい道と徳との関係をどう考えているのだろう？

「上徳は徳とせず」以下、上徳と下徳との関係は説かれるものの、道についてはまったく説かれていない。ところが「故に道を失いて而る後に徳あり」と、いきなり道がでてくる。道のほうが徳よりも価値があると考えているようである。

道をうしなってから徳がもちだされるが、ただ「為す無くして」というふうに道の余韻はのこっている。「上徳」は「以て為す無し」と徳を他者におよぼそうとはしないが、「下徳」は「以て為す有り」と徳を他者におよぼそうとする。さらに「仁・義・礼」となると「之を為して」というふうに道はみうしなわれてしまい、すっかり人為的な規範にとらわれている。

老子は「大道廃《すた》れて仁義有り」（第18章）といっていた。大いなる道がおとろえると仁や義といった儒教的な徳目がやかましくいわれるようになる。「大道廃れて」と「仁義有り」とのあいだに「徳」という段階があるということになる。仁や義のまえの徳は、道はみうしなわれているものの、まだしも「為す無くして」という生きかたではある。

仁や義のまえの「徳」という考えかたは、はなはだ意味深長である。仁や義といった特定の徳目ではなく、さしあたり徳としかいえないもの、あるいは本質的な徳そのものが身についている。それが「為す無くして」ということなのだろう。それにひきかえ仁や義という特定の徳目は、そのつど仁愛や正義といった価値にもとづいて「之を為して」いるのである。

儒教的な徳目のうち「夫れ礼は忠信の薄きにして乱の首《はじ》めなり」というように、礼についての評価がえらく低い。世間で重んぜられる礼は、とかく形式に堕しがちである。やれ礼儀がどうだの作法がこうだのとうわべの体裁はつくろっても、肝腎《かんじん》のまごころ（忠信）がない。まごころがなければ、礼は空虚なだけのパフォーマンスになる。

さらに老子は「前識は道の華にして愚の始めなり」という。明日は晴れるかなといった天気のことから、株価は下落しないだろうかといった経済のことまで、ひとはみな予想にもとづいて行動する。そういった予想にもとづいた行動は、得てして派手なだけのスタンドプレイになる。

花の種をまいたら、やたらと肥料をやって促成栽培しようとせず、そのうち自然に咲いてくるさ、とものごとが自然と実《み》をむすぶのを待っておればよい。「いつ咲くか」「どう咲くか」なんていうことがあらかじめわかったところでつまらない。

39

いにしえより唯一のもの（である自然の法則のはたらき）を得たものはといえば、天は唯一のものを得て清らか、地は唯一のものを得て安らか、神は唯一のものを得て霊妙、谷は唯一のものを得て満ち、万物は唯一のものを得て生まれ、君主は唯一のものを得て天下の主《ぬし》となる。

このことから推《お》せば、天は唯一のものを得て清らかでなければきっと裂けるだろうし、地は唯一のものを得て安らかでなければきっと崩れるだろうし、神は唯一のものを得て霊妙でなければきっと絶えるだろうし、谷は唯一のものを得て満ちなければきっと涸《か》れるだろうし、万物は唯一のものを得て生まれなければきっと滅びるだろうし、君主は唯一のものを得て高貴でなければきっと倒れるだろう。

それゆえ貴いものは賤《いや》しいものを根本とし、高いものは低いものを基本とする。だからこそ君主はおのれのことを「みなしご・やもめ・ろくでなし」とへりくだって自称するのである。これこそ賤しいものを根本とするということではなかろうか。だからむやみに名誉をもとめたりすれば、かえって名誉をうしなうことになる。キラキラと宝石のようにかがやこうとはせず、ゴロゴロと石ころのようにふるまうのである。


昔の一《いつ》を得る者、天は一を得て以《もっ》て清く、地は一を得て以て寧《やす》く、神《しん》は一を得て以て霊に、谷は一を得て以て盈《み》ち、万物は一を得て以て生じ、侯王《こうおう》は一を得て以て天下の貞《てい》と為《な》る。

其《そ》れ之《これ》を致せば、天以て清きこと無くんば将《は》た恐らくは裂け、地以て寧きこと無くんば将た恐らくは発《くず》れ、神以て霊なること無くんば将た恐らくは歇《や》み、谷以て盈つること無くんば将た恐らくは竭《つ》き、万物以て生ずること無くんば将た恐らくは滅び、侯王以て貴高なること無くんば将た恐らくは蹶《たお》る。

故《ゆえ》に貴は賤を以て本《もと》と為し、高は下を以て基《もとい》と為す。是を以て侯王は自《みずか》ら孤寡不穀《こかふこく》と謂《い》う。此《こ》れ賤を以てすに非《あら》ざるか、非《ひ》か。故に数《しば》しば譽《ほ》むるを致せば譽まれ無し。琭琭《ろくろく》玉の如きを欲せず、珞珞《らくらく》石の如《ごと》し。


昔之得一者、天得一以清、地得一以寧、神得一以霊、谷得一以盈、万物得一以生、侯王得一以為天下貞。

其致之、天無以清将恐裂、地無以寧将恐発、神無以霊将恐歇、谷無以盈将恐竭、万物無以生将恐滅、侯王無以貴高将恐蹶。

故貴以賤為本、高以下為基。是以侯王自謂孤寡不穀。此非以賤為本邪、非乎。故致数譽無譽。不欲琭琭如玉、珞珞如石。


「一を得る」ことによって、天は清く、地は寧く、神は霊に、谷は盈ち、万物は生じ、侯王は天下の貞となる。問題はこれにつづく「天無以清将恐裂、地無以寧将恐発、神無以霊将恐歇、谷無以盈将恐竭、万物無以生将恐滅、侯王無以貴高将恐蹶」である。

王弼《おうひつ》本の「無以」は帛書《はくしょ》本では「毋已」となっている。「毋＝無」「已＝以」であるから解釈がさほど変わることはない。

蜂屋本は『已』は止むの意味であり、『毋已』は休止しない、節制がないの意味である」と注し、「以て」を「已《や》む」と読んで「天清きこと已《や》む無《な》からば」と訓じ、「天はずっと清いままであろうとすればば」と訳す。ぼくは「天は一を得て清らかだが、天が清らかでありつづけようとすれば裂けてしまうだろう」と、めずらしくふつうに読んでいる。

ぼくの読みでは、天が清いことはよいことでありつづける。蜂屋本の読みでは、天がずっと清いままでいるのはよくないことである。

ぼくの読みによれば、老子は常識的なことをいっているにすぎない。蜂屋本の読みによれば、老子はかなり逆説的なことをいっている。蜂屋本の読みのほうが老子的でおもしろそうではあるし、章末の「宝石であるよりも、石ころでありたい」とも呼応するようにおもわれる。しかし本章にかんしてはふつうの読みをとりたい。

「一を得る」ことによって、天は清く、地は寧《やす》く、神は霊に、谷は盈《み》ち、万物生じ、侯王は天下の貞となる。「一を得る」ことがなければ、天は裂け、地は発《くず》れ、神は歇《や》み、谷は竭《つ》き、万物は滅び、侯王は蹶《たお》る。もっぱら一を得る場合と一を得ない場合とが対比される。一を得るかどうか、つまり自然の法則にしたがうか否かということが論点となっている。

ぼくは「一を得る」を「唯一のもの（である自然の法則のはたらき）を得る」と理解する。だが蜂屋本のように逆説的に読めば、一を得たままであれば、かえって自然の法則からはずれてしまうというふうに理解することになる。一を得ることは大事ではあるが、そこにとどまっていてはならず、不断に変化しつづけることこそが自然の法則にしたがうことである、と。

蜂屋本の理解は、第41章の「大器晩成」に「大いなる器は完成しないというのが『老子』の本義であった」と注することに通ずる。ものごとに完成などということはなく、未完成でありつづけることこそがあるべきすがたなのだ、という理解である。

はなはだ魅力的な読みではあるが、いまはとらない。とらないけれども、たしかに一を得ることにこだわるとかえって一からはずれることになる、という意は汲《く》みたいとおもう。もっとも、そもそも一を得ることにこだわるようでは、しょせん一を得てはいないのだろうが。

老子が「貴は賤を以て本《もと》と為し、高は下を以て基《もとい》と為す」「琭琭玉の如きを欲せず、珞珞石の如し」というのは、世俗的な価値にとらわれることなく、ひたすら「一」にしたがっておればよい、といましめているのである。

40

（すすむのではなく）もどるというのが道のうごきかたである。（強いのではなく）弱いというのが道のはたらきかたである。

この世界にありとあらゆるものは有《う》（という世界が存在するということ）から生まれる。その有（という世界が存在すること）は無（という有無の次元を超えたもの）から生まれる。

反《かえ》る者は道の動。弱き者は道の用。
天下の万物は有《う》より生ず。有は無より生ず。

反者道之動。弱者道之用。
天下万物生於有。有生於無。

存在するものはそれぞれ固有の存在の仕方をしている。花や石といった目にみえるものもあれば、酸素や三角形といった目にみえないものもある。

存在するものはさまざまの存在の仕方をしているが、では「存在するとはどういうことか」と問われれば、これに答えることは一筋縄ではゆかない。

存在するものが存在するとはどういうことかを問うことは、世界をその「全体」において問うことである。別のいいかたをすれば、この世界がこのように存在することの根拠はなにかと問うことである。老子が万物とのかかわりにおいて道を説くのは、この世界がこのように存在することの根拠について問うているのである。

道と万物とのかかわりを万物に即していうならば、万物はつとに道にしたがっているという了解をもって存在している。万物は現に道にしたがって存在しているという事実を巻きこんだ存在の仕方をしている。

この消息について、万物はおのれの営みを超えた道へと不断に「反《かえ》」りつづけている、と譬《たと》えることもできよう。ただし万物の自然の法則にしたがったありかたのことを、つねに根本的なありかたへと「もどる」ような関係性において理解しようとすることは、はなはだ剣呑《けんのん》である。

絶対性を内在させていることにおいて存立している「自然」にあっては、万物が自然の法則にしたがっていることにおいて、一切合切はすでに十全に了解されている。したがって「道」なるものを絶対の超越的な一者としてしつらえることは、まったく不要である（このことは第34章につまびらかに論じた）。

本章の「反る者は道の動」について、存在をもたらす根本のところへと「もどる」こととして理解すると、道なるものを絶対の超越的な一者としてまつりあげることになりかねない。ここはよほど用心してかからねばならない。

老子は「無物に復帰す」（第14章）、「万物並び作《おこ》るも、吾以《われもっ》て復《かえ》るを観る。夫《そ》れ物の芸芸《うんうん》たるも、各《おの》おの其の根に復帰す」(第16章)といっている。これを万物がおのれの生まれてきた大本のところに「もどる」というふうにとらえると、万物は絶対の超越的な一者から生まれてくるといったビジョンをえがきたくなってしまう。

万物は生生流転しているが、べつに生まれてきた大本のところへと帰ってゆくわけではない。生まれてきたものは滅びるというふうに、万物は自然の法則にしたがって存在しているというだけのことである。万物は有為《うい》転変の果てに無に帰する。それが自然界の摂理である。

しつこく念を押しておく。道のことを「万物が生まれてきた大本のところ」というふうにとらえてしまうと、これを形而上学的なものとして、つまり根源的な一者として解釈することになってしまう。『老子』を読むうえでおかしてはならぬミスリードである。

呈《てい》して批判をあおいでみたい解釈がある——本章の「反《かえ》る者は道の動」の「反」を復帰(もどる)ではなく反復(くりかえす)として読むことはできないだろうか。万物は反復する、と。

万物は「復帰する」と考えると、どうしても根源的な一者のもとにもどる、生まれてきた大本のところへと帰ってゆく、という神秘的な解釈におちいってしまう。老子みずから「復帰」(第14・16章)という言葉を使っているので、そういう神秘的な解釈をまねきかねない責任は老子にあるのだけれども。

万物は「反復する」とは、出来事は「くりかえす」ということである。出来事はくりかえすとは、万物のありかたには否応なくしたがうべき法則があるということである。

ひとや動物がくりかえし往来し、足でふみつけ、草がはえなくなると、そこが道になる。万物ひしめく世界にあっては、太陽が東からのぼって西へとしずむように、おなじ出来事が何度もくりかえされる。そのくりかえしにおける規則性が「必然である」ととらえられることによって法則性の認識が生まれてくる。

「反」という存在の仕方をしているものは、道ではなく万物である。万物と道との関係はけっして神秘的なものではない。エネルギー保存の法則やエントロピー増大の法則にくりかえししたがいながら、万物は存在しつづけている。

万物が「反」という存在の仕方をしているということが、とりもなおさず「道」がはたらいているということである。そしてその道のはたらきかたとは、「弱き者は道の用」というように、無理に強《し》いるというふうのものではなく、自然とそのようであるという柔弱なありようである。

老子はつづけて「天下の万物は有《う》より生ず。有は無より生ず」という。これが老子の哲学を結晶させたような文言《もんごん》であることは想見するに難くない。みつける努力をしなくても「ここ」と傍線がひいてあるようなものである。

まずは「天下の万物は有より生ず」であるが、万物とは存在するもの、すなわち「有」であるから、この文は「有は有から生じる」といっているにすぎない。ふつうの因果関係をのべているだけである。

つづく「有は無より生ず」がよくわからない。「無」が文字どおりの無であるならば、なんにも生みださないはずである。因果律をまったく否定している。無はなにものでもないのだから原因にはなりえない。原因がないのに結果は生まれてこない。「無から有が生じる」というのはまったくの背理である。

ひょっとすると「有」とは万物以前のなにかだろうか。万物以前の、いわゆる万物の始原（アルケー）なのだろうか。

そうであるならば、むしろ「無」とよびたくなる。万物は「このようなもの」として名づけられるもの、われわれが目でみたり耳できいたり手でさわったりするものなのだから、それをこそ「有」とよびたい。

しかしながら老子のいう「有」「無」はそういう常識的な意味ではなさそうである。強いていうなら「有」としかいえないもの、強いていうなら「無」としかいえないもの、そういうものであるにちがいない。

蜂屋本は「有＝形あるもの」「無＝形のないもの」と訳し、「『無』は『道』に相当する。『道』は形容のしようがないから『無』と言ったのであり、『無』は何もないことではない」と注している。この率直な解釈に乗っかってしまいたいような気もしてくる。

だんだん弱気になってきたが、「天下の万物は有より生ず。有は無より生ず」という老子の言葉は掛け値なしに煽動的《せんどう》であり、ぼくの錆《さ》びついた脳ミソを刺激せずにおかない。煽《あお》られるままに妄想をたくましゅうしてみよう。

「ある」という語には、「がある」という実存をあらわす場合と「である」という本質をあらわす場合とがある。

本質が実存に先だつと考える立場がある。たとえばプラトンの哲学がそうであり、キリスト教もそうである。「元始《はじめ》に神天地を創造給《つくりたま》へり」「神光あれと言給《いいたま》ひければ光ありき」（「創世記」）とあるように、神は世界の創造以前にあって万物についての観念をもっており、その観念にしたがって世界を、すなわち万物を創造した、と考える立場である。

こういう考えかたは本質主義とよばれる。ぼくはあんまり賛成したくない。ぼくはむしろ「実存は本質に先だつ」という実存主義のほうを支持したいのだが、さしあたり形而上学的な立場のどちらをとるべきかといった小難しい問題は横においておくとして、存在の概念には本質（である）と実存（がある）というふたつがあるということは確認しておこう。

実存と本質との差異をつらつらおもんみるに、老子の「天下の万物は有《う》より生ず」という言挙《ことあ》げがすこぶる気になってくる。おそらく假説《かせつ》の域をでないだろうが、おもうところを論じてみたい。

「万物は有より生ず」における「有」とはなにか。この有は名詞だろう。名詞だとしたらなにを指しているのだろう？「存在」という言葉に置き換えてもよいのだろうか。

老子の頭のなかで、有や存在という言葉がなにか「有《あ》るもの・存在するもの」を指しているはずはない。有るもの・存在するものは万物のほうにふくまれるのだから。

万物のうちのある特定のものが、その名とは別に「有」ともよばれるというのは奇妙なことである。万物とは花とか石とかよばれるものであって、その名とは別に「有」ともよばれるものなどない。もし有としか名づけることができないものがあるとすれば、よほど特別なものということにならざるをえない。そんな奇妙な「有るもの・存在するもの」はありえない。

では、いったい老子のいう有とはなんだろう？　万物のなかの特別なひとつでないとしたら、それは万物のそれぞれが「有ること・存在すること」まさにそういう事態のことをいっているのだろうか。ものが存在すること（存在）と存在するもの（存在者）とを区別するというのは、ハイデガーのいう存在論的区別という考えかたである。

万物とは、「これは石である」「これは花である」というふうに、それぞれ「〇〇である」といえるような存在者である。万物がそれぞれ本質をあらわせるような存在者であるとすると、「有」はそれら存在者が「有ること・存在すること」という実存をあらわしていると考えたくなる。万物が「〇〇である」というふうに本質をあらわせるような存在者であるためには、なにはさておき存在しなければなるまい、と。

こう考えてくると、老子は「実存は本質に先だつ」といっていると理解したくなる。老子は本質主義の立場にたっているのではなく、じつは実存主義者なんじゃなかろうか。

「ある」とは「ない」という異常が欠《か》けていることである。「ある」とは「ないことがない」という二重否定である。

「ある」の理解は「ない」の理解に依存しているとはいえそうだが、二重否定になるまえのひとつの否定「ない」の理解がすでに「ある」の理解に依存しているという可能性は排除されていない。「ある」とおもっていたものが「ない」といえるためには、すでに「ある」ということへの理解があるはずである。

あるもの「がある」ということは、とりもなおさず「この世界が存在する」ということを意味している。なにかが存在するということは、なにはさておきこの世界が存在するということを前提している。

この世界が存在するということが「はじめ」に位置づけられたうえで、あるものがこのよう「である」という本質をあつかうことができる。世界がこのようであることの本質はすでに実存をふくんでいる。老子は、ある本質をもったものが存在する理由を「それが実存する理由をもたらす必然的な存在」にもとめ、それを「有」とよぶのである。

按ずるに、老子が「天下の万物は有より生ず」というのは、「万物が〇〇である」ことは「世界がある」ことを前提する、といっているのではなかろうか。

世界がこのようであるとき、世界があること（有）はつとに前提されており、そのことはなにものにも規定されていない。世界があることは、万物にとって理解の次元を超えている。世界があることは「いつも・すでに」あらわであり、そうでないことはありえない。万物はそれをひたすら受けいれるのみである。この世界にあって存在しているものは、世界があるということを受けいれることを余儀なくされている。

万物、とりわけ人間は、世界があるということを理解しようとこころみる。そのこころみ自体がそれなしではなりたたないものとして、世界があることは理解に先だって到来してしまっている。

世界があるということ自体は、すでに存在者ではないから、さしあたり「無」というよりないとして、老子が「天下の万物は有より生ず」というのは、世界がどのよう「である」かを語っているのではなく、そもそも世界「がある」ということの不思議さをおもって感に堪《た》えないでいるのである。

「天下の万物は有《う》より生ず」とは「万物が存在するとは、この世界がすでに存在するということである」という意味である、という假説をふまえ、ひきつづき「有は無より生ず」について考えてみよう。

部屋をみまわして「リンゴがない」という。部屋のなかは存在者であふれている（存在者ならざるものは存在しない）。人間があらわれるまで「無」のある余地はなかった。そこに人間がはいってきて、あるべきリンゴがないことに気づいて「リンゴがない」という。この「ない」はそのことに気づいた人間がもたらしたものである。

「無」とは人間があらわれてはじめて生まれてきた概念である。存在者は人間なしでも存在しうるが、「無」は人間がいてはじめて存在しうる。

人間が「無」をもたらすことができるのは、人間が「そうである」ところに「そうでない」をもたらすことができる存在だからである。そういうふうに実存は本質に先だつと考えたくなる。もし実存が本質に先だち、「無」にも先だつと考えるとするならば、その実存は二重の意味で「無」に侵食されている。

なにか「がある」とき、それはなん「である」かが主語的に問題になる。「無」だというとき、「なにが無いのか」「無いものはなんであるか」が主語的に問題になる。

主語的とは対象的といってもよい。ボクもあるものだ、キミもあるものだ、という意味では実存的といってもよい（相互に自己限定するものがある）。

老子が「有は無より生ず」というのは、有の根っこに主語的に限定できない根源的なものがあるといっているのだろうか。しかしその根源的なものは、いまだ限定されていないものではなく、もとより限定されえないものだろう。では、それは限定されえないものとして「ある」のだろうか。それとも「ない」のだろうか。

この手の議論は、くりかえし注意しているように、うっかりすると絶対的な一者からの万物流出論になりかねない。そうなると存在するものの主体性がうばわれてしまう。実存主義者である老子は、そもそも主体性ということをどのように考えているのだろう？

無為とはたんに「なんにも為さない」ということではない。ひたすら自然の法則にしたがって、ことさら無理をしないということである。このことは道理がどこにあるかということに絶えず気をつけていなければ、つまり主体性がなければできないことである。

「あるがままの自然にしたがう」ということで老子がなにを考えているのかというと、たぶん無理にわざとらしいことをしないといったことだろう。そのさい主体性はどのように位置づけられているのかということは、ちゃんと押さえておかねばならない。

万物の生成を限定する主体性が、もし根源的な一者なるものにあるとすれば、それは有であって無ではないといいたくなる。すると万物はその一者の傀儡《かいらい》になりさがる。

老子がわざわざ「無」というとき、かれはなにをいいたいのだろう？　「有」の根っこに主語的に限定できない根源的なものがある、などということを老子は説きたいわけではない。そのことは「天下の万物は有より生ず」とは「万物が存在するとは、この世界がすでに存在するということである」という意味である、という假説をふまえて考えれば分明《あきらか》である。

万物がこのよう「である」ことは道にしたがっている。けれども世界「がある」ことは道にしたがわない。道のはたらきは、万物がこのよう「である」ことのまえにあるが、世界「がある」ことのまえにはない。

世界があること（有）のさらなる「はじめ」を語ることはできない。世界があることは理解の次元を超えているということ、それを老子は端的に「無」とよぶ。キリスト教では「太初《はじめ》に言《ことば》あり、言は神と偕《とも》にあり」（「ヨハネ伝福音書」）というが、老子は「太初に世界あり、世界は無と偕にあり」というんじゃなかろうか。

「有は無より生ず」とは老子一流のレトリックである。レトリックに惑《まど》わされてはならない。「有は無より生ず」とは、「有」は「なにか」から生じることは「ない」といっているのである。

老子の「無」の思想は、神が世界を創造したとする有神論の対極にあるものである。世界は、すなわち万物は、ただ「ある」だけである。無が有に先だつ（「有は無より生ず」）というのは、つまり「有」に先だつものは「ない」ということである。

根源的な一者などというものは「ない」ということをみとめれば、万物には存在する理由も意味もなくなってしまいそうな気がする。有神論的な立場からすれば、それは耐えがたいことだろう。しかしながら、万物はただ存在する、理由・意味なしに存在する、故《ゆえ》なくして存在するということの、それのどこがいけないのだろう？

万物がこうして存在するのは、ただの偶然である。ただ意味もなく存在しているだけである。それでよいのではなかろうか。

万物はただ故なくして存在するのみ、それでよいではないか――これは素敵な結論だとおもう。われわれに存在の理由や意味をあたえる神が存在しないのなら、われわれは自分が存在する意味を自分でさだめねばならない。そこにおいて真の主体性が生まれてくるのではなかろうか。

有と無との理解はどちらが先か。どちらともいいがたい。否、常識的にはむしろ有の理解のほうが無の理解に先行しているといいたくなる。そうだとすると老子の言葉は不可解なものになってしまう。いったい事態として無が有に先だつなどということをどうやって理解したらよいのだろう？

そこで假説を呈してみた――老子は、どんなものであっても、それが「ある」ということが起こるならば、つまり生まれてきて存在するということがあるならば、それ以前に「ない」ということがあったということになる、という自明のことをいっているだけである。

生まれてきたからには、生まれてくる以前にはなかったのだ、と老子はいってみただけである。なにかが「ある」ようになるまえには「ない」ことがあったはずだ、と（もちろん「無」は大事であるという存念はあったとしても）。

この世界が存在し、そこに万物が存在しているということの理由や意味は、万物にとっては不可解である。この世界は万物のためにつくられたわけではない。

この世界がこのように存在するためのシナリオをあれこれ考えてみても、しょせん万物のほうからする後知恵《あとぢえ》にすぎない。世界にとってはあずかり知らぬところである。

「天地は仁《じん》ならず、万物を以《もつ》て芻狗《すうく》と為《な》す」（第5章）といっていたように、世界のほうは冷酷なまでに万物に無関心である。その無関心なありようは、万物からすれば根本的な不可知にほかならない。「有は無より生ず」における「無」とは、そういった「はじめに世界ありき」ともいうべき世界の非知性をいうものではなかろうか。

みぎの假説を形而上学風にダサくいうと、こんなふうになる――この世界は「ある」ものであふれており、「ない」ものはどこにもない。世界からは「無」が徹底的に排除されている。ということは、われわれは徹底的に排除されているという仕方で「無」とかかわっている。

「ある」ものは「ない」のではないものである。したがって「ある」について問うことは「ない」について問うことと表裏一体である。「ある」について問うことが「ない」について問うことと表裏一体である以上、存在者について、それがなん「である」かというふうに本質を問うことはできない。

假説の可否を判ずることは読者におまかせするとして、老子の「天下の万物は有より生ず。有は無より生ず」という発言の真価は、私見によれば、存在するもの（有）が「無」においてとらえられたことにある。

「天下の万物」とは、存在するもの一般、すなわち「全体」としての世界である。全体としての世界について問うことは、とりもなおさず存在するもの（有）が存在することの最終的な根拠について問うことである。

世界の最終的な根拠についての問いが、すでに問いとしてなりたっているからには、その答えは全体としての世界の外部に位置するよりない。ありとあらゆる存在するもの（有）の外部である以上、それは端的に「無」であらざるをえない。無こそが存在するものをして存在せしむるものである。

平たくいえば、なにかが「ある」ならば、つまり生まれてきて存在するものがあるならば、そのまえには「ない」ということがあったということである。いま「ある」からには、そのまえには「ない」ことがあったはずである。

万物はその「無」を理解しようとこころみる。しかし無は、それを理解することがそれなしにはありえないものとして、あらゆる理解に先だって到来してしまっている。無のはたらきにしたがって存在している万物は、現に存在することにおいて無がはたらいているということを示しつつ存在することしかできない。

万物はついに無を理解することはない。理解できないからといって、無が「ある」という不可解をしりぞけることはできない。われわれは無の影のもとに生きているのである。

余談ながら、こころに去来することを書いておきたい。

「無」がわからぬのとおなじくらい「一」もわからない。「一即一切《いっさい》・一切即一」という言葉がある。「一がそのまま一切であり、一切がそのまま一である、の意」（『岩波仏教辞典』第二版）。

一だけだと、はたらくものは考えられない。一切だけだと、それぞれのものは一の限定でしかありえない。我と汝《なんじ》とを超える「一の我」「一の汝」でしかない。たがいに万物がはたらきあっているようでも、じつは一のはたらきの両側面でしかない。では、どうすれば新しい一が生まれるのだろう？

我と汝とが自由にはたらくものであるとするならば、世界はたんなる一切ではありえない。一切の一を否定して、一の一切があるから、はたらく自己というものが考えられる。一切が、一に埋もれないで、一に逆らって、相互にはたらきあうから、一が変化し、新しいものが生まれる。

それが自由ということではなかろうか。もし自由があるなら、その根底には、どうしても「ない」という無限性が考えられねばならぬということである。

41

すぐれた人物は自然の法則のことをきかされると、力のかぎりそれにしたがおうとする（から生きかたが変わってゆく）。ふつうの人物は自然の法則のことをきかされると、べつに有ってても無くてもよいという態度をとる（から半信半疑のままグズグズしていてなかなか変わらない）。くだらない人物は自然の法則のことをきかされると、はなからバカにして笑いとばす（からいつまでたってもなんにも変わらない）。（くだらない連中に）笑われるようでなければ自然の法則とよばれるに値しない。だから格言につぎのようにある。

ハッキリと明らかな自然の法則は（これを譬《たと》えていうならば、俗世間の常識になずんだ目でみると）むしろボンヤリと暗いようにみえる。前進してゆく道はむしろ後退しているようにみえる。どこまでも平坦な道はむしろ凸凹《でこぼこ》しているようにみえる。すばらしく高い徳はむしろ低い谷のように虚《むな》しくみえる。あまりにも清らかなものはむしろ汚れているようにみえる。ひろびろと豊かな徳はむしろ足りないかのようにみえる。きちんとしている徳はむしろいい加減であるかのようにみえる。まっすぐでゆるぎないものはむしろグラついているかのようにみえる。どこまでも大きな四角はむしろ角《かど》がないようにみえる。とんでもなく偉大な人物はむしろいつまでたっても完成しない。とてつもなく大きな音はむしろ耳にきこえない。あまりにも大きな形はむしろ目にみえない。自然の法則というものは（目にみえる現象のうしろに）すがたが隠れていて（人間の言葉では）どうにも名づけようがない。（にもかかわらず）そもそも自然の法則こそは万物（がそれとして存在すること）をちゃんと助け、きちんと（それとして）成就《じょうじゅ》させている。

上士《じょうし》は道を聞かば、勤《つと》めて之《これ》を行う。中士《ちゅうし》は道を聞かば、存《あ》るが若《ごと》く亡《な》きが若し。下士《かし》は道を聞かば、大いに之を笑う。笑わざれば以《もっ》て道と為《な》すに足らず。故《ゆえ》に建言《けんげん》に之《これ》有り。

明らかな道は昧《くら》きが若し。進める道は退くが若し。夷《たい》らかな道は類《もっ》れたるが若し。上なる徳は谷の若し。大いなる白は辱《よご》れたるが若し。広き徳は足らざるが若し。建なる徳は偸《かりそめ》なるが若し。質なる真は渝《か》わるが若し。大方《たいほう》は隅《ぐう》無し。大器は晩成す。大音は声希《まれ》なり。大象《たいしょう》は形《かたち》無し。

道は隠れて名無し。夫《そ》れ唯《た》だ道のみ善《よ》く貸し且《か》つ成す。

上士聞道、勤而行之。中士聞道、若存若亡。下士聞道、大笑之。不笑不足以為道。故建言有之。

明道若昧。進道若退。夷道若纇。上徳若谷。大白若辱。広徳若不足。建徳若偸。質真若渝。大方無隅。大器晩成。大音希声。大象無形。

道隠無名。夫唯道善貸且成。

「や

る値打ちがあるからガンバってみよう」と一所懸命にやろうとする。「ホントかなあ」と半信半疑のままほうっておく。「バカバカしい」と見向きもしない。ひとの反応はだいたいこの三つに分かれる。世のなかバカが多いから、バカバカしいと鼻で笑われるようなことが、じつはやるに値する。つまらん連中に笑われるのは、逆に自信をもってよいということである。

そもそも「道を聞」くとはどういうことなのだろう？　たれかが道について話してくれるのをきくのだろうか。孔子は「朝《あした》に道を聞かば、夕べに死すとも可なり」（『論語』里仁《りじん》）といった。孔子ほどのひとが、たれかから道についてきくなどということがあるのだろうか（老子からだったりして）。

道がみずからを示し、それをききとる（それにしたがって生きる）ということでしかありえない。ただし「道の道とす可《べ》きは常の道に非《あら》ず」（第1章）であるからには、道について「道とは○○である」というふうに内包を示すような記述はありえない。たれかの口からそれをきくということはありえない。そういう仔細であるからには、なるほど上士ならできるかもしれないが、中士にできるかどうかはあやしく、下士はてんでお呼びでないだろう。

「下士が道についてきいたら笑う」ということから「下士に笑われなければ道ではない」ということがみちびかれる。ただし「道ならば下士に笑われる」が正しくても「下士に笑われれば道である」はかならずしも正しくない（逆かならずしも真ならず）。

ところが豈図《あにはか》らんや、明らかな道はむしろ暗いようにみえ、前進する道はむしろ後退するようにみえ、平坦な道はむしろ凸凹のようにみえる、と老子は「道」についてせっせと説いている。だから明らかで前進するような平坦な道をゆくのではなく、暗くて後退するような凸凹の道をゆくべし、と。例によって譬喩《ひゆ》をもちいてではあるけれども、どのような道をゆけばよいかを教えてくれている。ぼくは笑うべきなのだろうか。

老子は「故に建言に之有り」と他人の言葉をひいて「道」についてのべている。この道についての逆説的な記述は、老子自身の言葉ではなく、たれかの「建言」のようである。

『老子』のなかで老子みずから説くべからざる道について説くはずはなかろうという先入観があったもんで、道について説かれていることについて「豈図らんや」などと書いてしまったが、なんのことはないそれは「建言」であるということを見落としていた。本章における「道を聞」くとは、道にかんする「建言」をきくことである。

さらに「徳」についても説かれる。すばらしくみえる徳はじつは低く、清らかにみえる徳はじつは汚れており、豊かにみえる徳はじつは足りず、きちんとしているようにみえる徳はじつはいい加減で、ゆるぎないようにみえる徳はじつはグラついている。だから、すばらしく、清らかで、豊かで、きちんとした、ゆるぎない徳をもとめるのではなく、低く、汚れた、足りない、いい加減で、グラついている徳をもとめるべし、と「建言」はひどく逆説的なことをいう。

「明・昧」「進・退」「夷・纇」「上徳・谷」「大白・辱」「広徳・不足」「建徳・偸」「質真・渝」これら相対的な価値づけがなされるのは、もとより差別などない世界に、わざわざ人為的にこしらえた物差しをあてがってPと非Pとを区別し、Pをプラス（正価値）、非Pをマイナス（負価値）とみなすからである。しょせん人為的にあてがわれるものでしかない物差しによって假構《かこう》された差別にすぎない。けれども、ひとたびそれを受けいれると、Pを好み、非Pを嫌うという分別がこころにインストールされてしまう。Pと非Pとを区別した時点ですでに決着はついている。

「明らかな道は昧きが若し」云々とあえて逆説的なもののいいをすることによって、Pをプラス、非Pをマイナスとする価値づけをゆさぶろうとする。Pがマイナス、非Pがプラスであるといったりするとひとは「大いに之を笑う」だろうが、いったいPと非Pとを恣意的に差別する根拠はなんだろうね、と。

「大方は隅無し。大器は晩成す。大音は声希なり。大象は形無し」という四句も、道・徳についての説明がそうであったように、「大方」「大器」「大音」「大象」というポジティブなものは、むしろ「隅無し」「晩成す」「声希なり」「形無し」というふうにネガティブにみえる、と逆説的なことを説いている。

どこまでも大きな四角は（なにせ大きすぎて）どんなに目をこらしても隅《すみ》っこがみえない。とんでもなく偉大な人物は（いつまでも成長しつづけるので）どんなに時がたっても完成しないようにみえる。とてつもなく大きな音は（大きすぎて音としては）かえって耳にきこえない。あまりにも大きな形は（大きすぎて形としては）かえって目にみえない。隅がみえず、角がなく、なかなか完成せず、耳にきこえず、目にみえないものをもとめるべし、と「建言」は教える。

「大方は隅無し。大器は晩成す。大音は声希なり。大象は形無し」について、蜂屋本は「老子による無限大の発見である」と注している。これは「建言」であるから「老子による」といえるかどうかは疑問であるが、指摘そのものは卓見である。

クザーヌスの「反対の一致」をおもわせる。否定を媒介としてあらわれる無限の神においては対立するものも一致する。相互に対立する諸規定を呑みこみ、存在者のあいだの相対を超越するから、無限大はむしろ無限小の相貌を帯びる。クザーヌスはいう。円が大きくなればなるほど円周の曲がりかたは小さくなり、その極限において無限の円は無限の直線である、と。

最後の「道は隠れて名無し。夫れ唯だ道のみ善く貸し且つ成す」だけは「建言」ではなく老子の言葉として読んだ。ひとは人為的にこしらえた物差しをあてがって「あれはよい、これはわるい」とものごとを分別する。そういう相対的な価値づけにとらわれず、もっぱら自然の法則にしたがっておればよい。ただし「道は隠れて名無し」だから、自然の法則のはたらきは人間にとって理解の次元を超えている。「道は隠れて名無し」ではあるけれども、それは理由・意味なしにはたらいている。それはただの偶然であって、まさに「夫れ唯だ道のみ善く貸し且つ成す」としかいいようはないが、それでよいのである。

世界のなかに存在するものだけが、世界に力をおよぼすわけではない。「隠れて名無」くして、すなわち故《ゆえ》なくしてはたらいているものによっても、世界はなりたっている。故なくしてはたらいているものは、存在するものにとっては非存在である。非存在である自然の法則は、万物は、万物（存在）にとってつねに大いなる他者である（未来が現在にとってつねに大いなる他者であるように）。万物は、「隠れて名無」き大いなる他者のはたらきによって、ただ故なくして存在するのみである。それでよいのではなかろうか。

42

（無である）道が（存在するものの太初のすがたである太極という）一気を生み、一気が（分かれることによって陰陽の）二気を生み、（陰陽の）二気が（まじわって陰・陽・沖和《ちゅうわ》の）三気を生み、（陰・陽・沖和の）三気が万物を生む。万物はそれぞれ陰の気および陽の気をそなえており、沖和の気が（それら陰の気および陽の気を）調和する（ことによってこの世界はなりたっている）。

（この世界にあって）たれもがイヤがることといえば「みなしご・ひとりもの・ろくでなし」となることだが、（もっとも恵まれているはずの）君主はそれを自称としてもちいている（というふうにへりくだることによって高い身分をたもっている）。ものごとはへらすことによってかえってふえることもあれば、ふやすことによってかえってへることもある。

たれもみな教訓とすることだが、わたくしもまた教訓としよう。力にまかせてゴリ押しするものはまともな死にかたをしない、と。わたくしは（へりくだるほうが安らかであるという）このことを教えの基本にしたいとおもう。

道は一を生じ、一は二を生じ、二は三を生じ、三は万物を生ず。万物は陰を負《お》い陽を抱き、沖気《ちゆうき》は以《もつ》て和することを為《な》す。

人の悪《にく》む所は、唯《た》だ孤寡不穀《こかふこく》なるも、而《しか》るに王公は以て称と為す。故《ゆえ》に物は或《ある》いは之《これ》を損じて益《ま》し、或いは之を益して損す。

人の教うる所は、我も亦《また》之を教う。強梁《きようりよう》なる者は其《そ》の死を得ず。吾将《われまさ》に以て教えの父と為さんとす。

道生一、一生二、二生三、三生万物。万物負陰而抱陽、沖気以為和。

人之所悪、唯孤寡不穀、而王公以為称。故物或損之而益、或益之而損。

人之所教、我亦教之。強梁者不得其死。吾将以為教父。

「道は一を生じ、一は二を生じ、二は三を生じ、三は万物を生ず。万物は陰を負い陽を抱き、沖気は以て和することを為す」については、蜂屋本も「本章には『老子』の有名な万物生成論が展開されている」と注するように、「道から万物に至る生成の過程を原理的に説明する」（福永光司）、『無』としての『道』から万物が生まれる過程を述べたものである」（金谷治）というふうに諸家こぞって理解している。これに異をとなえるのは不見識のそしりをまぬかれまい。だが、ぼくの不敏をもってしては、いかんせん老子の言葉に万物生成といった逓次《ていじ》の道筋がみいだせない。

蜂屋本は「無という道は有という一を生みだし、一は天地という二を生みだし、二は陰陽の気が加わって三を生みだし、三は万物を生みだす」と訳している。「道＝無」→「一＝有」→「二＝天地」→「三＝天地＋陰陽の気」という万物生成の次第をみている。

「道＝無」が万物生成の端緒《たんしよ》である。そこから「一＝有」が生みだされる。この有は無と対立する有ではない。さりとて万物として存在するものでもない。まことに不可思議なものである。

その不可思議なものから「二＝天地」が生みだされる。この天地は万物以前のものであるから、それは万物の容《い》れものとしての場所でしかなかろう。この段階ではおそらく天地の間にはなにひとつない。天には星も月も太陽もないのだから光もまたない。真っ暗闇である。

容れものとしての場所はすでにあり、そこに陰陽の「気」が満ちてきて「三＝天地＋陰陽の気」となる。気とはなにか。古代ギリシアでいわれた「エーテル」のようなものかもしれない。天地が陰陽の気で満たされれば「万物」がはたらきあう世界ができあがる。

蜂屋本の読みにしたがって万物生成の仕組みをイメージしてみた。その勘どころは、世界を構成する要素として「天地」という場所を考え、それを満たす始原的な素材として「気」を考えるというところにある。

蜂屋本は「天下の万物は有より生ず。有は無より生ず」（第40章）をふまえての読みをこころみている。ぼくも第40章をふまえて読みたいとおもう。しかしながら蜂屋本とぼくとでは第40章の理解がちがっている。いきおい本章の理解もちがってこざるをえない。

ぼくは「天下の万物は有より生ず」とは、万物が存在するというのは「世界がある」という「有」を前提するということであると理解した。世界があるということ（有）のさらなる「はじめ」を語ることはできない。世界があることは万物にとって理解の次元を超えており、そのことを老子は端的に「無」とよぶ。

このように「有」「無」を解釈するならば、「無＝道＝有＝一」と理解することになる。万物が「ある」ということがあるならば、それ以前には「ない」ということがあったということになる。なにかが「ある」ようになるまえには「ない」ことがあったはずであり、そのありさまを老子は「無＝道＝有＝一」として説く。

ぼくの第40章の理解をふまえて本章を読めば、万物生成の次第は「無＝道＝有＝一」→「二」→「三」→「万物」となる。ただし老子は、べつにこの順序で世界ができあがったなどと論じているわけではない。この世界がこのようであることには一定の秩序があるということをイメージしているだけである。

さらに「道は一を生じ」といっても、「道＝一」だとすると、道「が」一「を」生成するということではない。一が生じてもそれはまだ道なのだと考えざるをえない。

この伝でゆくと、「一は二を生じ」といっても、それらはまだ道である。「二は三を生じ」「三は万物を生ず」といっても、相変わらずそれらもまた道である。要するに「道・一・二・三・万物」はみなおなじく自然の法則にしたがっているという事態をあらわしている。

老子が「道は一を生じ、一は二を生じ、二は三を生じ、三は万物を生ず」というのは、万物生成の次第を語っているわけではない。この世界はいかなるプロセスにあっても自然の法則にしたがっているということをイメージしているのである。

自然の法則と万物とのあいだには一方向的な逓次《ていじ》の道筋、まして従属関係があるわけではない。世界のありかたは一定の秩序にしたがっている、と老子は客観的に説いているのである。

「道は一を生じ、一は二を生じ、二は三を生じ、三は万物を生ず」というふうに自然の法則にしたがって「万物」すなわち現にある世界はもたらされた。その世界のありさまとは「万物は陰を負い陽を抱き、沖気は以て和することを為す」というものである。

万物という世界を構成するものは、それぞれ陰および陽の気をそなえている。男もいれば女もいる。光もあれば闇もある。火もあれば水もある。剛もあれば柔もある。森羅万象はなべて陰陽の二気によって構成されている。

陰の気と陽の気とは沖和の気によって調和している。陰陽の二気はたがいに相反しつつも一方がなければ他方もありえない。陰陽の二気が沖和の気によって調和して、はじめて自然の秩序がたもたれる。万物がそれにしたがって存在している自然の法則を、老子は万物が存在することそれ自体においてもとめる。そのことによって万物は「自然」となる。自然とは「みずからの内に原理・法則をふくむもの」の謂《いい》である（このことは第34章で論じた）。

世界とは万物の営みにおいて不断にかたちづくられている全体の表現である。「万物は陰を負い陽を抱き、沖気は以て和することを為す」とは、万物はみずからを統《す》べる自然の法則をみずからの内にはらみながら存立しているということである。

「無＝道＝有＝一」は、世界があるという「はじめ」の渾沌《こんとん》そのものであって、万物（とりわけ人間）の理解の次元を超えている。ただし、絶対性を内在させていることにおいて存立している「自然」にあって、一切のことは万物それ自身の営みにおいて了解されている。それゆえ超越的な一者、絶対的な根源などといったものは、まったく不要である。

老子が「道は一を生じ、一は二を生じ、二は三を生じ、三は万物を生ず」と語るのは、万物がおのずからたどらざるをえない必然の道程、すなわち自然の法則にしたがった必然性のなりゆきを記述しているのである。万物を超えた神秘的なものが端緒にあって、そこから万物が流出してくるわけではない。

いかにも老子らしい一章である。難解ということでは雄の雄たるものであり、なかなか歯がたたない。「道・一・二・三・万物・陰・陽・沖気」がなんであるか、老子はそれを読むものの理解にゆだねている。ただ、ひとつだけハッキリしていることもある――万物は（天や神といった）超越的なものによって創造されたという万物創造説は、ここにおいてハッキリと否定されている。絶対的な一者による万物創造説の誘惑にたいして、老子は断乎《だんこ》「否」といっている。

創造説にかわって提出されているのは、万物は自然の法則にしたがって存在しているという思想である。「一・二・三・万物」はいずれも道にしたがっている。「一→二→三→万物」というビジョンそのものが「道」筋なのである。

第40・42章は、老子ならではの言葉で形而上学を語っている（あるいは歌っている）とおもわれる。

世界は存在するもの（有）であふれている。石や草のように目にみえるものもあれば、酸素や原子のようにみえないものもある。さまざまの存在するものはそれぞれ固有の存在の仕方をしているけれども、すべて存在するものであるということは共通している。

老子が「天下の万物は有より生ず。有は無より生ず」（第40章）、「道は一を生じ、一は二を生じ、二は三を生じ、三は万物を生ず」（本章）というのは「存在するとはどういうことか」を問うている。この問いは、およそ存在するものすべてについて、すなわち世界の全体について問うている。世界の全体について問うことは、いきおい世界が存在することの根拠について問うことにならざるをえない。老子が「道・無・一」の語をもって形而上学をのべる所以《ゆえん》である。それにしても「道」はまだわかるとしても、なにゆえに「無・一」をもってくるのだろう？

なぜ「無」をもってくるのか。

世界のありとあらゆるものは存在するもの以外のなにものでもない。世界のどこをみても存在しないものはない。世界から「無」は徹底的に排除されている。

われわれは徹底的に排除されているというかたちで無とであっている。こういう仕方で無とであうことなしに、世界のありとあらゆるものが「存在するもの」であるということはなりたたない。徹底的に排除されているというかたちで無とであうことが、「存在するとはどういうことか」と問うことを裏からささえている。

存在するものは無ならざるものであるから、存在と無とは相俟《あいま》って「存在するとはどういうことか」という問いをかたちづくっている。存在とはなにかを問うことは無とはなにかを問うことと表裏一体である。世界が存在することの根拠について「道・一」をもって論ずるとき、否応なく「無」をもまた論じてしまっているのである（それは対象とすることなく論ずるという論じかたではあるが）。

なぜ「一」をもってくるのか。

老子は「道は一を生じ」というが、渾沌とした「道」からいずれ陰陽の二気が生まれるのであれば、べつに「一」なんて必要ないようにもおもえる。あっさり「道は二を生じ」ではダメなのだろうか。「一」といえば、すでに一という限定がなされている。一といったとたん、もはや真の一ではなくなっている。道は、あらゆる意味において名づけられないもの、一とすら限定されない渾沌たる「無」ということだったはずである。

そういう究極の一は、有るとはいえないけど考えられるということだろうか。経験の対象とはなりえないのだから、たしかに主観との関係において考えられるだけのものではあろうが、すくなくとも一であるからには、たんなる空虚ではない。それから万物がつくられる質料ではないとしても、それにおいて万物があらわれる場所のようなものなのだろうか。

「道」が絶対に無名のゼロ・ポイントだとして、「一」は道のはたらきの假名《けみょう》なのではなかろうか。言葉になりがたい（道の）「ない」が、はたらきにおいて（一として）「ある」こと、そのことを老子は「道は一を生じ」といっているような気がする。

現象（有）はとらえられても、それを統べている自然の法則のはたらき（無・一）はとらえられない。

きびしい冬がすぎ、あたたかい春になると、カエルが鳴きはじめたり、フキノトウがはえたりしてくる。この世界がこのようであることが、畢竟《ひっきょう》、道というありかたである。世のなかに道にしたがわないものはひとつもない。道とは「すべて」である。あまりにも端的に「一」切であるから「無」にひとしくなってしまう。

三角形、四角形……何千角形、何万角形……と角の数をふやしてゆくと、どんどん円（無角形）に近づいてゆく。角が無限に多くなるにつれて、角はだんだんと無に近づいてゆく。無限に「ある」ことは「ない」ことにひとしくなる。道は「すべて」という極端に多いものであるがゆえに、かえって「ない」にひとしくなってしまう。

アリストテレスの『天体論』の冒頭、三つのものが存在する一切のものだといっている。

> 大きさのうち一方向に分割できるものが線であり、二方向にできるものが面であり、三方向にできるものが物体である。そして、これらのほかに他の大きさは存在しない、それは三つのものが存在するすべてのものであり、三つの方向がすべての方向であるからである。
>
> （村治能就訳「天体論」『アリストテレス全集』第4巻・岩波書店・3頁）

無である「道」という渾沌たるところに、「一」次元の線が生まれ、「二」次元の面が生まれ、「三」次元の立体が生まれ、この世界の「万物」ができあがる。そういう世界のありかたを自然の法則が統べているといったイメージは、『老子』の解釈としてはまちがっているとしても興味ぶかい。

ただ場所を示すだけの「点」がある。点が移動して、その軌跡が「線」となる。線が移動すると、その軌跡が「面」となる。面が移動すると、その軌跡が「立体」すなわち物体となる。われわれが生きる世界は三次元である。それゆえ「三」でおわり。「三は万物を生ず」。

移動とその軌跡、それこそが「道」である。それゆえ「無」も「一」も「二」も「三」もすべて道である。道とは、万物が生成するとき、万物に不断にはたらいている自然の法則である。その自然の法則の一端は「万物は相対立するものの調和によってなりたつ」ということである。そこから一方だけをみていてはいけないという処世訓がみちびかれる。強いだけではダメで、弱いところをしっかりもっていることが大切ということである。

損なことをして逆に得をすることもあれば、得をしようとして逆に損をすることもある。損得については、もっぱら損、ひたすら得、という極端なことはありえない。

ひとはどうしても目先の損をイヤがる。往々にして得ばかりをもとめがちである。強さだけで生きようとする（やたらと得をしようとする）ものは、ろくな死にかたをしない（けっきょく損をする）。（損をイヤがらない）柔弱さを基本として生きるほうがよい。

この世界は自然の法則につらぬかれてあるという道理は、およそ人為のおよぶところではない。人知をもってみるかぎり「物は或いは之を損じて益し、或いは之を益して損す」という不可解をしたたか味わうことにならざるをえない。よろしく「強梁なる者は其の死を得ず」と心得て、ひたすら自然の法則に身をゆだねるべし。

43

この世のなかでもっとも柔らかいもの（たとえば水）が、この世のなかでもっとも堅いもの（たとえば岩）をほしいままにあやつるのは、「かたち」のないもの（である水）が「すきま」のないところ（である岩のなか）にもはいりこむようなものである。だからわたくしは「なんにもしない」という（「かたち」のない）ありかたが有益であることを知るのである。「なんにもいわない」ような教え、「なんにもしない」というやりかた、その有益さは世のなかでこれにかなうものはほとんどない。

天下の至柔《しじゅう》の天下の至堅《しけん》を馳騁《ちてい》するは、有る無きものの間《すきま》無きものに入るなり。吾是《われここ》を以《もっ》て為《な》す無きの益有るを知る。言わざるの教え、為す無きの益は、天下之《これ》に及ぶこと希《まれ》なり。

天下之至柔馳騁天下之至堅、無有入無間。吾是以知無為之有益。不言之教、無為之益、天下希及之。

一

読、論じられていることは明らかのようにおもわれる。ところが再読してみると、わるい予感がしてくる。かくてはならじと三読すれば、いよいよ本格的にわからなくなってくる。

苦しまぎれで「柔らかいもの（たとえば水）」「堅いもの（たとえば岩）」「かたちのないもの（である水）」「すきまのないところ（である岩のなか）」と言葉をおぎなって訳している。そうでもしなければ訳せなかったからだが、水と岩という譬《たと》えにすがって訳すというのは、いかにも苦肉の策という感じである。

なんだか底なし沼にはまりこんでゆくような気分になり、テクストからふと目をはなして窓の外をながめていたときである。ひょっとすると、と膝をたたいた。柔らかい（かたちのない）ものが堅い（かたちのある）ものをあやつるという消息は、現代のわれわれにとっては容易にうなづけるところではあるまいか、と。

現代社会はおそろしく高度に情報化されている。かたちのない情報がかたちのある諸資源とひとしい価値をもち、それらによって世のなかは機能している。そのことはインターネットの普及をおもえば首肯されるところだろう。

ソフトがハードをうごかす。バーチャルなものがリアルなものをうごかす。まさにもっとも柔らかいものである情報という「かたち」のないものが、もっとも堅いものである「すきま」のない日常生活をほしいままにあやつっている――そうおもいついて膝をたたいたのだが、頭を冷やして考えてみるに、老子の思想の解釈としてはやはり無理がある。わるくない着想ではあるが、ひとまず反故《ほご》にしておこう。

柔らかいものが堅いものをあやつる、と老子はいう。どうしてそういう逆説的なことが可能であるかというと、それは「有る無きものの間無きものに入る」から、つまり「かたち」のない柔らかいものが「すきま」のない堅いものにはいりこむことができるからである。

（1）「柔らかい」ものとは「かたち」のないものであり、「堅い」ものとは「すきま」のないものである、とはどういうことか。

（2）「かたち」のないものが「すきま」のないものを「あやつる」、「かたち」のないものが「すきま」のないものに「はいりこむ」、この関係はどういうものか。

（1）について考えてみるに、「柔らかい」「堅い」ということと「かたち」「すきま」がないということとは別のことがらである。一方によって他方をあらわすことはできない。

（2）について考えてみるに、「あやつる」ということと「はいりこむ」ということとは別のことがらである。一方によって他方をあらわすことはできない。

そもそも水は「かたち」がないといえるだろうか。たしかにきまったかたちはない。だからどんなかたちにもなれる。とはいえ「かたちのないもの」にはなれない。きまったかたちこそないものの、水はまったくかたちのないもの（つまり物体的ではないもの）ではない。

かたちのないもの（物体的でないもの）であれば、なるほど「すきま」がないところにも浸透してゆけるだろう。とはいえ水はまったく「すきま」がないところには浸透してゆけない。水が岩にしみこんでゆくことを観察することはできる。それは岩に水がしみこむことができる場合だけである（岩ではなく金属であれば水はしみこめない）。だとすると水と岩という譬えは「すきま」のないところに「はいりこむ」

ことの例にはなっていない（そもそも語の意味からして、すきまのないところに「はいる」ということはありえない）。

あえて水と岩という譬喩《ひゆ》をみとめたうえで考えてみよう。というのも老子は「上善《じょうぜん》は水の若《ごと》し。水は善《よ》く万物を利して而《しか》も争わず。衆人の悪《にく》む所に処《お》る。故《ゆえ》に道に幾《ちか》し」（第8章）、「天下に水より柔弱《にゅうじゃく》なるは莫《な》く、而るに堅強を攻むる者、之《これ》に能《よ》く勝《まさ》る莫し」（第78章）というふうに柔弱なものの象徴として水を考えているようだから。

柔らかい水が堅い岩に浸透してゆく。水が岩を「あやつる」のは「かたち」のない水が「すきま」のない岩に「はいりこむ」からである、と考えることは無理だとしても、どのようであれば水が岩を「あやつる」といえるのだろうか。水が岩に「しみこむ」こと？　水が岩を「うがつ」こと？

話はみみっちくなるが、処世術として考えるならば、柔らかいものが堅いものをあやつるということは理解できなくもない。「鳴かぬなら殺してしまえホトトギス」の信長はとりあえず景気はよいが、けっきょく「鳴かぬなら鳴くまで待とうホトトギス」の家康が天下をとった。柳に風とばかり低姿勢ののにたいして力づくのゴリ押しは通用しにくいという事情はあるだろう。

柔らかいものが堅いものをあやつるということをふまえ、老子は「吾れ是を以て為す無きの益有るを知る」という。無為というありかたこそが有益である、と。

水はどうか。水は本来もっている性質そのまま、なんら作為的なことはせず、岩にしみこんだり、重たい金属の船を浮かべたりする。ひとは「為す無き」ものである水を、その性質に手をくわえることなく、それを無為のままに利用する。その意味で水は「益有る」ものである。

なるほど水はそういうものかもしれない。しかし水がそうであるように、はたして万物は「柔らかい」「かたち」のないものとして「堅い」「すきま」のないものを「あやつる」「はいりこむ」ようなありかたができるだろうか。

待てよ、とぼくはふたたび膝をたたいた。さきの（1）について、ひとつ重要なことを見落としていた。老子は「天下の至柔の天下の至堅を馳騁《ちてい》するは」といっているが、ぼくは「至」柔および「至」堅であるということを看過していた。

「至」とは、これ以上はすすめないどんづまりまでゆきつくこと、このうえなく最高であることである。「至柔」とはもっとも柔らかいものであり、「至堅」とはもっとも堅いものである。一般に柔らかいものが堅いものをあやつる、と老子はいっているわけではない。この世のなかでもっとも柔らかいものが、この世のなかでもっとも堅いものをあやつる、といっているのである。

この世のなかでもっとも柔らかいもの（把捉《はそく》しがたいもの）とは、とりもなおさず自然の法則だろう。そしてこの世のなかでもっとも堅いもの（融通《ゆうづう》のきかないもの）とは、この現実の世界だろう。この世のなかでもっとも柔らかいものである自然の法則が、この世のなかでもっとも堅いものである現実の世界をあやつっているのである。

こう考えてくると（2）についても無理なくイメージできる。

この世をしてこのようであらしめている法則性とは、もっとも「かたち」のないものである。われわれの身のまわりに実在する現実の世界は、まさに「いま・ここ」にこのようにある以外のありかたはない。その意味においてもっとも堅く「すきま」のないものである。自然の法則という「かたち」のないものが、この現実の世界という「すきま」のないものの隅から隅まであまねくゆきわたっている。

いま・ここに実在する現実の世界は、これ以外のありかたがはいりこんでくる可能性をもたない。その意味ではゆるぎなく「すきま」のないものである。それにたいして自然の法則は、現実の世界そのものではなく、あるいは現実の世界のなかの一部でもなく、万物のなかのひとつですらない。それはこの世にあまねくゆきわたっている法則性である。それゆえ自然の法則については、たとい水などで譬えてみたところで、なにかしら足りなくなること必至である。

もっとも柔らかいものである自然の法則が、もっとも堅いものである現実の世界をあやつっているという道理について、老子は「吾れ是を以て為す無きの益有るを知る」という。「いま・ここ」にある現実の世界は、現にこのようにあるのであって、ほかのようではありえないような法則性のもとにあるのだから、それを人為的に変更することなどできるわけがない。われわれは「為す無き」であるよりないのである。

そうであるからといって人間の自由がなくなるわけではない。人間はそういう法則性をわきまえて、万物にたいして「益有る」ように、みずから自由にふるまうことができる。否。むしろそういう自然の法則にしたがって生きるというところにこそ、人間の自由がある。老子の「無為」の思想とは、決定論と自由論との対立を止揚《しよう》するところのものであるといえよう。

44

名誉と身体とではどちらが切実なものだろうか（といえば身体である）。身体と財産とではどちらが価値あるものだろうか（といえば身体である）。（名誉であれ財産であれ）得るのと失うのとではどちらが害があるだろうか（といえば得るほうである）。

そうであるから（名誉や財産などに）あまりに執着しすぎると（所有欲にふりまわされて）かえって消耗することになるし、（名誉や財産などを）タップリためこめば（所有することに疲れて）かえってゴッソリうしなうことになる。

（これでよいと）満足することができれば（欲望にふりまわされて）恥辱をこうむることもなく、（これでよいと）分限をわきまえれば（無茶をやらかして）危険にさらされることもない。そうであれば（自然の法則にしたがいながら）いつまでも安らかであることができる。

名と身と孰《いず》れか親《した》し。身と貨と孰れか多し。得と亡《ぼう》と孰れか病《や》む。是《こ》の故《ゆえ》に甚《はなは》だ愛《いと》しめば必ず大いに費《つい》え、多く蔵すれば必ず厚く亡《うしな》

名与身孰親。身与貨孰多。得与亡孰病。

う。

足るを知れば辱《はずか》しめられず、止《とど》まるを知れば殆《あや》うからず。以《もっ》て長《ちょう》久《きゅう》なる可《べ》し。

是故甚愛必大費、多蔵必厚亡。知足不辱、知止不殆。可以長久。

「A与B孰X」というかたちの問いが三つあげられる。「AとBとのどちらがXか」という問いにたいする論理的に可能な答えは四つある。「AのほうがXである」「BのほうがXである」このふたつが典型的な答えである。ただし「AもBもXである」「AもBもXでない」というふたつも論理的に可能である。ふたつの選択肢があるとき、「どちらかひとつは正解だ」という二者択一の発想をもってしまうのはあぶない。それは倒すか倒されるかといった戦いのものの見方である。

正義という錦の御旗《みはた》のもとに悪をやっつけるという発想はよろしくない。かならず正しい答えがあるはずだと考えることは、かならずしも正しくない。正義とは、戦いにおいてどちらか片方に加担することではない。どちらからも中立的な立場からものごとを判断することである。

◆「名誉と身体とではどちらが切実か」

名誉を得られるひとはすくない。たいていのものは凡人で名誉とは縁がない（ぼくも然《しか》り）。しかし偉人であれ凡人であれ、なんぴとといえども身体はもっている。そういう意味では身体のほうが切実だろう。

◆「身体と財産とではどちらが価値があるか」

アリストテレスはすべての行為の究極の目的を「最高善」といい、それが「幸福」であることについては意見が一致しているという(『ニコマコス倫理学』)。幸福のなんたるかについては意見は分かれ、快楽・名誉・富・健康などがあげられる。それらはいずれも幸福そのものではないが、それらなしの幸福というものも考えにくい。幸福そのものではないけれども幸福にとって大切なものである。

財産は得ることや失うことがある。身体はすでにもっているものである。あらためて得ることはなく、ただ失うことがあるだけである。「どちらが切実か」「どちらが価値あるものか」と問うならば、名誉や財産はそれを所有するためにはそもそも身体がなければならない、という存在論的な格差がある。

名誉や財産などの有したり有さなかったりするものより、そもそもそれがなければ名誉も財産ももてないという身体のほうが存在論的により根本的なものであり、その意味で「切実である(いつも、すでに、そこにある)」「価値あるものである(存在論的により重要である)」といえる。名誉・財産と身体とではカテゴリーが異なる。カテゴリーの異なるものを比較することはできない。

◆「得るのと失うのとではどちらが害があるか」

なにを得て、なにを失うのか、の「なに」が明示されていない。しかも、なにを得るのか、なにを失うのか、ということもさることながら、得ることと失うこととのどちらが「害があるのか」という問いにたいしても、すぐには答えられない。

名誉を得ると、それを保持しようとして多くのものをついやし、多くのものを失う。だから名誉を得ることのほうが害になると考えたくなる。だが、名誉を得ることが害になるのは、その名誉を保持しようとするからであって、そこには「名誉を失うことは害がある」ということが前提されている。したがって名誉を得ることのほうが害があると考えることから、名誉を失うことも害があるということがみちびかれる。

なにかを得ることとなにかを失うこととはどちらも害になるという答えもありうる。そう考えることは「名誉を得ることはよいことだ」ということを含意している。名誉を失うことが害なら、そこには「名誉を得ることはよいことである」ということが前提されている。

ここにおいて「ほどほどに名誉を得ることがよく、それで満足するのがよい」という考えに逢着《ほうちゃく》する。老子はいう。「足るを知れば辱しめられず、止まるを知れば殆《あや》うからず。以て長久なる可し」と。

あらゆる名誉や財産を放下《ほうげ》することが老子的にあらまほしき生きかたであるというわけではない。ほどほどの名誉や財産をもち、それで満足する、というのがよい生きかたである。

「ほどほど」とは、身の丈《たけ》にあったという意味である。どれくらいが身の丈にあっているのかという基準は、ほかならぬ「身」があたえてくれる。

身体は、生まれてきたひとなら、たれもがもっているものである。そういう「もって生まれたもの＝身」の教えるところに満足することこそが、いちばんの名誉であり財産である。「ほどほど」ということを見極めることはむつかしい。だが、それは「身」のありかたに留意すればよいのである。

45

（自然の法則の）すばらしく完成したはたらきは、まるで未完成であるかのようにみえるが、そのはたらきはおとろえることがない。（自然の法則の）すばらしく充実したはたらきは、まるで空虚であるかのようにみえるが、そのはたらきはなくなってしまうことがない。

すばらしくまっすぐなものは（ちょうど良薬が口に苦いように、その正直すぎる言葉はかえってマヌケであるかのようにきこえるから）むしろ曲がっているかのようであり、すばらしく巧妙なものは（ちょうど達人のしわざが技巧を感じさせないように、その技術はあまりにも卓越しているから、なにげなく接していると）むしろ稚拙《ちせつ》であるかのようであり、すばらしく雄弁なものは（ちょうど円熟した噺家《はなしか》の藝がそうであるように、ことさら説得しようとしないので、かえって口べたのような風情《ふぜい》をかもして）むしろ訥弁《とつべん》であるかのようである。

（とりあえず寒さ暑さをしのぐだけであれば）にぎやかに動きまわれば寒さをしのげるし、おとなしく静かにしていれば暑さをしのげる。（動きまわるのも静かにしているのもそれぞれ役にたつかのようではあるが、動きまわっているとそのうち疲れてくるけれども静かにしていれば疲れることがないように、能動的・積極的であることはやがて無理をもたらさずにおかないが受動的・消極的であることは自然でいられるというふうに）おだやかに静かであるというのが世界における正しいありかたなのである。

大成《たいせい》は缺《か》くるが若《ごと》きも、其《そ》の用弊《すた》れず。大盈《たいえい》は沖《むな》しきが若きも、其の用窮《きわ》まらず。
大直《たいちょく》は屈せるが若く、大巧《たいこう》は拙《せつ》なるが若く、大辯《たいべん》は訥《とつ》なるが若し。
躁《そう》なるは寒《かん》に勝ち、静《せい》なるは熱《ねつ》に勝つ。清静《せいせい》なるは天下の正《せい》為《た》り。

大成若缺、其用不弊。大盈若沖、其用不窮。
大直若屈、大巧若拙、大辯若訥。
躁勝寒、静勝熱。清静為天下正。

「大X若Y」というかたちの文言が五つあげられる。五つとも「大いなるXはまるでYのようである（が、じつはそうではない）」という中身である。

はじめの「大成は缺くるが若きも」「大盈は沖しきが若きも」の二つは、すばらしく完成・充実している道のはたらきは未完成・空虚であるかのようにみえるが、じつは「其の用」は極まりない、と大いなる道のはたらきかたが逆説的であることを説いている。つづく「大直は屈せるが若く、大巧は拙なるが若く、大辯は訥なるが若し」の三つは、道のはたらきは、「直・巧・辯」なのだが、一見「屈・拙・訥」であるようにみえる、と敷衍《ふえん》している。なんだか「能ある鷹は爪を隠す」みたいな感じである。

「大道は氾《はん》として、其《そ》れ左右す可《べ》し」（第34章）といっていたように、道のはたらきは無限である。ただし「道の道とす可きは常の道に非《あら》ず」（第1章）と喝破《かっぱ》するように、無限のはたらきを万物のぶんざいをもって了知することはかなわない。そのことを諒《りょう》としうるかどうかは、もっぱら万物がおのれの本質的な無知をわきまえるかどうかに存する。

万物をあまねく統《す》べている自然の法則のはたらきは、有限なる万物にたいして超越的であるとともに内在的でもある。無限なる自然の法則のはたらきは万物に十全にゆきわたっている。自然の法則のはたらきは最大であるとともに最小でもある。無限なる自然の法則のはたらきにおいて有限なる万物における矛盾はなくなってしまう（その極限において無限の円は無限の直線であるように）。

よほどの眼力がなければ、「屈・拙・訥」なるもののうちに「直・巧・辯」なるものを洞察することはできない。けれども「大いなるXはまるでYのようである（が、じつはそうではない）」という逆説に肚《はら》の底からうなづきさえすれば、おのずから自然の法則にしたがって生きることがかなう。

「躁なるは寒に勝ち、静なるは熱に勝つ」はいささかおもむきがちがう。寒いときは、寒さのせいでちぢこまり、つい静かになりがちだが、動きまわってからだを温めるほうがよい。暑いときは、暑さのせいでじっとしておれず、つい動きまわりがちだが、静かにからだを休ませるほうがよい。

老子はべつに逆説的なことをいってはいない。ただし、つづく「清静なるは天下の正為り」が直前の内容を受けていると考えれば、ちがった読みかたを工夫できそうである。

「躁なるは寒に勝ち、静なるは熱に勝つ」とは、寒いときには動きまわれば寒さをしのげるが、わざわざ動きまわらずとも、ただ静かにしていれば暑さをしのげる、というのだろう。そう読むならば、つづけて「清静なるは天下の正為り」というのは、動きまわるよりも静かにしているほうが正しいありかたであると説いていることになる。老子は動よりも静のほうを重んずるという理解である。

「躁＝運動」よりも「静＝静止」のほうが好もしいと老子はいう。さわがしく動きまわるよりも、おだやかに静かであるほうが、なるほど自然なありかただろう。ところが世間のひとは得てして静よりも動のほうを評価しがちである。だがじつは「清静」であるほうが「天下の正」なのである。

みぎのように読むことがゆるされるならば、「大成は缺《か》くるが若《ごと》きも」「大盈は沖《むな》しきが若きも」「大直は屈せるが若く、大巧は拙なるが若く、大辯は訥なるが若し」という世間一般の価値観に逆らうような逆説的な言辞から、すんなりとつづけて「躁なるは寒に勝ち、静なるは熱に勝つ。清静なるは天下の正為り」を読むことができる——と窮余《きゅうよ》の一策をひねりだしてみたが、やっぱり無理だろうなあ。寒いときには動くか着込むかするしかしない。そうでないと寒さはしのげそうもない。

「躁なるは寒に勝ち、静なるは熱に勝つ」における「寒・熱」は、世のなかの状況、世間の風潮というふうに読むべきなのだろう。世のなかが「寒」のときは「躁」であるべきで、世のなかが「熱」のときは「静」であるべきだ、と世間の動向とはまったく反対の態度をとるのがよい、と例によって老子は逆説的な姿勢をあらわしている。

現在（2020年）、新型コロナウイルス感染症が猛威をふるっている。感染症が発生しておらず、たれも関心をもっていないときには、それへの注意を熱心に説く必要があった。感染症が蔓延《まんえん》して世間が大騒ぎをしているいまは、むしろ冷静に対策を考えるべきである。

46

世のなかに自然の法則（にしたがった為政）がおこなわれているならば、（有事にあって戦況を知らせるための）足の速い馬はお払い箱となって（平時におけるもっぱら力仕事のための農耕馬として）田畑ではたらいている。世のなかに自然の法則（にしたがった為政）がおこなわれていないならば、（牝馬までが徴用されて）軍馬が郊外にあって（産めよ増やせよと）飼育されることになる。（満足できないという）あやまち（をもたらす原因）は欲望をおさえられないことよりも大きなものはなく、（いくさという）わざわい（をもたらす元凶）は満足することを知らないことよりも大きなものはない。それゆえ満足することを知ったうえで満足するようであれば、いついかなるときも満ち足りていることができる。

天下に道有らば、走馬《そうば》を却《しりぞ》けて以《もっ》て糞《ふん》す。天下に道無ければ、戎《じゅう》馬《ば》郊《こう》に生《しょう》ず。
咎《とが》は得んと欲《ほっ》するより大なるは莫《な》く、禍《わざわい》は足るを知らざるより

天下有道、却走馬以糞。天下無道、戎馬生於郊。
咎莫大於欲得、禍莫大於不知

三　大なるは莫し。故《ゆえ》に足るを知るの足るは常に足る。　――足。故知足之足常足矣。

王《おう》弼《ひつ》本は「禍莫大於不知足、咎莫大於欲得」であるが、意をもって句の順をあらためる。どういう意かというと、「咎は得んと欲するより大なるは莫く」は行為の原因であり「禍は足るを知らざるより大なるは莫し」は行為の結果であると読みたいのである。

「いくさ」という最大の忌《い》まわしい出来事は「得んと欲する」「足るを知らざる」という人間の欲望がもたらすものである。もし人間という生きものがどうしても欲をもたざるをえぬ存在であるとすれば、いくさはついに不可避のことであるようにおもわれる。してみると老子にとっての「足るを知る」とはどういうありかたなのだろう？

得たいという欲にかられると、それが原因となって、ひとは「あやまち」をおかす。そして（あやまちをおかしてまでして）得たものに満足できないと、その結果として、さらなる「わざわい」がみちびかれる。いかにすればこの忌まわしい負の連鎖を断つことができるだろう？

足りないとおもうことは諸刃《もろは》の剣《つるぎ》である。足りないとおもうからこそ欲することが生まれる。なにかを欲するということは生きる力の源泉である。ただし足ることを知らずして欲するならば、それは「あやまち」をみちびき、ひいては「わざわい」をもたらす。

老子は欲を全否定してはいない。人間はどうしたって欲をもたざるをえない存在である。欲をもつことは生きものの本質であるから否定しても詮《せん》ないことである。

「得んと欲する」ことは如何《いかん》ともしがたい。ただし「足るを知らざる」ことはよろしくない。否定さるべきなのは満足できないことである。必要以上に欲することがわるいのであって、ほどほどに欲することは否定されていない。

一切の「欲」を否定してしまえば、そもそも「足るを知る」ということもない。満足するということは欲があってはじめて生ずるものである。「得んと欲する」ことのすべてが「咎《とが》」めらるべきことなわけではない。あくまでも「足るを知らざる」という過度におちいると「禍《わざわい》」がもたらされるのである。

生きてゆくために必要な欲、それは否定のしようがない。そしてその必要最小限の欲が満たされていれば、それで十分に幸せになれる。それ以上の欲をもつことは、かえって不幸せをもたらす。

腹いっぱい食べると苦しくなる。腹八分目がちょうどよい。それ以上のものは生きてゆくうえに必要でない欲である。それを満たそうとすればするほど、かえって欲が増殖し、そのことにはキリがなく、ついに満ち足りることができなくなる。老子から「足るを知るの足るは常に足る」というお墨つきをもらったのだから、生きるうえで欠《か》かせない最小限の欲をもって生きてゆこう。

したがって理屈からすれば、いくさは不可避ではない、と老子は考えているはずである。自然の法則にしたがって生きていれば、すなわち「得んと欲する」にしても「足るを知」ってさえいれば、いくさという忌まわしいことが起こることはない。「足るを知るの足るは常に足る」の「常に」の語に老子の恒久平和へのおもいを掬《きく》すべし。

47

家から（外に）でなくても天下の動向は（居ながらにして）わかり、窓から（外を）のぞかなくても天体の運行は（居ながらにして）わかる。（わざわざ外に）でることが遠くなれば遠くなるほど、ますます（世界は自然の法則にしたがっているという真実を）知ることはすくなくなる。

だから（自然の法則にしたがっている）聖人は、どこへもでかけなくても（世界の真のありようを）知っており、なにひとつ目にしなくても（万物に）名づけ、ことさらに行為しなくても（万事を）なしとげるのである。

戸《こ》を出《い》でずして天下を知り、牖《まど》を闚《うかが》わずして天の道を見る。其《そ》の出づること弥《いよ》いよ遠ければ、其の知ること弥いよ少なし。

是《ここ》を以《もっ》て聖人は行かずして知り、見ずして名づけ、為《な》さずして成《な》す。

不出戸知天下、不闚牖見天道。其出弥遠、其知弥少。

是以聖人不行而知、不見而名、不為而成。

聖人とは不可思議なる「天の道」を体得した神秘的な存在であって、「戸を出でずして天下を知り、牖を闚わずして天の道を見る」「行かずして知り、見ずして名づけ、為さずして成す」ような全知全能のひとである——などというふうに理解すると、まるで経験的な知見を否定しているかのようである。そんなふうに読んだりしたら本章は台無しである。

人間と隔絶した超越的な「天」なるものをしつらえず、事象のありかたのなかに道理をみいだすべし、というのが老子の真意である。そうであってはじめて現実的な知への一歩をふみだすことができる。

外へでるな、自分の内にこそ真理がある。こういう「すでに真理はあたえられている」といったア・プリオリズムは、洋の東西を問わず、さまざまの思想のなかに脈々と流れている。その源流のひとつは、宇宙のロゴス(理法)とおなじロゴス(理性)がこころのなかにあると考えた古代ギリシア哲学、とりわけプラトニズムである。

われわれの理性を「論理学に定式化されるような推論の能力」と考えるならば、論理学は真理をあたえることはできない。前件肯定式(条件法「もしpならばq」がなりたっているときpがいえるならqをいってよい)は、どのようなp、qについてもなりたつ。しかし論理学は真理をのべたpを発見することはできない。われわれのこころのなかにある理性は、あくまで形式的なものである。真理の実質はリアルな経験によってしか得られない。じっさい身をもって経験してみなければ得られない真理がある。

世界を客観的にみること、すなわち対象的にみることは、自分ではないものとして世界をみるということである。世界は自分ではないのだから、自分の頭のなかでいくら考えてみてもわかるはずがない。自分を無にして、つまり純粋な主観にして、経験的に対象をしらべてみるしかない。

老子が「戸を出でずして」「牖を闚わずして」というのは、けっして経験的な検証をしりぞけているのではない。自然の法則は一切にゆきわたっており、わざわざもとめずとも普遍的にはたらいている。だからあちこち出歩いてもとめようとせず、自分のいる「いま・ここ」という最小限の場所にあって、もっぱら自然の法則にしたがって最小限の力でやれることをやるべしといっているのである。

48

学をおさめれば日に日に（人為的な知識が）ふえてくるし、道（という自然の法則）をおさめれば日に日に（人為的な知識が）へってくる。これ（すなわち人為的な知識）をへらしにへらしてゆくと、ついには（不自然なことは）なんにも為さない（という自然の法則にしたがったありかた）にゆきつく。（不自然なことは）なんにも為さない（という自然の法則にしたがった）やりかたは、かえって一切のことをなしとげるのである。

世のなかをおさめるには、いかなるときも（不自然なことは）為さないということが大事である。わざわざ（不自然なことを）為すようでは、とても世のなかをおさめることはできない。

学を為《な》さば日《ひび》に益《えき》し、道を為さば日に損《そん》す。之《これ》を損し又《また》損して、以《もっ》て為す無きに至る。為す無くして而《しか》も為さざる無し。

天下を取るは常に事無きを以てす。其《そ》の事有るに及びては、以て天下を取るに足りず。

為学日益、為道日損。損之又損、以至於無為。無為而無不為。

取天下常以無事。及其有事、不足以取天下。

「学」をおさめると、日をおってなにかがふえてくる。「道」をおさめると、日をおってなにかがへってくる。学と道とが対比され、一方はなにかをふやし、他方はなにかをへらすとのべられている。

老子のいう「学」とは、それを学ぶことによって「日に益」するものである。われわれがイメージしている学問とは、結果的にはさまざまな技術を生みだし、ひとびとの生活の役にたつものであるとしても、さしあたりそういう功利性を度外視した「真理の探究」という営みである。

知識の探究としての「学」とは、いわゆる「無知の知」がそうであるように、自分はなんにも知らないという「無」をふやすことである。別言すれば、本来はあるべきでないものである「有」をへらすことである。ありとあらゆるものを捨てたときに、ありとあらゆるものが得られる。

ブラックホールがどうやってできたのかがわかったとしても、われわれの日々の暮らしにただちに影響があるわけではない。物理学者たちは真理の探究そのものに価値をおいて研究している。それにたいして「日に益」するものであるような「学」は功利性を第一義としている世俗的な営みであり、老子はそれにたいして批判的な立場をとっている。

この老子の姿勢をただちに「反知性的である」とみなすのは早計である。老子はべつに知識の探究そのものを否定しているわけではない。おそらく「学」についての当時の常識を批判しただけだろう。

「学」をおさめることによってふえてくる「なにか」とは現世的な利益だろう。では「道」をおさめることによってへってくる「なにか」とはなにか。素直に考えれば「現世的な利益をもとめる欲望」ということになろう。現世的な利益をもとめる欲望をどんどんへらしてゆくと、やがて「為す無きに至る」。この「為す無き」ありかたこそが老子のもとめる境地である。

「為す無き」とは、現世的な利益をもとめて行動しないということである。現世的な利益をもとめて行動しないとは、目先の利益にとらわれず、大局的な観点からよく考えて行動することである。この「為す無き」ありかたこそが、とりもなおさず「為さざる無」きこと、すなわち一切のことを為すにいたる方途である。

「学」をおさめると現世的な利益がふえ、「道」をおさめると現世的な利益をもとめる欲望がへる——こう解釈することによって、本章はひとまず整合的に読むことができそうである。しかしながら、それでは学をおさめることと道をおさめることとが矛盾するような印象をあたえかねない。

老子の本意《ほい》はさておき、学をおさめることと道をおさめることとが矛盾せぬように読めないものだろうか。

学をおさめることによって日に日にふえてくるのは、自然の法則についての知識である。道をおさめることによって日に日にへってくるのは、自然の法則にしたがわない人為的な知識である。

「学」をおさめるとは、自然の法則についての知識をしっかり身につけることである。自然の法則についての知識を身につけるとは、「常に事無きを以てす」ることである。「常に事無きを以てす」るとは、不自然なことを為さないことである。不自然なことを為さないとは、「道」をおさめることにほかならない。

かくして学をおさめることと道をおさめることとは矛盾しない。学ぶという営みは、たしかに人為のきわみではあるけれども、けっして人為まみれの頭でっかちになることではない。

「学を絶てば憂《うれ》い無し」（第20章）と老子はいっていた。それは学ぶこと全般をやめるという反知性主義の標榜ではなく、あくまでも無理に学ぶことをやめることであった。

学ぶことをせず、あるがままをあるがままに受けいれるだけでは、自然の法則にしたがうことはできない。自然の法則にしたがえなければ、道をおさめることはできない。このことは幾重《いくえ》にも念を押しておきたい。

あるがままをあるがままに受けいれることができるひとにとって「問題はなんにもない」ということになるのだろうか。なにを目でみたり耳できいたりしても「そういうもんだ」とおもえば、そういうもんだということになるのだろうか。

ここは満を持して、キッパリといいきってしまおう——ものごとをあるがままに受けいれるというのは、自然界は自然の法則にしたがっているという真実のありかたを、あらゆる先入見をなくして、さらには楽観的な観測もすてて、真実そのものにおいて問いつづけてゆくことである。

そうであるならば「問題はなんにもない」どころか、そういう生きかたとは問題そのものを発見してゆくことであらねばならない。老子における「為す無くして而も為さざる無し」とは、なにごとも「そういうもんだ」と片づけてしまうだけの安易な態度とは、もっとも懸《か》けはなれたものである。

49

（自然の法則にしたがっている）聖人には（おのれに執着するという）かたくなに凝《こ》り固まったこころはなく、万人のこころをあるがままに自分のこころとする。

善いひとは、わたくしは（善いままに）善いひととみなし、善くないひとも、わたくしは（善くないままに）善いひととみなす（と聖人はいう）。（これが万人のこころをあるがままに自分のこころとするというかたちで）善いありかたを身につけているということである。

信じられるひとは、わたくしは（信じられるがままに）信じられるひととみなし、信じられないひとも、わたくしは（信じられないままに）信じられるひととみなす（と聖人はいう）。（これが万人のこころをあるがままに自分のこころとするというかたちで）信じるというありかたを身につけているということである。

聖人が天下のひとびとを（為政者として）おさめるやりかたは、（万人のこころをあるがままに自分のこころとして）万人のために自分のこころを（万人のそれと）渾然《こんぜん》一体とするのである。万人はそれぞれに耳目をそばだてて（聖人のありさまを）ふりあおぐ。聖人は（万人のこころをあるがままに自分のこころとするがゆえに万人にはそのありかたが分別できず）万人をことごとく赤ん坊のように（もっぱら自然の法則にしたがった無邪気なありかたに）させる。

聖人は常の心無く、百姓《ひやくせい》の心を以《もつ》て心と為《な》す。善《よ》き者は、吾之《われこれ》を善しとし、善からざる者も、吾亦《また》之を善しとす。善を徳とす。信《まこと》なる者は、吾之を信とし、信ならざる者も、吾亦之を信とす。信を徳とす。
聖人の天下に在《あ》るや歙歙《きゆうきゆう》として天下の為《ため》に其《そ》の心を渾《こん》にす。百姓皆其の耳目《じもく》を注ぐも、聖人皆之を孩《がい》とす。

聖人無常心、以百姓心為心。善者、吾善之、不善者、吾亦善之。徳善。信者、吾信之、不信者、吾亦信之。徳信。
聖人在天下歙歙為天下渾其心。百姓皆注其耳目、聖人皆孩之。

「善を徳とす」

「善を徳とす」「信を徳とす」は、この世界をあるがままに善しとし、あるがままに信ずる、というふうに読みたい。どうしてそんなふうに善しとしたり信じたりできるのかというと、この世界が自然の法則にしたがっているということをおもえば、そういうありかたを善しとしたり信じたりするしかないからである。

善いひとであれ善くないひとであれ、信じられるひとであれ信じられないひとであれ、この世界が時間や空間や因果といった概念枠にしたがっているということは否応なく善しとし信ずるよりない。そういう世界のありかたを善しとしたり信じたりしないで、いったいなにを善しとしたり信じたりできるというのだろうか。

「聖人の天下に在るや歙歙として天下の為に其の心を渾にす」は、聖人は天下のひとびとのこころと自分のこころとを渾然一体とするというふうに理解した。蜂屋本は「聖人が天下にのぞむときは、心おだやかにこだわりを持たず、万民のために自分の心から好悪の気持をなくしてしまう」と訳している。「渾」の字をぼくは「いっしょにする」と解し、蜂屋本は「混沌のことで、自分の心から分別を取りさること」と解するというちがいはあるが、ことがらの理解においては軌《き》を一《いつ》にしている。聖人は万人のために万人のこころと自分のこころとを渾然一体とするということ（ぼくの読み）は、聖人は自分のこだわりを捨てて万人のこころを受けいれるということ（蜂屋本の読み）である。

自然の法則にしたがう聖人は、ちっぽけな常識にとらわれることなく、万人のこころに寄り添い、それぞれ多様であるこころをそのまま自分のこころとして受けいれる。

常識的には善いひとや善くないひとというふうに区別されるものも、そのままに善いひととみなす。そのようであってこそ、ひとびとの徳は善いものとなる。常識的には信じられるひとや信じられないひとというふうに区別されるものも、そのままに信じられるひととみなす。そのようであってこそ、ひとびとの徳は信じられるものとなる。

かくして「百姓皆其の耳目を注ぐも、聖人皆之を孩とす」という聖人と万人とのしあわせな関係がもたらされる。万人はそれぞれに聖人のありさまをみてとろうとするが、聖人のありかたは万人には分別できない。聖人は万人をおのれの赤ん坊のようにいつくしみ、万人は聖人に赤ん坊のように無邪気になついている。

「聖人皆之を孩とす」について、聖人が万人を赤ちゃんのようにあつかうのではなく、聖人がみずから赤ちゃんのように安らいでいるというふうに読むのは無理だろうか（無理だろうな）。

無理を承知でそのように読んでみたいような気もするのは、万人を赤ん坊のようにするというふうに読むと、なんだかお釈迦《しゃか》さまが手のひらのうえで万人をもてあそぶみたいだし、ひとつまちがうと万人を天子の「赤子《せきし》」とみなすといった家族国家観のようにとられかねぬからである。

聖人のこころは赤ちゃんのようにあどけなく、善かろうがなんだろうが、信じられようがどうだろうが、万人のこころをすべて受けいれる。赤ちゃんのようにひたすら受けいれるのみである聖人のこころのありようを知ろうとして万人は耳目をはたらかせるが、なにぶん慈愛であふれているのみであるから、しかじかのものとして知りようもない。聖人はというと、ただ赤ちゃんのように無邪気に笑っているばかりである。

万人を赤ちゃんのように無知蒙昧《もうまい》のものとしてあつかうと上から目線でいうのではなく、みずから赤ちゃんのように天真爛漫《らんまん》にほほえむのみであるという読みは、はなはだ愛にあふれており、そう読めるものならそう読みたい気もする。だがそう読もうとすると（ぼくがヒネクレているせいかもしれないが）聖人はみずからを赤ちゃんのように無知無欲の存在であるかのように万人にみせかけるというふうに読めてしまう。やはり無邪気にほほえんでいるのは聖人ではなく万人であってほしいとおもう。

50

（生きものであるからには）生まれてきて死んでゆく（という自然のさだめからはのがれられない）。（とはいえ生きかたはさまざまであり、世のなかの人間をながめてみると）生きている（といえるような生き生きとした生きかたをしている）ものは十人に三人くらいであり、死んでいる（といったほうがよいような生きのわるい生きかたをしている）ものは十人に三人くらいであり、せっかくこの世に生をうけながらけっきょくジタバタしながら死んでゆくものもやっぱり十人に三人くらいはいる。いったいなぜだろう。（そんなふうにみずから生きてゆけなくしてしまうのは）是が非でも生きたいというふうに（自然の法則に逆らって）生きることに執着するからである。

小耳にはさんだところでは（自然の法則にしたがって）生きるということをわきまえたものは、陸地をすすむさいにもトラやサイなどの猛獣にゆきあう（ような危険な密林にゆく）ことはなく、軍隊にとられても武具を身につける（ような危険な戦場にゆく）ことはない。（そういう生命をおびやかすような無茶をしないものには）サイもその角をつきさすスキがなく、トラもその爪をたてるスキがなく、武器もその刃をくわえるスキがない。いったいなぜだろう。そのものには（ことさら生きることに執着するということがなく、わざわざ生命をおびやかすような無茶をすることもないので）死のつけいるスキがないからである。

生を出《い》でて死に入る。生の徒《ともがら》、十に三有り、死の徒、十に三有り、人の生きて、動きて死地《しち》に之《ゆ》く、亦《また》十に三有り。夫《そ》れ何の故《ゆえ》ぞ。其《そ》の生を生とするの厚きを以《もつ》てなり。

蓋《けだ》し聞く、善《よ》く生を摂《おさ》むる者は、陸を行きて兕虎《じこ》に遇《あ》わず、軍に入りて甲兵《こうへい》を被《き》ず。兕《じ》も其の角《つの》を投ずる所無く、虎も其の爪を措《お》く所無く、兵も其の刃《やいば》を容《い》るる所無し。夫れ何の故ぞ。其の死地無きを以てなり。

出生入死。生之徒十有三、死之徒十有三、人之生動之死地、亦十有三。夫何故。以其生生之厚。

蓋聞善摂生者、陸行不遇兕虎、入軍不被甲兵。兕無所投其角、虎無所措其爪、兵無所容其刃。夫何故。以其無死地。

「生

の徒」について、蜂屋本は「生をまっとうする者」と訳し、ぼくは「生きている（といえるような生き生きとした生きかたをしている）もの」と訳している。「死の徒」について、蜂屋本は「早くに死ぬ者」と訳し、ぼくは「死んでいる（といったほうがよいような生きのわるい生きかたをしている）もの」と訳している。蜂屋本の長命・短命という規定は、ひどく曖昧である。ぼくの「生き生きと」「死んだように」は、さらに主観的である。ともに「十に三有り」という統計的な数字をあげるだけの根拠が得られるとはおもいがたい。

蜂屋本もぼくも「生の徒」「死の徒」「人の生きて、動きて死地に之く」をそれぞれひとつの集合としてとらえている。「生の徒」と「死の徒」とは排反的であり、たがいに重複しない。このことに異存はないものとする。すると「生の徒」でも「死の徒」でもないもの四割がのこり、そのうちの四分の三が「人の生きて、動きて死地に之く」ものということになる。

蜂屋本によれば、それは長命ではなく、短命でもなく、ふつうの寿命を生きるものということになるはずである。ところが「生きることに執着し、みだりに行動して死地に向かう者」という訳からすると、むしろ「死の徒」のたぐいのようである。「生きることに執着」するあまり「みだりに行動し」てしまい「死地に向かう」ことになるとは、よくよく生きるのがヘタクソなやつである。

ぼくのように「せっかくこの世に生をうけながらけっきょくジタバタしながら死んでゆくもの」と訳すと、それは生き生きとしておらず、かといって死んだようでもない、いたって平凡に生きているものとなる。死の影にとりつかれているとまではいわないが、なんとなく物見遊山のようにして生きていて、パッとせぬまま死んでゆくものである。

しつこく穿鑿《せんさく》するつもりはないのだが、老子が「生の徒」「死の徒」という排反的な分類項とは別に「人の生きて、動きて死地に之く」ものというカテゴリーをもちだすことが、ぼくは妙に気になっている。

生まれてきたからには死んでゆかざるをえない。ひとは死ぬべきものとして生きている。ひとり人間のみが、おのれは死ぬべきものとして生きているということを省察《せいさつ》できる。みずからの存在を生と死とのかかわりにおいて位置づけることができるというのは、人間ならではの尊厳だろう。

すでに生まれてきたという意味では「生の徒」である。かならず死ぬことになるという意味では「死の徒」である。ひとは「生の徒」であり「死の徒」でもあるといえる。ただし、つねに生きることを感じて生きている「生の徒」寄りのものと、のべつ死ぬことを観じて生きている「死の徒」に近いものとが、それぞれ三割くらいは存在しそうである。

「生の徒」はよくて「死の徒」がわるいというわけではない。どちらにこだわるのも片寄った生きかたである。「人の生きて、動きて死地に之く」ものとは、「生の徒」「死の徒」というほどには片寄ってはいない、ふつうの人間なんじゃなかろうか。

こう考えてよいならば、のこりの一割は、ことさら生に執着するのではなく、いたずらに死を恐怖するのでもなく、死にいたるまで精一杯に生き、従容《しょうよう》として死におもむくものということになる。ふむ。そういう見事な生きかたができるものは、なるほど一割くらいだろう。

「いま・ここ」にあって生きているぼくは、やがて「いま・ここ」において死んでゆく。

生は生であって死ではない。死は死であって生ではない。だが、生は生死の生だし、死は生死の死である。

ぼくは死ぬべきものとして生きている。ぼくの生死そのものは、とりあえず生でもなければ死でもない。「生・死」の二と「生死」の一とは、ぼくにおいて矛盾をはらみつつ一体化している。

自己とは、たんなる「生の徒」「死の徒」のいずれでもなく、またいずれでもある。この生と死とが「二にして一」であるという生死の事実をわきまえたものが、のこり一割の「善く生を摂むる者」ではなかろうか。

こういう話をきいたことがある、と老子はつづける。「善く生を摂むる者」は、山中であろうが、戦場であろうが、いかなる場合にもあぶない目にあわないらしい、と。

蜂屋本は「善く生を摂むる者」について「体道者のこと」と注し、かれがあぶない目にあわないことについては「精気の充実した赤ん坊は猛獣や猛禽に襲われないという思想がある」と注している（これは第55章の「徳を含むことの厚きは、赤子《せきし》に比す。蜂蠆虺蛇《ほうたいきだ》も螫《さ》さず、猛獣も拠《つか》まず、攫鳥《かくちょう》も搏《う》たず」を念頭においての注だろう）。

この道を体得したものを「精気の充実した赤ん坊」に譬《たと》えるという読みは、まったく無力のようでありながら、不可思議千万にも一切の危険をまぬかれうる、といった「道」を神秘化するような解釈である。ぼくは「善く生を摂むる者」とは超人的な「体道者のこと」ではなく、生死の事実をわきまえたうえで自然の法則にしたがって生きるもののことであると理解したい。

その生きかたは、なにも「精気の充実した赤ん坊は猛獣や猛禽に襲われない」といった神秘的なことではない。トラやサイなどの猛獣におそわれぬよう、戦場にあっても生きのびられるよう、自然の法則をふまえて危険を回避すべく工夫するというあたりまえのものである。

「善く生を摂むる」とは、自然の法則をおもんぱかって生きのびることである。そういう自然の法則にしたがっているものの生きかたは、積極的・能動的・強気な「生の徒」の生きかたではなく、さりとて消極的・受動的・弱腰な「死の徒」のそれでもない、ちゃんとバランスのとれた合理的な生きかたである。

ふつうの人間は「生きて、動きて」というプロセスの果てに「死地に之《ゆ》く」ことになる。あわてて死のうとすることもなければ、むやみに死におびえることもない。

現に生きているときには、生や死に片寄ることなく、自然の法則にしたがって生きてゆけばよい。そういう生きかたを、老子は「夫れ何の故ぞ。其の死地無きを以てなり」と称しているのではなかろうか。ひとはいずれ死ぬ。しかし自然の法則にしたがって生きていれば、むやみに死につけいられることはない、と。

老子は「生の徒」「死の徒」「人の生きて、動きて死地に之く」もの三者すべてについて否定している、というか慨嘆している。これら三者に共通するのは「其の生を生とするの厚き」ことである。三者ともに生きることに執着している。「生の徒」三割、「死の徒」三割、「人の生きて、動きて死地に之く」ものの三割、都合九割のものは生に執着しすぎている。のこりの一割のものだけが「善く生を摂むる者」であるというのが掛け値なしの現実である。

51

道が万物をつくりだし（道のはたらきである）徳が万物をやしなうと、（道および徳によって）万物があらわれ、万物どうしのかかわりができる。だから万物はみな（おのれをつくりだす）道をうやまい（おのれをやしなう）徳をとうとばぬものはない。

道がうやまうべきであり徳がとうとぶべきであるのは、（道や徳に）たれかが命令して万物をつくらせ、やしなわせるといった（道や徳を超えるもののはからいによってそのようであるといった）ふうではなく、いつでも（道や徳それ自体のありかたとして）おのずからそのようであるからである。

このようにして道が万物をつくりだすと、徳は万物をやしない、ふやし、そだて、やすらげ、みたし、はぐくみ、まもる。（ところが徳はこのように万物を）そだてあげても（わがものとして）所有せず、はたらきかけても自慢せず、ふやしても支配しない。これが玄妙なる徳（という道のはたらき）である。

道之《これ》を生じ、徳之を畜《やしな》い、物之を形《あらわ》し、勢《いきおい》之を成す。是《ここ》を以《もつ》て ―― 道生之、徳畜之、物形之、勢成万物は道を尊《とうと》びて徳を貴《とうと》ばざる莫《な》し。

道の尊く、徳の貴きや、夫《そ》れ之に命ずる莫くして常に自《おの》ずから然《しか》り。

故《ゆえ》に道之を生じ、徳之を畜《やしな》い、之を長じ、之を育《はぐく》み、之を亭《やす》んじ、之を毒《あつ》くし、之を養《やしな》い、之を覆《おお》う。生ずれども有せず、為《な》せども恃《たの》まず、長《ちょう》ずれども宰《さい》せず。是《これ》を玄徳《げんとく》と謂《い》う。

之。是以万物莫不尊道而貴徳。

道之尊、徳之貴、夫莫之命而常自然。

故道生之、徳畜之、長之、育之、亭之、毒之、養之、覆之。生而不有、為而不恃、長而不宰。是謂玄徳。

万物の存在にかんして、道が「生」み、徳が「畜・長・育・亭・毒・養・覆」する。道が万物を生んだあとは、もっぱら徳が万物の世話をするようである。

蜂屋本が「本章は『道』の造化の働きを述べている」というように、まずは根源的な実在である道があり、その造化のはたらきとしての徳がある、というふうに読むのがふつうである。が、ぼくは根源的な実在などというものを信じていない。そして老子もまた信じていないという立場で『老子』を読みたいとおもっている。

ぼくは「根源的な実在」「絶対的な一者」なるものの措定をしりぞけるという立場なのだが、ひとつ老子のマネをしてそのことを譬喩《ひゆ》をもって語ってみよう。

床にこぼれた水滴は球になる。とがったところのある立体はエネルギーが最小の状態でない。とがったところが表面張力でひっぱりあって平衡状態《へいこう》になろうとする。水の分子どうしがひっぱりあって、できるだけ表面積のちいさい立体になろうとする。体積が一定で表面積が最小の立体は球である。最小作用の原理がはたらいている（作用とは「エネルギー×時間」つまり全仕事量のことである）。そういう自然の法則があるのであって、神・天みたいな超越的な一者が「球になれ」と命じているわけではない。水の分子はただ自然の法則にしたがっているだけである。

生きものでも譬《たと》えてみよう。渡り鳥が「く」の字のように隊列をくんで飛んでゆく。一羽の渡り鳥のリーダーがいて「くの字に整列せよ」と命令しているわけではない。おのおのの鳥はたがいに仲間の鳥たちとの関係をうまく按配《あんばい》しているだけであるが、結果として「く」の字になる。

個別のものが周囲のありように対応するという局所のルールにしたがっていると、いつのまにか全体において秩序めいたありさまがかたちづくられる。そういう現象はしばしば自然界にあらわれる。それは自然の法則にしたがっているのである。

生きものは環境にたいする認知能力（すなわち知性）をもっているが、その能力はなにかしら中心的な存在がイニシアチブをとって差配するという仕方でそなわるものではない。知性とは、生きものが環境との相互作用のなかでおのずから然るべき関係をもつという関係形成能力である。知性もまた自然の法則にしたがっている。

「道之を生じ、徳之を畜い」云々《うんぬん》というのが万物生成の大筋であるが、「物之を形《あらわ》し、勢之を成す」というふうに万物相互の関係において、万物はすがた（形）をあらわし、はたらき（勢）がさだまる。

しかもその万物相互の関係はというと、「夫れ之に命ずる莫くして常に自ずから然り」というように、道や徳が万物に命じてそうであるというのではなく、万物みずからがそうなのである。万物みずからがそうであるということ、そこにこそ道のうやまわれるべき、また徳のとうとばれるべき所以《ゆえん》が存する。

万物はそれぞれ相互にはたらきあいつつ存在しているが、それは道・徳から万物へとトップ・ダウンで命ぜられるようなものではない。道・徳は万物をつくりだし、やしなうだけであって、けっして所有・自慢・支配しようとはしない。

ひとつ（一）はすべて（一切）と連関しており、その相互連関において万物は存在している。ものとものとはたがいに関係し、ものが変化すれば関係が変化し、関係が変化すればものが変化する。ものどうしの関係がたがいに包摂しあいながら変化することによって世界は重畳的《ちょうじょう》にかたちづくられてゆく。部分と部分との相互作用によって全体が形成されるとともに、その全体がまた部分に反映し、全体と部分との相互関係がくりかえされることによって世界がかたちづくられる。全体において部分があり、部分において全体がある。そういったミクロの部分とマクロの全体との不断のフィードバック・ループをあらわすに、老子は「道・徳」をもってする。

「道の尊く、徳の貴きや、夫れ之に命ずる莫《な》くして常に自ずから然り」というように、渾沌《こんとん》と秩序とのあいだに均衡がたもたれながらネットワークがかたちづくられることは、万物のあずかり知らぬかたちで「之に命ずる莫くして常に自ずから然り」というふうに実現されてしまっている。

善悪といった倫理的な判断の場合、観点や立場において相対的に主張することが可能である（第2章）。

たとえば酒を飲むことは、快楽という観点からは善であるが、健康という観点からは悪でありうる。しかしながら真理の判断の場合、相対主義的な主張はむつかしそうである。

科学的な発見とは新たな概念の提案である。それは現象についての新たな見方をもたらしてくれるかぎりにおいて有用なのであって、それ自身が真であったり偽であったりするわけじゃない。新たな概念の提案は新たなものの見方をもたらしてくれるけれども、われわれのものの見方にはわれわれの経験の可能性（つまり生活のありかた）が反映されている。

まっとうな相対主義者なら是非ともしりぞけるべき考えかたがある。それは「すべての知識が原理的にそれへと還元されうるような完全に真なる世界の語りかたがある」という幻想である。完全に真なる世界の語りかたを可能にするもの（たとえば宇宙の根源とか）の象徴としての「道」なるものがある、というフィクションをつづってはならない。

世界を完全に語ることが不可能であることは、世界についての語りが当の語るものの自己言及をふくみうるかということを考えてみるだけで容易に理解できる。もし世界を完全に語ることが可能であるならば、世界を語るものが世界についての語りの一部としてふくまれることになり、語るものと語られるものとのあいだに、すなわち世界を語ることの部分と全体とのあいだに、完全な相似が成立することになるはずである。

語りは、その語ることにおいて、絶えずこの世界を超えいでてゆく。もし相対主義がゆるされるとしたら、それは「観点は絶えず新たに生成されうる余地をもつ」というかぎりにおいてだろう。すべてを語りつくすことができないからこそ、おなじ世界についてさまざまに語りうるのである。

52

この世には（世界があるという）はじまりがあり、その（世界があるという）ことを（この世の）母という。母のありかたがわかって、はじめて（母によって生みだされた）子のありかたがわかる。子のありかたがわかって、はじめて（子を生みだした）母のありかたをまもることができる。（この世を生みだす母と生みだされる子との親密な関係がわかれば）死ぬまであぶない目にあうことはない。（この世を生みだす母と生みだされる子との親密な関係をわきまえて、外界との無用なかかわりをもたらすものにふりまわされぬように）おのれの感覚の穴をふさぎ、おのれの欲望の通りみちをとざせば、（おのれの生命を浪費することなく）死ぬまで疲れることはない。（いたずらに外界とかかわって）おのれの感覚の穴をひらき、その（感覚によってもたらされる）営みにふりまわされれば、死ぬまで救われることはない。（感覚によってはとらえられない）微細なものごとまでわかることを明るいといい、柔軟さをたもちつづけることを強いという。その（感覚によるのではない明るさや強さにささえられた内なる）光をはたらかせ、（この世を生みだす母と生みだされる子という微細かつ柔軟な関係をわきまえるという）明るさにたちかえり、おのれの身にわざわいがふりかからぬようにする。そういうありかたを変わらぬもの（すなわち自然の法則にしたがうすべ）を身につけているという。

天下に始め有り、以《もっ》て天下の母と為《な》す。既《すで》に其《そ》の母を得《え》、以て其の子を知る。既に其の子を知り、復《ま》た其の母を守る。身を没《ぼっ》するまで殆《あや》うからず。

其の兌《あな》を塞《ふさ》ぎ、其の門を閉ざさば、身を終《お》うるまで勤《つか》れず。其の兌を開き、其の事を済《な》さば、身を終うるまで救われず。

小を見るを明と曰《い》い、柔を守るを強と曰う。其の光を用いて、其の明に復帰し、身の殃《わざわい》を遺《のこ》す無し。是《これ》を習常《しゅうじょう》と為す。

天下有始、以為天下母。既得其母、以知其子。既知其子、復守其母。没身不殆。

塞其兌、閉其門、終身不勤。開其兌、済其事、終身不救。

見小曰明、守柔曰強。用其光、復帰其明、無遺身殃。是為習常。

万物には「はじまり」がある。「はじまり」があれば、当然「おわり」もある。ものごとには「はじまり」と「おわり」とがあるという一般的な原理、それは因果律ともいうべきものである。そのはじまりを「母」とみなしてみよう。するとそこから生まれてくるもの、つまり結果としての万物は、これを「子」になぞらえることになる。

ものごとの因果関係を、父子関係のような命令服従の関係ではなく（あくまでも譬喩《ひゆ》的にであって、もちろん強権的でない父親もいる）子の成長をみまもる母によってイメージするのである。

母子の関係においては、子自身に成長の原理が内在しており、母はそれをみまもっている。ものごと自体にそのなりゆきの原理が内在しており、それを自然の法則がささえている。ものごとの存在の仕方は超越的な一者が命令するというトップ・ダウンの関係ではない。

ひとは視覚や聴覚などの五感をとおして世界をとらえる。そうやって外界から受けとったデータについて、さまざまな解釈を意識的におこない、それを言語によって表現する「外界からのデータを受けとる」という受動性と、「受けとったデータを概念的に解釈する」という能動性と、老子はどちらのほうに認識のありかたをもとめているのだろう？

五感をとおして得られる感覚は、ひとをあざむく可能性をもっている。たとえば「幽霊かとおもったら枯尾花《かれおばな》であった」と頭をかく経験主義者がいるように。さりとて知性によってつむがれる知識もまた確実であるとはかぎらない。たとえば「神は存在する」という信念をいだく合理主義者もあるように。

ひとはさまざまの経験をする。もし経験のみが認識をささえているとすれば、ひとは自分の経験を超えたことについてはなにひとつ知ることはできないという懐疑論におちいらざるをえない。すると「天下に始め有り、以て天下の母と為す」などということは絵空事の最たるものになってしまう。自然の法則にしたがって生きているものであれば、自然の法則をみずからの経験に内在し、経験をつらぬく理法としてわきまえられるから、自然の法則にしたがっていることを絵空事とはみなさぬであろう。

感覚の穴をふさぎ（感覚に惑わされず）こころの通りみちを閉ざす（感情や欲望に流されない）ということが認識にとって肝要なことである、と老子はいう。あくまでも客観的であれといっているのであって、ものごとの正確な認識にとって感覚はジャマなものであるなどと考えているわけではない。われわれにとって感覚とは、かけがえのない世界への通路である。

「其の兌を塞ぎ、其の門を閉ざ」すというのは、目にみえるもの耳にきこえるものに執着せず、ひとまずカッコにいれておくということだろう。感じとったことが正しいかどうか、すぐに判断するのではなく、いったん判断停止して、その判断そのものをみてみる。判断の是非にとらわれると判断そのものがみえなくなる。だから現に身に起こっていることそれ自体をみようとしてみる。

あえて目を節穴にして、感じているのに感じていないことにするというのではない。さまざまの感覚にもとづいた経験をかさねながらも感覚の皮相にとらわれないようにつとめるのである。老子はけっして感覚や欲望を全否定しているわけではない。

老子はつづけて「小を見るを明と曰い、柔を守るを強と曰う。其の光を用いて、其の明に復帰し、身の殃《わざわい》を遺す無し。是を習常と為す」という。キメこまかく観察し、柔らかな発想をするというふうに光かがやく知性をもちいれば、自然の法則にしたがってものごとをとらえることができ、身にわざわいがふりかかることはなくなる。

老子は「小・柔」という最小限のことの経験をすすめる。やはり経験をまったく否定しているわけではなさそうである。「光」をはたらかせることによって、経験それ自体のうちに知の可能性をみいだすべし、とうながしている。

53

わたくしがいささかなりとも（自然の法則にしたがった生きかたを）わきまえているならば、大いなる道をゆくにあたっては、もっぱら（やらずもがなの不自然なことを）やってしまいはせんかということのみを恐れる。大いなる道はこのうえなく平坦である（からただ自然の法則に身をまかせているだけでよい）にもかかわらず（やらずもがなの不自然なことをやろうとするもんだから、目先のことにとらわれて）ひとびとはどうしても脇道にそれたがる。

朝廷がうつくしく掃《は》き清められているのにひきかえ（ひとびとが暮らしている）田畑は荒れ放題に荒れはて、米倉はカラッポでたくわえもないというのに、（やらずもがなの不自然なことをやっておる俗吏どもときたら）派手な服を身にまとい、立派な剣を腰におび、たらふくご馳走を食らい、しこたま財産をためこんでいる。これこそ極めつきの悪党にほかならない。道にはずれることはなはだしい。

我をして介然《かいぜん》として知ること有らしめば、大道《たいどう》を行くに、唯《た》だ施《ほどこ》

使我介然有知、行於大道、唯

すを是《こ》れ畏《おそ》る。大道は甚《はなは》だ夷《たい》らかなるに、而《しか》るに民《たみ》は径《こみち》を好む。朝《ちょう》は甚だ除《きよ》められ、田は甚だ蕪《あ》れ、倉は甚だ虚《むな》しきに、文綵《ぶんさい》を服《ふく》し、利剣《りけん》を帯《お》び、飲食《いんしょく》に厭《あ》き、財貨余り有り。是《これ》を盗夸《とうこ》と謂《い》う。道に非《あら》ざるかな。

施是畏。大道甚夷、而民好径。朝甚除、田甚蕪、倉甚虚、服文綵、帯利剣、厭飲食、財貨有余。是謂盗夸。非道也哉。

「唯施是畏」の「施」について、蜂屋本は「『邪』や『斜』の意味で、邪道のこと」と注して「わき道に入りこむことだけを恐れる」と訳している。「大道」と「径」との対比を考えれば蜂屋本のように「邪曲」の意にとるほうが妥当かもしれない。しかし王弼《おうひつ》が「施為」と注するのにしたがって「行為」の意に解しておく。

「大道は甚だ夷《たい》らかなるに、而るに民は径《こみち》を好む」というのは、自然の法則にしたがって生きるというのはシンプルな生きかたであるが、世間のひとびとは複雑なものでないとありがたがらないもんだから、わざわざ狭苦しい生きかたをしたがる、といった皮肉っぽい口吻《こうふん》であるような気がする。

「朝は甚だ除《きよ》められ、田は甚だ蕪《あ》れ、倉は甚だ虚しきに」とは、いまの日本の行政のありさまそのものではなかろうか。都会が繁栄すればするほど、地方は過疎がすすみ、とりのこされた田舎は荒廃するばかり。

「朝甚除」の「除」について、蜂屋本は「『除』は『塗（よごす）』と通じて、『汚』の意味」と注し、

「朝廷では汚職邪悪がまかり通り」と訳しているが、王弼が「除、潔好也」と注するように「手入れがゆきとどき、キレイに掃き清められている」と掃除の除の意味でとっておきたい。朝廷だけはキレイさっぱり掃除がゆきとどいているが、庶民のいる田畑は荒れはて、米倉はカラッポである。けしからん、と老子は政道を批判しているのである。

庶民の暮らしは困窮しているというのに、お上はてんで無策で、おまけに汚吏《おり》どもは私腹を肥やしておる、と老子はいきどおっている。

経済が破綻しているというのに、為政者が「文綵を服し、利剣を帯び、飲食に厭き、財貨余り有り」であるというのは、なんにもやっていないのではなく、やらずもがなのことばかりやっているのである。為すべきことは為さず、為すべからざることを為すとは、まさに「盗夸《ぬすつと》」のようなしわざである。「道に非ざる」ことおびただしい。

為政者の為すべきこととはなにか。大いなる道をゆくこと、つまり自然の法則にしたがって施策することである。具体的には、税を正しく徴収し、その財で為すべきこと（福利厚生を充実させたり、インフラを整備したり）を為すことだろう。

自然の法則にしたがうことは「なんにも為さない」ことではない。「我をして介然として知ること有らしめば」というとおり、しっかりと「知」をはたらかせればこそ自然の法則にしたがうことができるのである。

54

（自然の法則にしたがって力強く）建てられたものは倒れることがなく、（自然の法則にしたがって優しく）抱えられたものは落っこちることがない。（自然の法則にしたがっている家の）子孫はいつまでも祖先をまつってとだえさせることがない。

自然の法則がひとりの身でしっかりおさめられていれば、その（ひとりの身の）功徳《くどく》はたしかなものである。自然の法則がひとつの家でしっかりおさめられていれば、その（ひとつの家の）功徳はあまりあるものである。自然の法則がひとつの村でしっかりおさめられていれば、その（ひとつの村の）功徳はながくつづく。自然の法則がひとつの国でしっかりおさめられていれば、その（ひとつの国の）功徳はゆたかである。自然の法則がひろく天下でしっかりおさめられていれば、その（ひろい天下の）功徳はあまねくゆきわたる。

だから、ひとりの身が自然の法則をちゃんとおさめているかどうかをみることによって（ひろく天下の）身がおさまっているかどうかがわかり、ひとつの家が自然の法則をちゃんとおさめているかどうかをみることによって（ひろく天下の）家がおさまっているかどうかがわかり、ひとつの村が自然の法則をちゃんとおさめているかどうかをみることによって（ひろく天下の）村がおさまっているかどうかがわかり、ひとつの国が自然の法則をちゃんとおさめているかどうかをみることによって（ひろく天下の）国がおさまっているかどうかがわかり（というふうに）、天下（の部分）が自然の法則をちゃんとおさめているかどうかをみることによって天下（の全体）がおさまっているかどうかがわかる。わたくしがどうやって天下が（おさまっているかどうかということを）わかるのかといえば、この（ようにひとつの身・家・村・国で自然の法則がしっかりおさめられているかどうかをみる）ことによってである。


善《よ》く建つる者は抜けず、善く抱《いだ》ける者は脱《お》ちず。子孫以《もっ》て祭祀《さいし》して輟《や》めず。

之《これ》を身に修《おさ》むれば、其《そ》の徳乃《すなわ》ち真《まこと》なり。之を家に修むれば、其の徳乃ち余る。之を郷に修むれば、其の徳乃ち長《ひさ》し。之を国に修むれば、其の徳乃ち豊か。之を天下に修むれば、其の徳乃ち普《あまね》し。

故《ゆえ》に身を以て身を観《み》、家を以て家を観、郷を以て郷を観、国を以て国を観、天下を以て天下を観る。吾《われ》何を以てか天下の然《しか》るを知るや。此《これ》を以てなり。


善建者不抜、善抱者不脱。子孫以祭祀不輟。

修之於身、其徳乃真。修之於家、其徳乃余。修之於郷、其徳乃長。修之於国、其徳乃豊。修之於天下、其徳乃普。

故以身観身、以家観家、以郷観郷、以国観国、以天下観天下。吾何以知天下然哉。以此。

男性がその力強さで建てたものは倒れない。女性がその優しさで抱いたものは落っこちない。男性が力強さで建てたものとは、たとえば家の柱である。女が優しさで抱いたものとは、たとえば家の子どもである。そのように男女がそれぞれよく建て、よく抱くというふうに自然の法則にしたがって為すべきことを為しているならば、その家の子孫はすえながく栄えつづけるだろう。

老子がこのようにいうとき、かれの脳裏にはひとつの「家」がイメージされていただろう。それは建てものとしての一軒の家であり、また代々うけつがれてきた名跡《みょうせき》でもある。

男性的な力強さと女性的な優しさとは相俟《あいま》って家をまもるのではあるが、どちらかといえば建てものとしての家は男性の力強さでまもられ、代々うけつがれてゆく名跡は女性の優しさでまもられるだろう。一軒の建てものとしての家屋であれ、共同体としての家庭・家族であれ、それを維持するためには、しっかりとした支柱（大黒柱）としての主人がいて、そこに成員をあたたかくつつみこむような母の存在がくわわることによって、はじめて子孫繁栄するような家になりうる。家をささえるふたつの役割を男性と女性とに固定することはジェンダーにかんする先入見をもたらすことになるが、いずれにせよ家の維持にはふたつの役割があるというのが老子の見解である。

自然の法則にしたがって家をささえるさい、男性的な力強いありかたと女性的な優しいありかたとのふたつが相俟ってはじめてそのことは首尾よく成就《じょうじゅ》される。これを受けて、ひきつづき「之をXに修むれば、其の徳乃ちYなり」というかたちで五つの事例が示される。

「之」とは自然の法則（にしたがうこと）である。変項の値は、Xが順に「身・家・郷・国・天下」であり、Yが順に「真・余・長・豊・普」である。ひとりの身であろうと、ひとつの家であろうと、為すべきことを為せば、すなわち自然の法則を「修む」れば、それが「徳」をもたらすであろうという道理は、村・国・天下にあってもおなじことである。

この五つの事例を受けて、さらに「Xを以てXを観」るというかたちでダメ押しのように五つの事例があげられる。

蜂屋本はこれを「個人の身を修める道によってその身を観察し、家を治める道によって家を観察し、郷を治める道によって郷を観察し、邦を治める道によって邦を観察し、天下を治める道によって天下を観察する」と訳している。「Xをおさめる道によってXを観察する」という読みである。ひとつのXが道をおさめているかどうかをチェックすることによってXのありかたを観察するという、ひとつのXに限定されたチェックについていっているという理解である。

ぼくは「ひとつのXが自然の法則をちゃんとおさめているかどうかをみることによって（ひろく天下の）Xがおさまっているかどうかがわかる」というふうに訳している。「ひとつのXをもって天下のXを観」るというふうに理解したい。ひとつから天下へというXを拡大するようなチェックの仕方をいっているという読みである。そう読んだほうが「吾何を以てか天下の然るを知るや。此を以てなり」への連絡がよいとおもった次第である。

Xのなにをみるのかといえば、Xの道、つまりXが自然の法則にしたがっているかどうかである。道はもちろん普遍的ではあるが、それは「身・家・郷・国・天下」という領域ごとにそなわりうるものであり、また「真・余・長・豊・普」というふうに領域なりにはたらきうるものである。

なぜそういうふうに理解するかというと、「之をXに修むれば、其の徳乃ちYなり」というふうに、自然の法則とは「之をXに修む」ることができるものだからである。自然の法則とは、ある領域を設定したうえで、その領域において成立しうるなにかである。「Xを修む」ることによって得られる「徳」がそれぞれの領域で異なっていることからも、このような自然の法則の性格がうかがわれる。

ここにおいて「修」むべき自然の法則とは、老子はことさら明示してはいないけれども、あらゆる領域において成立している規則性のことであろうとおもわれる。

しかも個人（身）・家族（家）・村落共同体（郷）・村落の集合体（国）・国の集合体（天下）のそれぞれの領域におけるそれぞれの規則性は、個々別々のものであるにもかかわらず、各領域においてそれぞれのありかたをして然《しか》らしむるべくはたらいているということでは共通している。そこに「道」の普遍性がある。

こういう法則の概念は、現代のわれわれにはなじみのあるものである。しかし老子の時代にあっては画期的な思想だったのではなかろうか。

しかも老子は、Xの変域が順に「身・家・郷・国・天下」と変わってゆくように、それぞれの領域における法則性が異なりつつも連関しているといった社会（政治）哲学の萌芽ともいえる考えをいだいていたようである。

55

（自然の法則にしたがっているものが）徳をゆたかにそなえていることは、譬《たと》えてみれば赤ん坊のようなものである。（赤ちゃんにたいしては）ハチやサソリやマムシであってもおそいかかったりせず、猛獣もつかみかからず、猛禽《もうきん》もとびかからない。骨格はよわよわしく筋肉もやわらかいけれども、ゲンコツをしっかりとにぎりしめている。まだ男女のまじわりについては知らないのに（その肉体が）欠《か》けるところなくそなわっているのは（生きものとして）精気がそこなわれていないからである。一日中泣きつづけても声がかれないのは（生きものとして）調和がたもたれているからである。

調和をわきまえていることを永遠といい、永遠をわきまえていることを明知《めいち》という。（無理に）生きのびようとすることを「わざわい」といい、（無理に）気力をふるいたたせようとすることを「つよがり」という。ものごとは（自然の法則にしたがうのでなく力にたよって）いたずらに強壮をほころうとすると（無理をすることになるから早々に）老衰がやってくる。これを自然の法則にはずれたふるまいという。自然の法則にはずれたふるまいは（ながつづきせず）ゆきづまること必至である。

徳を含むことの厚きは、赤子《せきし》に比《なぞら》う。蜂蠆虺蛇《ほうたいきだ》も螫《さ》さず、猛獣も拠《つか》まず、攫鳥《かくちょう》も搏《う》たず。骨弱く筋柔《きんやわ》らかくして而も握ること固《かた》し。未《いま》だ牝牡《ひんぼ》の合《ごう》を知らずして而も全《まった》く作らるるは、精の至りなり。終日号《な》いて而も嗄《か》れざるは、和の至りなり。

和を知るを常と曰《い》い、常を知るを明と曰う。生を益《ま》すを祥と曰い、心気を使うを強と曰う。物は壮《さか》んなれば則《すなわ》ち老《お》ゆ。之《これ》を不道と謂《い》う。不道は早く已《や》む。

含徳之厚、比於赤子。蜂蠆虺蛇不螫、猛獣不拠、攫鳥不搏。骨弱筋柔而握固。未知牝牡之合而全作、精之至也。終日号而不嗄、和之至也。

知和曰常、知常曰明。益生曰祥、心使気曰強。物壮則老。謂之不道。不道早已。

徳

をそなえたものとは赤ちゃんのようなものだというのはユニークな譬《たと》えだとおもう。とはいえハチもサソリもマムシも禽獣もおそいかからないというのは眉ツバである。むしろ赤ちゃんは無防備でおそわれやすい。だからそれを庇護するために親は必死にならざるをえない。それでも何割かはおそわれて餌食《えじき》になる。だからそれ以上の数の子を産むというのが生きもののとる戦略である。

人間の赤ちゃんも弱いのはいっしょである。だが、まわりの人間にまもられているおかげで被害にあうことはすくない。

老子がこの譬えでいいたいのは、「赤ちゃんの強さは、まさにその弱さにある」ということだろう。たれであろうとも赤ちゃんのことはまもろうとする。赤ちゃんは絶対的に弱いので、まわりの人間はまもらずにおれない。だから強いのである。

赤ちゃんは「骨弱く筋柔らかくして而も握ること固し」であるが、骨は弱く筋も柔らかいゲンコツを固くにぎりしめていても、そのゲンコツで自分をまもっているわけではない。赤ちゃんはただ可愛らしくゲンコツをにぎりしめているだけである。オトナのほうがそれをほうっておけないのである。

赤ちゃんは、無邪気に（つまり自然のままで）元気よく、精気にあふれ、調和がたもたれている。しかも無防備であるがゆえに、たれもがまもってくれる。それにひきかえ世間のオトナは、無理に（つまり自然でなく）元気をだそうとし、気力をふるいたたせている。自立してはいるが、もがきつつ生きてゆかねばならない。

徳のあるひとは、世間のオトナとはちがって、赤ちゃんのように無邪気である。だから本人はまもられようと意識してはいないのだが、まわりの人間がまもってくれる。なんにも小細工しなくたって、まわりが盛りたててくれる。甘いような気もするが、そういう人心の機微《きび》はたしかにあるだろう。

自然にふるまいながら、しかも可愛げがある。天然ボケのようでいて、そのくせ一目置かれている。好き放題にやりながら、世間の軌道をふみはずすことがない。よい歳のオトナになって赤ちゃんのように純真無垢にふるまおうとしても、なかなか容易ならざるものがあろう。

愛すべき稚気《ちき》と度しがたい愚昧《ぐまい》とは紙一重である。娑婆《しゃば》の水につかりきっているオトナとしては、あどけない赤ちゃんのようであることはむつかしい。けれども、せめて「和を知る」「常を知る」ことにつとめ、「生を益す」「心気を使う」ことはしりぞけたい。

「和を知るを常と曰い、常を知るを明と曰う」はよいことであるとして、つづく「生を益すを祥と曰い、心気を使うを強と曰う」について、蜂屋本は「生きることに執着《しゅうじゃく》することを妖祥《わざわい》といい、欲の心が気持ちを活動させることを頑張りという」と訳し、ぼくは「生きのびようとすることを『わざわい』といい、気力をふるいたたせようとすることを『つよがり』という」と訳している。ともにわるいこととして理解している。いまにしておもうに、これもよいこととして読むべきかもしれない。

「祥」は「さいわい・よい」という意味にとるほうが素直である。すると「和を知る」「常を知る」という自然の法則にしたがった生きかたをふまえて、肉体的にすこやかに生きてゆくことを「祥（めでたい）」といい、精神的にこころがしっかりしていてブレないことを「強」いという、と肯定的に読むことになろう。

そう読むと「物は壮《さか》んなれば則ち老ゆ」とうまくつながらないような気もする。しかし老子は「和を知る」「常を知る」「生を益す」「心気を使う」という生きかたをせず、やたらと「壮んな」る生きかたをすると老けこむのもはやいよ、とたしなめているのかもしれない。

「和を知る」「常を知る」「生を益す」「心気を使う」とはどういう生きかただろう？　うんと卑近なことでイメージしてみよう。

満腹になるまで食べたりしない。腹八分目にしておく。そのほうが健康的だとはおもっていても、ご馳走をみると、つい箸がのびてしまう。困ったもんではあるが、食べたければ食べればよい。腹八分目という消極策をなんとしても厳守しようとすると、むしろ不健康になってしまう。

とりあえず調和がとれていれば、ひとまずよしとする。ゆくべき道筋をハッキリさせようとすると、そこを脇目もふらずにすすむことになる。そういう一目散にゴールをめざすようなゆきかたは感心しない。ヘタに道筋をさだめると、かえって可能性がせばまってしまう。自然体でやってみて「これでダメならしょうがない」とあきらめればよい。

やたらとサプリメントをとったり、しきりにジムにかよったりする健康オタクとか、美食にうつつをぬかすグルメのように、人為的に長寿や享楽をもとめて「生を益」そうとして「心気を使う」のは、かえって墓穴を掘ることになる。からだによいことをしようとガンバること自体がからだにわるい。

食べたいものを食べ、食べたくないものは食べない。肉体的には、アレを摂取しなきゃ、コレは排泄しなきゃ、とアタフタしない。精神的にも、アレは理解しなきゃ、コレも記憶しなきゃ、とアクセクしない。無理な営みにいそしむことは百害あって一利なし。アレもコレもとかかえこんでもパニックを起こすのが関の山である。ジタバタせず、そのときできる最小限のことをしていよう。

ものは考えようである。「百万円もあるから幸せだ」と考えるか、「百万円しかないから不安だ」と感じるか、この「も」と「しか」との差にふりまわされるのが世間のオトナである（そんなことを赤ちゃんは気にもかけない）。他人や世間の物差しに合わせて一喜一憂するよりも、自分を信じてデンとかまえているほうがよい。

56

（もとより自然の法則のはたらきを言葉にすることはできないので）わかっているものは言葉にしないし、言葉にするものはわかっていない。

（外界にとらわれないように）おのれの感覚の穴をふさぎ、おのれの欲望の通りみちをとざす。おのれの「するどさ」をくじき、（するどさがもたらす）おのれの「もつれ」をほぐす。おのれの「かがやき」をやわらげ、（かがやきを曇らせる）おのれの「よごれ」とひとつになる。これを（言葉にすることができない自然の法則のはたらきとの）不可思議な合一《ごういつ》という。

だから（不可思議な合一をはたしたものは自然の法則のはたらきと）親密にすることもできなければ疎遠にすることもできない。（自然の法則に）利益をあたえることもできなければ危害をくわえることもできない。とうとぶこともできなければいやしむこともできない。（そういう親疎・利害・貴賤を超えたもの）だからこそ（自然の法則は）この世でもっともとうといのである。

知る者は言わず、言う者は知らず。

—— 知者不言、言者不知。

其《そ》の兌《あな》を塞《ふさ》ぎ、其の門を閉ざす。其の鋭《えい》を挫《くじ》き、其の紛《ふん》を解く。其の光を和《やわ》らげ、其の塵《ちり》に同《どう》ず。是《これ》を玄同《げんどう》と謂《い》う。
故《ゆえ》に得て親しむ可《べ》からず、得て疏《うと》んず可からず。得て利す可からず、得て害す可からず。得て貴《とうと》ぶ可からず、得て賤《いや》しむ可からず。
故に天下の貴《き》と為《な》る。

塞其兌、閉其門。挫其鋭、解其紛。和其光、同其塵。是謂玄同。
故不可得而親、不可得而疏。不可得而利、不可得而害。不可得而貴、不可得而賤。故為天下貴。

「知る者は言わず」について、ぼくは「自然の法則のはたらきを言葉にすることはできないので」と補足したうえで訳している。そう解釈しておくしかないとはおもうものの、いまひとつ釈然とせぬものが頭を去らない。

はたして自然の法則のはたらきは、すべて言葉にすることができないのだろうか。もし「すべて」だとすると、ぼくは補足する言葉をいうことすらできなくなる。

老子のテクストではその補足は語られていないから、あからさまなパラドックスは語られていない。とはいえ「知る者は言わず」とは語られているのだから、そう語ることも自然の法則にしたがってそうするのだとすれば、老子のテクストにはパラドックスが潜在していることになる。老子が「知る者は言わず」というとき、なにがしかの根拠をもってそういったのだとすれば、その根拠はなにかという問いが生ずる。ぼくの補足はひとつの答えではあるだろう。

こころのなかで暗黙裡に「自然の法則のはたらきを言葉にすることはできないから」と浮かべたと考

えれば、なにかしら根拠にもとづいていっていることにはなる。だが、こころに浮かべるさいにも言葉を使っているとすれば、こころのなかでパラドックスを語っていることにもなる。

言葉を使っているのではなく、そういう事態を直観しているのだとしたら、ことがらは神秘的になってしまう。そのようなものを根拠といえるだろうか。

パラドックスの問題もさることながら、この補足の言葉はもっと深刻な問題をはらんでいる。そもそも「自然の法則のはたらきを言葉にすることはできない」というのはほんとうだろうか。ほんとうだとすれば、われわれの知識そのものを否定することになってしまわないだろうか。

老子はそこまで過激なことを考えているわけではない。「言葉にすることはできない」のは、ふつうの知識のことではない。あくまでも自然の法則のはたらきについてである。

ふつうの知識はもちろん言葉であらわせる。けれども、ほんとうに大切なことは言葉にならない。老子が「知る者は言わず」というのは、知識というものを、ふつうの（つまり日常生活におけるほとんどすべての）知識とほんとうに大切な知識とのふたつに分けたうえで、前者については「語らなくてもよい」し、後者については「語ることができない」のだから、知者はそのどちらも語らない——などといっているのではない。

ふつうの知識について語る必要がないと考えているとすれば、それは愚かしいことである。ふつうの知識を語ることをとおして人間は生活や文化を豊かにしてきたのだから。

「知る者は言わず」とは、けっして言語活動を否定するような過激なことをいっているわけではない。

ふつうの生活におけるほとんどの知識については語るけれども、ただ「ほんとうに大切なこと」については語らないのである。

なぜ「ほんとうに大切なこと」については語らないのかという謎はのこる。謎についての簡便かつ有効な答えかたはこうである——ほんとうに大切なことについて、ぼくはまだ知らない。しかし、まだ知らないということは知っている。そのかぎりにおいて「知るもの」といえる。ご存じ、ソクラテスの立場である。

知らないことについては語らない。これは当然のことである。「知る者は言わず」ということの根拠である。逆に、ほんとうに大切なことについて、あたかも知っているかのごとくに語るものは、じつは知らない。これも当然だということになれば、「言う者は知らず」ということになる。むやみに語るのは知らないという証拠である。

要するに、知ったかぶりをするなかれ、知ることについては謙虚であれ、ということである。「知る者は言わず、言う者は知らず」とは、真理はすべて言葉にできるわけではない、真理を言葉であらわすことには限界がある、という認識論を説くものである。

真理を認識することとそれを言葉で表現することとのあいだの狭い通りみちをどうくぐりぬけるかについて、パラドックスにおちいることを恐れず、老子は語っている。

どうやってくぐりぬけるかというと、「其の兌を塞ぎ、其の門を閉ざす。其の鋭を挫き、其の紛を解く」ことによってである。これを目や耳などの感覚器官をふさいで、おのれの内面に閉じこもるべし、というふうに文字どおりにとらえると、ひどく消極的であり、おそろしく内向きになってしまう。

つづく「其の光を和らげ、其の塵に同ず」は、「和光同塵《わこうどうじん》」という熟語になっている。「知恵ある人がその知の光をやわらげ隠し、俗世間の人々の中に同化して交わること」（『広辞苑』第7版）である。蜂屋本も「知恵の光を和らげ、世の中の人々に同化する」と注している。おのれの知の光をやわらげよ、と。でも、それだと世俗に妥協しているみたいな感じがする。なんだかロゴス（光）を軽んじているようで気に食わない。

老子は断じてロゴスを軽んじているわけではない。いたずらに外界にわずらわされることなく、おのれの内面に沈潜し、おだやかな姿勢でロゴスをつむぎだすべし、といっているのだとおもう。内面性にもとづいた静かで明るい知恵をあらわすべし、と開放されたこころのありようの可能性を説いているのである。

57

（自国をおさめるさいには自然の法則にしたがった）正しいやりかたによって国をおさめるし、（他国とたたかうさいには自然の法則にしたがっていないかのような）変わったやりかたによって兵をもちいるのだが、（そういった自他の別を超えて天下全体をおさめるにさいしては、正しいとか変わっているとかいった人為をはたらかせて分別できるようなやりかたではなく、自然の法則にしたがわないことは）なんにも為さないというやりかたによって天下をおさめる。わたくしがどうやってその（自然の法則にしたがわないことはなんにも為さないというやりかたが大事であるという）ことを知るのかというと（その理由は）つぎのとおりである。

（自然の法則にしたがわないことはなんにも為さないというやりかたをわきまえず）世のなかに（ことさらな人為である）禁止することがきびしくなればきびしくなるほど、ひとびとは（自由な営みがさまたげられることによって）どんどん貧しくなる。ひとびとのあいだに（ことさらな人為である）便利な道具がふえればふえるほど、（ひとびとは際限なく便利さをもとめて）世のなかはますます混迷の度をふかめてくる。ひとびとのあいだに（ことさらな人為である）技術の発達がすすめばすすむほど、（世のなかは功利性をもてはやして）奇をてらった道具がどんどんでまわりはじめる。（それを案じたお上によって人為をもってさだめた）法律がハッキリと示されれば示されるほど、（かいくぐるべき法の網目がハッキリすることによって）盗賊がいよいよはびこってくる。

だから（自然の法則にしたがわないことはなんにも為さないというありかたをする）聖人はいう。わたくしが（自然の法則をそこなうような人為にかかずらうことなく）無為《むい》であれば、ひとびとはおのずから教化され、わたくしが（自然の法則をそこなうような活動にかまけることなく）平静を好めば、ひとびとはおのずから正しくなり、わたくしが（自然の法則をそこなうような規制をほどこさず）無事であれば、ひとびとはおのずから裕福になり、わたくしが（自然の法則をそこなうような欲望をいだかず）無欲であれば、ひとびとはおのずから質樸《しつぼく》になる、と。

正《せい》を以《もっ》て国を治め、奇を以て兵を用い、無事を以て天下を取る。吾《われ》何を以て其《そ》の然《しか》るを知るや。此《これ》を以てなり。天下に忌諱《きい》多くして、而《しか》して民弥《いよ》いよ貧《まず》し。民に利器多くして、国家滋《ます》ます昏《くら》し。人に伎巧《ぎこう》多くして、奇物滋《ます》ます起こり、法令滋《ます》ます彰《あき》らかにして、盗賊多く有り。

故《ゆえ》に聖人云《いわ》く、我無為にして民自《おの》ずから化し、我静を好みて民自ずから正しく、我無事にして民自ずから富み、我無欲にして民自ずから樸《はく》なり、と。

以正治国、以奇用兵、以無事取天下。吾何以知其然哉。以此。天下多忌諱、而民弥貧。民多利器、国家滋昏。人多伎巧、奇物滋起、法令滋彰、盗賊多有。

故聖人云、我無為而民自化、我好静而民自正、我無事而民自富、我無欲而民自樸。

老子のいう無為《むい》が「なんにも為さない」ことではないということは『老子』を読むまえから自明なことである。ひとは生きているかぎり、かならずなにごとかを為している。まったくなんにも為さないのであれば、食事すらしないことになってしまう。

老子が「しなくてもよい」あるいは「しないほうがよい」と考えていることは、どのようなことだろう？ 老子はくりかえし説いている。自然の法則にしたがって生きなさい、と。不自然なことはしなさんな、と。

第29章では、この世のなかは「神器《しんき》」だといっていた。世のなかは自然の法則に属するものであって、およそ人為のおよぶべきものではない。だから「はからい」は捨てて、すべてを自然の法則にゆだねきり、ことさらな作為などはしないほうがよい。

「国を治め」るに「正」をもってするのは、当然そのようであるべき自然なやりかたである。正義によっておさめられた人民は、自分がなにを為されているのかもわからず、なすこともなく安らいでいる。「兵を用い」るに「奇」をもってするのは、当然そのようであるべき自然なやりかたである。意表をつく奇策によって裏をかかれた敵は、自分がなにを為されたのかもわからず、なすすべもなく敗れる。

「国を治め」ることと「兵を用い」ることとは、やっていることは正反対のようであるが、めざすところは「無事を以て天下を取る」というひとつのことである。「国を治め」るに「正」をもってし、「兵を用い」るに「奇」をもってするというのは、ことさらな作為をほどこして人民あるいは敵兵の意識にのぼらぬという意味においては、なるほど「無事」であるといってよい。

「無事」ならざるやりかたとは、具体的には「天下に忌諱多」く「民に利器多」く「人に伎巧多」く「法令滋ます彰らか」なことである。そういった作為としてひとの意識にのぼるようなやりかたをすると、いきおい「民弥いよ貧し」く「国家滋ます昏」く「奇物滋ます起こり」「盗賊多く有り」という仕儀にならざるをえない。

老子のあずかり知るところではないが、「民に利器多くして」云々にはたれしも雑念をかきたてられるだろう——昨今、猫も杓子《しやくし》もみなスマホをもっている。これは好もしいことだろうか。情報の海のなかでアップアップしているひとびとをみるにつけ、ぼくは知らないというしあわせをうしないたくないとおもう。技術文明の進歩は功罪相半ばする。単純に善し悪しをいうことはできない。

「法令滋ます彰らかにして、盗賊多く有り」というのは因果関係からいえば逆のようにおもえる。これは法令が明確になることが原因で盗賊がふえるといっているわけではなかろう。法令が明らかになるのは一見よいことのようにおもえるが、じつは盗賊が多いからこそ法令を明らかにせねばならなくなるのである。「大道廃《すた》れて仁義有り」（第18章）と似たような発想である。

ただし法令が明らかになると、その網の目をくぐりぬけて、うまくたちまわった悪党がうまい汁をすい、大多数のものは貧乏クジに甘んずることになる。よけいな規制があるばっかりに、ますます貧富の差が生じてくる。作為としてひとの意識にのぼるようなやりかたをすると「無事」はおぼつかない。

自然の法則にしたがう為政者は、大衆がひれふしたくなるような巨大な宮殿をたてたり、庶民にはおよびもつかない豪勢な宴会をもよおしたりはしない。それは権威をひけらかすのには有効かもしれないが、そのために人民をして疲弊せしめ、その怨嗟《えんさ》をこうむることになる。

ひとびとの不平の矛先《ほこさき》をかわすために「天下に忌諱多くして」「民に利器多くして」「人に伎巧多くして」といった苦しまぎれの政策をとったりすると、世のなかはどんどん物騒になってゆく。為政者たるもの、いたずらに人民の不満をそらそうとはせず、みずから律して「無為・好静・無事・無欲」であらねばならない。

老子の考えかたは、しばしば自由主義的な経済思想をおもわせる。政府の役割はできるかぎりすくないほうがよいという「小さな政府」の考えかたは「無為」の政治思想そのものである（「小国寡民」第80章）。世のなかは自然の法則にしたがった「神器」であり、およそ人為のおよぶべきものではない。それゆえ為政者はすべてを自然の法則にゆだねきり、ことさらな作為をほどこすべきではない。ただ「正を以て国を治め」るだけでよい。公正さを基本として、すなわち正義によって、政治をおこなえばよい。そうであれば人民は「自ずから」好もしいありかたになる。

ムダな宮殿をたてることは好もしくない。けれども河川の氾濫《はんらん》をふせぐために大規模な灌漑《かんがい》工事をおこなうことは必要である。ただし労役に従事させたときには正当な労賃をはらうべきである。そういう正しい政策がなされることは人民も望むところだろう。為政者たるもの「正を以て国を治め」ることにかんして無策であってはならない。

58

まつりごとが（あまり締めつけないで）ゆったりしていると、ひとびとは（純朴になって）のびのびしている。まつりごとが（きつく締めつけて）きびしいと、ひとびとは（純朴さをうしなって）ぎすぎすしてくる。

わざわいにはさいわいがついてくるし、さいわいにはわざわいがひそんでいる。この（禍福はあざなえる縄のごとくであるという道理の）窮極《きゅうきょく》のところはわかりようがない。

そもそも絶対に正しいということなどない。正しいものが変わったものになったり、善いものが悪いものになったりする。ひとびとが（ものごとは相対的であるという道理をわきまえずに）惑《まど》っているというのも今日にはじまったことではない。

だから（ものごとは相対的であるという道理をわきまえた）聖人は、おのれは方正であっても（それを押しつけて）ひとを裁こうとはせず、おのれは清廉であっても（それを押しつけて）ひとを傷つけたりはせず、おのれは正直であっても（それを押しつけて）正しさをつらぬこうとはせず、おのれの内が光にあふれていても（それを押しつけて）外に光をかがやかせようとはしない。

其《そ》の政《まつりごと》悶悶《もんもん》たらば、其の民淳淳《じゅんじゅん》たり。其の政察察《さつさつ》たらば、其の民缺缺《けつけつ》たり。
禍《わざわい》、福の倚《よ》る所、福、禍の伏《ふ》す所。孰《たれ》か其の極《きわみ》を知らん。其れ正《せい》無し。正は復《ま》た奇と為り、善は復た妖《よう》と為《な》る。人の迷うや、其の日固《もと》より久し。
是《ここ》を以《もっ》て聖人は方《ほう》にして而《しか》も割《さ》かず、廉《れん》にして而も劌《やぶ》らず、直《ちょく》にして而も肆《し》ならず、光ありて而も燿《かがや》かず。

其政悶悶、其民淳淳。其政察察、其民缺缺。
禍兮福之所倚、福兮禍之所伏。孰知其極。其無正。正復為奇、善復為妖。人之迷、其日固久。
是以聖人方而不割、廉而不劌、直而不肆、光而不燿。

本章の論旨の勘どころは「ものごとは相対的である」ということにある。そのことは「禍福・正奇・善妖」という反対概念にはあてはまるとしても、それが政治および聖人の話とどうかかわるのだろう？　政治や聖人の話のなかにも反対概念をみいだせるのだろうか。

為政が「悶悶」「察察」だと人民は「淳淳」「缺缺」となる。為政における「悶悶」「察察」と人民における「淳淳」「缺缺」と、これらは両立しえない状態をあらわしている。この為政と人民の状態とのかかわりを反対概念としてはとらえにくい。

為政がゆったりしていれば人民はのびのびしている。それで世のなかが安寧でありうるなら御の字だけれども、さすがにそれは甘いだろう。為政がきびしいと人民はぎすぎすしてくる。それでは世のなかは殺伐とするかというと、そうともかぎらない。為政と人民との関係は、ゆったりしていればよいというわけではなく、きびしければわるいというわけでもない。

まさに「禍、福の倚る所、福、禍の伏す所」であって、たれも予測しえないという意味では「孰か其の極を知らん」といわざるをえない。

政治の現場にあって、為政者が「これでよいのか」と悶々としているときは、ひとびとはむしろ満足しており、為政者が「これでよいのだ」と満足しきっているときは、ひとびとはかえって不満をおぼえている、という事情のほうが（いささか下世話な読みではあるが）むしろありそうである。

聖人は「方・廉・直・光」というありかたをしている。だが、そのありかたから予想されるような「割・劌・肆・耀」というふるまいをしない。内面的なありかたと外面的なふるまいとが予想とは反対になっている。

おのれが方正であれば、ひとを裁こうとする。清廉であれば、ひとを傷つけようとする。正直であれば、それを押しとおそうとする。内に光があれば、それを外にあらわそうとする。それが世の常であるが、聖人はそういう世人の予想とは反対にふるまう。

自然の法則を体現している聖人のふるまいは、こうであるからには絶対的かつ恒常的にこうであらねばならぬ、といった硬直したものではない。自然の法則にしたがった行動とは、人知をもってみるかぎり「其れ正無し」であって、しばしば「正は復た奇と為り、善は復た妖と為る」かのようにみえる。

正と奇と、善と妖と、これらは反対概念ではあるが、正が奇になったり、善が妖になったり、それぞれ反対のものになりうる。ただし、これらが両立（共存）可能であるか否かについて、老子はなにもいわない。ただ変化するというのみである。

正と奇とが、善と妖とが、変化することによって、なにが生ずるのだろう？　ふたつの可能性が考えられる。

ひとつは時間的に変化するということである。いわゆる「禍福はあざなえる縄のごとし」という場合である。これは理解しやすいところである。こちらについて老子は論究していない。もうひとつの可能性は、見方によって変化するということである。これは一考を要する。

一方からみれば「正」「善」であるものが、他方からは「奇」「妖」とみえる。わざわいにはさいわいがついてくる。さいわいにはわざわいがひそんでいる。わざわいとさいわいとは反対概念であるが、それぞれは両立（共存）可能な概念である。

一口に反対概念といっても、両立・共存しうるもの、両立・共存しえないもの、「ついてくる」もの、「ひそんでいる」もの、変化するもの、これらを「ものごとは相対的である」とひとくくりにすると多様性がみうしなわれてしまう。いかなる相対性をいっているのかはケース・バイ・ケースである。

59

人を治《おさ》め天に事《つか》うるには、嗇《しょく》に若《し》くは莫《な》し。 ―― 治人事天、莫若嗇。

（為政者が）民をおさめ、天をまつるためには、要《い》らぬことをしない（で自然の法則にしたがう）ことよりも大事なことはない。

ひたすら要らぬことをせぬこと、これをすみやかに自然の法則を身につけるという。すみやかに自然の法則を身につけること、これをくりかえし徳（という自然の法則にしたがったありかた）を積むという。くりかえし徳（という自然の法則にしたがったありかた）を積むなら、うちかてないことはひとつもない。うちかてないことがひとつもなければ、その能力はどこまでもひろがってゆく。その能力がどこまでもひろがってゆけば、（そういう為政者は）国を安らかにたもつことができる。国をたもつことの根本のありかた（すなわち要らぬことをしないで自然の法則）にしたがうことによって、国はいつまでも安らかにたもたれる。これをしっかりと根を深くし、底を固くする（ような国のおさめかた）という。これこそが（国を）永遠に生きながらえさせるやりかたにほかならない。

夫《そ》れ唯《た》だ嗇、是《これ》を早く服すと謂《い》う。早く服す、之を重ねて徳を積むと謂う。重ねて徳を積まば、則《すなわ》ち克《か》たざる無し。克たざる無ければ、則ち其の極《きわみ》を知る莫し。其の極を知る莫ければ、以《もっ》て国を有《たも》つ可《べ》し。国の母を有たば、以て長久なる可し。是を根を深くし、柢《てい》を固くすと謂う。長生久視《ちょうせいきゅうし》の道なり。

夫唯嗇、是謂早服。早服謂之重積徳。重積徳、則無不克。無不克、則莫知其極。莫知其極、可以有国。有国之母、可以長久。是謂深根固柢。長生久視之道。

「人を治め天に事うるには」は「(為政者が)民をおさめ、天をまつるためには」と訳した。「人を治め」のほうはよいとしても、「天に事《つか》うる」を「天をまつる」と訳してよいかどうかは気になる。老子の時代にそういう発想があったとはおもいがたいが、「天にたいする祭祀をつかさどる」ということではなく「天下の公共につかえる」というふうに読みたくもある。

「嗇に若《し》くは莫《な》し」の「嗇《しょく》」とはなんだろう? ぼくは「要らぬことをしない(で自然の法則にしたがう)こと」と訳している。そう解釈しておいてよいとはおもうものの、この字はふつう「吝嗇《りんしょく》」という熟語としてしかなじみがない。蜂屋本は「人々を治め、天に仕えるには、吝嗇にまさるものはない」と訳し、吝嗇に「ものおしみ」とルビをふっている。

「嗇」を経済的な意味にとってよいならば、本章を老子の社会政策をあらわしているものとして読むことになる。しかし「嗇」の中身がつまびらかに書かれていないので、ケチのすすめという方向で解釈するのはためらわれる。

ケチ（嗇）であるべきなのは、もちろん財政をつかさどる立場のものである。人民にたいして必要な公共の福祉はほどこすけれども、むやみに大盤振舞してはならない。

そんなふうに読むと、なんだか「生かさぬよう殺さぬよう」といった冷たいお上という印象をおぼえる。「嗇」という否定的な表現を肯定的な意味にもちいるという老子一流のレトリックなのかもしれないが、いまひとつ共感することができない。

とはいえ拙訳のように「嗇」を「要らぬことをしない」と解釈してみても、要らぬことはしないというのは要ることはするということだから、なにが要ることで、なにが要らぬことなのか、いまひとつハッキリしないという憾《うら》みはある。

いずれにせよ「嗇」であることによって「人を治め天に事うる」ことがかなう。「嗇」とは、物質的にも精神的にも倹約であること、つまり「ひかえめ」なこととして読んでみよう。上にたつものが万事ひかえめであることによって、ひとびとはついてきてくれる、と。

偏見かもしれないが、ひかえめであるというのは、どちらかというと女性的・母性的な「徳」のような気がする。だから老子もあとのほうで「国の母を有たば、以て長久なる可し」といっているのだろう。

むかしの狩猟や農耕による自給自足の暮らしと、いまの物質であふれた消費社会とを、ただちに比較してみてもしょうがない。だが、こういう現代だからこそ、せいぜい質素・倹約につとめるべきだということにも一理ある。

万事ひかえめであることが、とりもなおさず自然の法則にしたがうことだというのは、エネルギーをむやみに浪費しないということかもしれない。世のなか一寸先は闇である。いつなんどき難儀なことにでくわすかわからない。ふだんから最小限の力でやれることのみをやって余力をたくわえておけば、たとい不意打ちを食らっても大丈夫である。そうすれば「根を深くし、柢を固くす」というふうに生きてゆく根っこも安定するだろう。

個人が暮らしにおいて万事ひかえめであることが、けっきょく「長生久視の道」という天下国家における永遠の生をもたらす。これは即物的な話なのだろうか。それとも象徴的な話なのだろうか。おそらく現実的なことをいっているのだとおもう。最小限の力でやれることだけが、自然の法則にしたがってやれることなのである。

万事ひかえめにやり、派手なことはやらない。最小限の力でやれることを淡々とこなしながら、外にむかって力をみせびらかさない。考えてみるとそういうのってケチの精神そのものかもしれない。

よく「ケチと倹約とはちがう」という。節約したお金を、ケチは自分のために使い、倹約家は他人のために使う。ケチの節約はもっぱらためこむばかりだが、倹約家にはなるべく有益にもちいようという前向きの姿勢がある。老子が万事ひかえめにせよというのも、たんなるケチのすすめではなく、積極的な倹約をうながしているのかもしれない。

60

大きな国をおさめるというのは、小さな魚を煮《に》るようなものである。

自然の法則にしたがって天下にのぞみさえすれば、鬼神もたたりをするような霊力をふるったりしない。鬼神が霊力をふるわないというよりは、その霊力がひとびとを傷つけない。鬼神が霊力をふるってひとびとを傷つけないばかりではなく（自然の法則にしたがって天下にのぞむ）聖人（による為政）もまたひとびとを傷つけない。いったい鬼神も聖人もともにひとびとを傷つけないというのだから、その恩恵はあらゆるひとびとのうえにあまねくほどこされる。

大国を治むるは小鮮《しょうせん》を烹《に》るが若《ごと》し。

道を以《もっ》て天下に莅《のぞ》まば、其《そ》の鬼《き》、神《しん》ならず。其の鬼、神ならざるには非《あら》ず、其の神、人を傷《そこな》わず。其の神、人を傷わざるには非ず、聖人も亦《また》人を傷わず。夫《そ》れ両《ふた》つながら相傷《あいそこな》わず、故《ゆえ》に徳交《こも》ごも帰《き》す。

治大国若烹小鮮。

以道莅天下、其鬼不神。非其鬼不神、其神不傷人。非其神不傷人、聖人亦不傷人。夫両不相傷、故徳交帰焉。

「大国を治むるは、小鮮を烹るが若し」という譬喩《ひゆ》は、蜂屋本に「小魚を煮るときには、形を崩さないように、つつかずにそっと煮る。大国の統治も同じで、人民に煩《わずら》わしく干渉するようなことはしない、という意味」と注するように、国をおさめる場合、法律や政令できびしく拘束するよりも、むしろ放任したほうがうまくおさまる、というふうに解釈されるのが通説である。

なるほど対象が大きければ大きいほど、細かいところまで仕切ろうとすると、いろんなところに手がまわらず、かならず破綻する。自然の法則の「見えざる手」にすがるほうが賢明である。

雑多なものがバラバラに生きている世のなかを統治しようとおもったら、細かいことに「ああせい、こうせい」といちいち口出しするようでは、しくじるのがオチである。自然の法則にまかせて、最小限のことのみを為す。かきまぜたり、つついたりせず、そっとあつかう。トロ火で、じっくり時間をかけ、ゆっくり仕上げる。

お説ごもっともではあるが、いやしくも一国を統治せんとするとき、そんな腫《は》れものにさわるようなヘッピリ腰でよいものだろうか。小魚を煮るようにするという譬《たと》えの眼目は、もうちょっとちがうところにあるのではなかろうか。

たしかに魚を煮るときにやたらと箸《はし》でつついたりすると煮くずれてしまう。しかしながら、むやみに箸でつつくと煮くずれてしまうといった仔細は、大きな魚を煮るときであれ、小さな魚を煮るときであれ、どちらにも共通することだろう。

いったい大きな魚を煮るときと小魚を煮るときとでは具体的になにがちがうというのだろう？

じっさいに魚を煮るところを想像してみよう。ヘタに箸でつついたりしたら煮くずれてしまうというのは、魚が大きかろうが小さかろうがいっしょである。いちばん顕著なちがいは、大きな魚を煮るときは切り身にして煮るが、小魚を煮るときは丸ごと煮るということではなかろうか。

小魚を煮るときは丸ごとのすがたで煮るしかない。一尾《いちび》をそのままの自然なすがたで煮るしかない。頭と尻尾《しっぽ》とを切り分けたり、三枚におろしたり、身を別々にして煮たりということはしない。

サンマやニシンくらいの大きさになると、はらわたをとるなどの作業がくわわることもあるだろう（サンマやニシンもはらわたがあるままのほうが苦味があって旨いのかもしれないが）。もっと小さい魚であれば、はらわたの処理や串刺しなどといったことも不要である。というか不能である。全体をそっくり丸ごと煮るしかない。

小国をおさめるときであれば、一国丸ごとの自然なすがたでおさめるしかない。ところが大国をおさめるとなれば、大きな魚を頭と尻尾とに切り分けて別々に煮るように、国全体を丸ごとそのままおさめるのではなく、いろんな部分に分割しておさめざるをえない。

しかし大国とはいえ生きた全体であって、それぞれの部分は有機的につながっている。そのつながりのありさまは自然の法則にしたがっている。だからそれを無理にいじくらないほうがよい。

大国であれ小国であれ、国を「治むるは、小鮮を烹るが若し」である。その意味では大国も小国もおさめかたはいっしょである。しかし大国をおさめるとなると、どうしても分割統治への誘惑がつよくなる。が、それはいけない、と老子はいう。

大国であればあるほど人為のさかしらは通用しない。大国をおさめる場合であればあるほど全体的な視点をもたねばならない。

小さな魚を煮るようにするというのは、乱暴につついたりせず、まるで「なんにも為さない」かのように、丸ごとそのままで煮るのである。切り分けたりしないから、なんにもしていないかのようではあるが、なんにもしていないわけではなく、ちゃんと煮ているのである。

こざかしく策を弄《ろう》する有為はもちろんいけない。さりとて腕をこまぬいて、ただボンヤリしているのもダメである。無為とは、「なんにもしない」ことを「する」というよりも、「なんにもしない」ようでいて、じつは「している」のである。

無為とは、多様なるものの多様性にまかせ、そこに最小限の力をくわえることである。そのような為政につとめれば、鬼神もまた霊力をふるってひとを傷つけるような理不尽なことはしないだろう。

61

大きな国は（譬《たと》えるならば大河の）下流である。世界（のありとあらゆる小さな流れ）があつまってくる場所であり、世界（の生きとし生けるもの）が慕《した》いよってくる女性（のようなへりくだったありかた）である。いったい女性はつねに静かでありながら（猛々《たけだけ》しい）男性に勝つ。静かにへりくだっているからこそ（勝つの）である。

それゆえ大国でありながら小国にへりくだれば、小国の服従をかちとることができるし、小国が大国にへりくだれば、大国の庇護《ひご》をとりつけることができる。このように（大国のように強いものでありながら）へりくだって（小国という弱いものの）服従をかちとるものもあれば、（小国のように弱いものとして）へりくだって（大国という強いものの）庇護をとりつけるものもある。（もっとも、双方ともに思惑があってそうしているのであって）大国は小国をおのれに併呑《へいどん》したいと望んでいるのであり、小国は大国の庇護のもとに従属したいと願っているのである。してみると（大国であれ小国であれ）この両者がそれぞれの望みをとげたいとおもうならば、（ともに「へりくだる」ということが大切ではあるが、より困難かつ有益であるという意味では）大国のほうがへりくだるべきである。

大国は下流なり。天下の交《こう》、天下の牝《ひん》なり。牝は常に静かなるを以《もっ》て牡《ぼ》に勝つ。静かなるを以て下《くだ》ることを為《な》せばなり。故《ゆえ》に大国以て小国に下れば則《すなわ》ち小国を取り、小国以て大国に下れば則ち大国を取る。故に或《ある》いは下りて以て取り、或いは下りて而《しか》して取る。大国人を兼ねて畜《やしな》わんと欲するに過ぎず、小国は入りて人に事《つか》えんと欲するに過ぎず。夫《そ》れ両者各《おの》おの其《そ》の欲する所を得んとせば、大なる者宜《よろ》しく下ることを為《な》すべし。

大国者下流。天下之交、天下之牝。牝常以静勝牡。以静為下。故大国以下小国則取小国、小国以下大国則取大国。故或下以取、或下而取。大国不過欲兼畜人、小国不過欲入事人。夫両者各得其所欲、大者宜為下。

前章にひきつづき大国と小国との国際関係のありかたを論じているが、しょっぱなから「大国は下流なり」と頭ごなしに結論づけている。

低いところに位置するというのは女性特有のありかたであり、そうであるほうがけっきょくは勝つ、と老子はフェミニストならずとも眉間《みけん》にシワがよるようなことをいう（まことに大時代な女性観である）。

低いところで静かにしているというのは、流れてくるものをすべて受けいれるような包容力のあるすがたをイメージさせる。そういうありかたは女性にかぎったものではないけれども、「牝《めす》は常に静かなるを以て牡《おす》に勝つ」と老子はそれを女性ならではの優越性とみなしている（老子はむしろフェミニストなのかもしれない）。

老子は「大国は下流なり」と川の下流のようなありかたをポジティブにとらえる。あとで「江海《こうかい》の能《よ》く百谷《ひゃっこく》の王為《た》る所以《ゆえん》の者は、其《そ》の善《よ》く之《これ》に下《くだ》るを以《もっ》てなり」（第66章）ともいっているように、低いところに身をおいてへりくだることを「よい」とみなすからである。

孔子は「君子は下流に居ることを悪《にく》む。天下の悪、皆焉《こ》れに帰《き》す」（『論語』子張《しちょう》）と川の下流のようなありかたをネガティブにとらえる。低いところにあつまってくる世のなかの悪事を背負いこむことを「わるい」とみなすからである。

ともに下流といいながら、老子と孔子とではずいぶんちがうイメージをもっている。ちがいを考察することに食指がうごかぬでもないが、大国が小国に「下」れば小国を「取」り、小国が大国に「下」れば大国を「取」る、というときの「下る」「取る」の意味のほうが気になる。

「下る」とはどのようなありかただろう？　ひとまず「へりくだる」と訳しておいたが、居丈高《いたけだか》にならず、相手に受けいれてもらうことだろう。へりくだれば相手に受けいれてもらえる。

「下る」というのは、自分の「腰が低い」というよりも相手の「面子《メンツ》をつぶさない」ということのような気もする。相手を尊重するということであれば、大国と小国との交渉という特殊な国際関係にかぎらず、一般的な人間関係においても大事なことである。

「取る」とはどうすることをいうのだろう？　ここにおける「取る」とは、望むものを手にいれるということだろう。ただし、大国が望むものと小国が望むものとはちがう。

単純に考えれば、大国の望むものは小国が従属することであり、小国の望むものは大国が庇護してくれることだろう。だが、そういうふうに限定して考えねばならぬということもない。双方ともに望むところはあるだろう。そのつどの国際関係においてたがいに取りたいものを取るようにつとめればよい。双方がともに望むものを「取る」ためには、なにはさておき「下る」ことが、すなわち相手に受けいれてもらうことが先決である。相手国の主権を尊重し、その主張を真摯《しんし》に受けとめるということは、いつの時代でも外交の基本である。大国ぶって高飛車になったり、小国らしく低姿勢になったりするようでは、およそ健全な国際関係はきづけない。

老子はつづけて「大国人を兼ねて畜《やしな》わんと欲するに過ぎず、小国は入りて人に事《つか》えんと欲するに過ぎず」という。じつをいうと、いまひとつピンとこない。大であれ小であれ、強であれ弱であれ、へりくだるもののほうが原理的に勝つんだけれども、しょせん方便としてそうするにすぎない、というふうに解釈したが、老子にしてはいかにも奥歯にものがはさまったような口ぶりである。

ここにいう「過ぎず」とは、妥当な程度を超えないという意味かもしれない。

大国は小国を併呑することを望むとしても、さりとて牛耳《ぎゅうじ》りたいとまで貪欲になってはいけない。小国は大国の傘下のもとに従属することを願うにしても、かといって隷属してもよいとまで卑屈になってはならない。

老子はさらにつづけて「夫れ両者各おの其の欲する所を得んとせば、大なる者宜《よろ》しく下ることを為すべし」という。正直にいうと、ここもまたピンときていない。

大国・小国の双方ともにへりくだるならば、そこに「両者各おの其の欲する所を得」るというウィン・ウィンの関係がみちびかれる。ただし老子は「大なる者宜しく下ることを為すべし」という。大国のほうがオトナの態度をとりなさい、と。

大国のほうが率先して小国にへりくだるというのは現実味にとぼしいけれども、それだけ世の平安のためには効果が顕著だとでもいいたいのだろうか。

本章は「大国は下流なり」とはじまり「大なる者宜しく下ることを為すべし」とむすばれるように、もっぱら大国による小国のあつかいかたを論じたものとして読まれがちである。しかし老子はむしろ大国と小国との対等な関係を説いているのかもしれない。

勝ち負けに評価はつきものである。勝ったほうに価値があり、負けたほうには価値がない。わかりやすいけれども浅薄なものの見方である。真さもなくば偽、善さもなくば悪、そういった「勝ち負け」型の思考は、きっと生存競争には有利にちがいない。だが老子はそういう考えかたはとらない。

ものごとを勝ち負けで評価するというのは、はなはだ安上がりの行動規範ではある。しかし下品である。もの欲しげだし、はしたない。そういうのは老子には似合わない。

老子が「夫れ両者各おの其の欲する所を得んとさば」というのは、大国であれ小国であれ、勝ち負けといった既成の価値観にとらわれず、おのれの物差しで判断すべし、と説いているのではなかろうか。判断のシステムを、他者の承認にもとめたりせず、自己において内在的に設定せよ、と。

62

自然の法則はありとあらゆるものの奥（にひそむ理法）である。（であるからこそ万人にかけがえのないものであって）善いひとが大切にするものであると同時に善くないひともまた大事にするものでもある。

（自然の法則にしたがった）うるわしい言葉はそれ（を自分でいうこと）によって（然《しか》るべき生きかたを自分に）得ることができ、（自然の法則にしたがった）すばらしい行為はそれ（を他人にほどこすこと）によって（然るべき生きかたを他人に）教えることができる。（ありとあらゆるものは自然の法則にしたがうのだから）善くないひとであろうとも（自然の法則にしたがった生きかたを）どうして捨てることができようか。

だから（個人はもとより国家にあっても）天子が即位し、三公が任命される（という政治の一大事）にさいしても、きらびやかな宝石でかざりたてた四頭だての馬車（といった不自然に豪勢なもの）を献上するものよりも（為政にほんとうに資するという意味では）おとなしく坐ったまま自然の法則について献言するもののほうがまさっているのである。

いにしえのひとが自然の法則をとうとんだ理由はなにか。（善いひとが）もとめれば自然の法則によって得られ、（善くないひとに）罪があっても自然の法則によってまぬかれる、という（ように善いひとにとってであれ罪をおかした善くないひとにとってであれ、なにごとも自然の法則によってそのようであることは明らか）ではないか。だから（自然の法則こそは）この世のなかでもっともとうとばれるべきものなのである。

道なる者は万物の奥《おう》なり。善《よ》き人の宝、善からざる人の保つ所なり。

美言《びげん》は以《もつ》て市《う》る可《べ》く、尊行《そんこう》は以て人に加《くわ》う可し。人の善からざるも、何の棄《す》つることか之《これ》有らん。

故《ゆえ》に天子を立て、三公《さんこう》を置くに、拱璧《きょうへき》の以て駟馬《しば》に先んずる有りと雖《いえど》も、坐して此《こ》の道を進むるに如《し》かず。

古《いにしえ》の此の道を貴《とうと》ぶ所以《ゆえん》の者は何ぞや。求むれば以て得られ、罪有るも以て免《まぬか》ると曰《い》わずや。故に天下の貴ぶものと為《な》る。

道者万物之奥。善人之宝、不善人之所保。

美言可以市、尊行可以加人。人之不善、何棄之有。

故立天子、置三公、雖有拱璧以先駟馬、不如坐進此道。

古之所以貴此道者何。不曰以求得、有罪以免耶。故為天下貴。

「道なる者は万物の奥なり」とは、道とはこの世の奥にましますいわば万物の根源ともいうべき超越的な一者であるなどといっているのではない。自然の法則とはあたかも奥にひそむかのごとく自然にはたらくものであり、善や美といった世俗の価値のようにあからさまなものではないといっているの

である。

自然の法則のはたらきは、善いひとであれ善くないひとであれ、たれしも「宝」として「保」つものである。またその自然の法則にしたがった「美言」「尊行」は、善いひとはもちろん善くないひとも「棄」てることのないものである。

「善からざる人の保つ所なり」について、蜂屋本は「後文の『罪有るも以て免る』に拠って」であると注し、「保つ」の主体は道であるとして「不善の人も道によって守られている」と訳している。

ぼくは「保つ」の主体は不善人であると訳した。「求むれば以て得られ、罪有るも以て免ると曰わずや」の「求む」るものは善人、「罪有る」ものは不善人だろう。そうであるならば自然の法則には善人であれ不善人であれこれに拠らざるをえない、と善人・不善人を主体として読むほうがよいとおもう。

自然の法則が「万物の奥」にひそむものであるという仔細は、さしあたり万物にとって明瞭なものではなく、よろしく探究すべきことである。このことをふまえて「美言は以て市《う》る可く、尊行は以て人に加う可し」を読むと、ここには自然の法則と人為との関係をみてとることができる。

「美言」「尊行」はまさに人為の象徴である。「天下皆美の美為《た》るを知るは、斯《こ》れ悪なるのみ。皆善の善為るを知るは、斯れ不善なるのみ」(第2章)と断ずるように、人為的にしつらえられた「美・善」という価値にとらわれるのは愚かしいことである。したがって「美言」「尊行」などは捨て去るべきもののはずであるが、老子は「市る可く」「人に加う可し」というばかりか「人の善からざるも、豈図《あにはか》らんや、何の棄つることか之有らん」とまでいう。まことに怪訝《けげん》に堪《た》えない。

人為のさかしらに執着するのは愚かしい。さりとて自然と人為とをむやみに対立させ、やみくもに人為を否定するというのもおなじくらい愚かしい。人間もまた自然の一部である。人間において自然と人為とは安易に分けうるものではなく、まして安直に対立させるべきものでもない。

自然の法則にしたがった人為をもとめるべし、と老子はいう。美・善そのものが愚かしいわけではない。自然の法則にもとづいた美・善であれば、それはもとむべき人為である。「拱璧の以て駟馬に先んずる」といった自然の法則にしたがわない虚飾はしりぞけられるべきである。「坐して此の道を進むる」という自然の法則にしたがった営みはもとめられるべきである。

すぐれた詩や小説のような「美言」はもとむべきものである。ひとに優しくするような「尊行」はもとむべきことである。自然の法則にしたがった営みであるとき、それはもとむべき「美言」「尊行」でありうる。

自然の法則にしたがった営みが「天下の貴ぶもの」であるのは、それが「求むれば以て得られ、罪有るも以て免る」るものだからである。自然の法則にしたがって生きていさえすれば、もとむべき生きかたは身をもって体現できる。

善いひとであれ善くないひとであれ、みな自然の法則にしたがって生きることをもとめねばならない。否、もとめざるをえない。善と不善というのは人間があてはめる分別にすぎない。自然の法則とは、善いひとにとっての喜びであり、善くないひとにとっては救いである。

63

（世間のひとにとっては）行為でないようなことであっても、それを（自分にとっての）行為とみなし、（世間のひとにとっては）出来事でないようなことであっても、それを（自分にとっての）出来事とみなし、（世間のひとにとっては）味のないものであっても、それを（自分にとっての）味があるものとみなす。（世間のひとにとっては）小さいものを（自分にとっての）大きいものとみなし、（世間のひとにとっては）少ないものを（自分にとっての）多いものとみなす。（世間のひとにとっては）うらむべき仕打ちであっても、（それを自分にとってうらむべからざるものとみなして）それに徳でもって応ずる。

難しいことについては、その易《やさ》しいうちに対策をかんがえ、大きなことについては、その小さなうちに処理をほどこす。世のなかの難しいことはかならず（その前兆である）易しいことから起こり、世のなかの大きなことはかならず（その前兆である）小さなことから起こる。だから聖人は（ものごとにその前兆のうちに対処することをこころがけて）けっして（手遅れになった）大きなことをあつかおうとはしない。それゆえにけっきょく大きなことをなしとげることができる。

いったい安請合《やすうけあ》いをするものはかならず誠実さにとぼしく、ものごとを甘くとらえるものはかならず（手遅れの）厄介《やっかい》なことにたちいたる。だから聖人は（たとい易しいことであっても、それを難しいことの前兆である）難しいこととしてとらえて（易しいにもかかわらず慎重に）とりあつかう。だからけっして（手遅れの）厄介なことにたちいたったりしないのである。

為《な》す無きを為し、事《こと》とする無きに事《つか》え、味わい無きを味わう。小なるを大なりとし、少なきを多しとす。怨《うら》みに報《むく》ゆるに徳を以《もっ》てす。難《かた》きを其《そ》の易《やす》きに図《はか》り、大なるを其の細《さい》なるに為《な》す。天下の難事は、必ず易きより作《おこ》り、天下の大事は、必ず細なるより作る。是《ここ》を以て聖人は終《つい》に大を為さず。故《ゆえ》に能《よ》く其の大を成す。夫《そ》れ軽《かろ》がろしく諾《だく》するは必ず信寡《まことすく》なく、易しとすること多ければ必ず難きこと多し。是を以て聖人すら猶《な》お之《これ》を難しとす。故に終《つい》に難きこと無し。

為無為、事無事、味無味。大小多少。報怨以徳。図難於其易、為大於其細。天下難事、必作於易、天下大事、必作於細。是以聖人終不為大。故能成其大。
夫軽諾必寡信、多易必多難。是以聖人猶難之。故終無難矣。

「為す無し」とは「なんにも為さない」ことではない。ことさらな人為を廃して自然の法則にしたがうことである。そのことは「為す無きを為し」といっていることからもわかる。

無為とはひとつの為すべきことである。無為と為とはたんに相対立するものではない。ひとしくリアリティをもつものに人為の物差しをあてがって分別されたものにすぎない。

「無為」を為とし、「無事」を事とし、「無味」を味とするというのを、ぼくは「（世間のひとにとっては）

行為でないようなことであっても、それを（自分にとっての）行為とみなし」云々と語をおぎなって訳した。ふつう世間ではそうしないものを、あえて自分ではそうみなす、と。世間のひとと老子とでは、「行為・出来事・味」にかんして、その把捉・評価のありかたがちがうのである。

老子は世間のひととはちがった感覚をもっている。その感覚とはべつに人並みはずれた特別な能力のことではない。いたずらに人為の物差しをあてがって分別しないということである。ではどうするのかといえば、もちろん自然の法則にしたがうのである。

老子は、たれがみても行為・出来事・味であるものを、あえて否定しているわけではない。それらはもちろん行為・出来事・味である。ところが世間のひとの目にはそのように映らないような行為・出来事・味というものもあって、それこそがじつは重要なのである。そういう大事の前触れである些細《ささい》なことをしっかりとみとどけるべしと老子はいう。

ことさら行為とはみなされないような日常のなにげないふるまい、それこそがかけがえのない行為にほかならない。健康にこころがけること、知識をもとめること、友人となかよくすること、等々、わざわざ出来事とみなされないような些細な出来事こそが、じつは大切な出来事なのである。「天下の難事は、必ず易きより作り、天下の大事は、必ず細なるより作る」というように、じっさい些細なことこそが甚大《じんだい》なことのはじまりなのである。

「小なるを大なりとし、少なきを多しとす」とは、小なること（為す無きこと・事とする無きこと・味わい無きこと）を大なること（為すべきこと・事とすべきこと・味わうべきこと）とするということである。その伝でゆくと、「怨みに報ゆるに徳を以てす」も、「怨み」というはげしいものにたいして「徳」というおだやかなもので応ずるというふうに、動にたいして静でこたえ、強にたいして弱でこたえ、有にたいして無でこたえる、といった老子ならではの姿勢をいっているのだろう。

悪意にたいして善意でこたえるというのはひどく無理をしているかのようであるが、べつに「右の頬《ほお》をぶたれたら、左の頬をさしだせ」といっているわけではない。悪意と善意とを区別して、わざとらしく善意でこたえるのはよろしくない。ピンチのときも最小限の力でやるのである。悪意にたいしては冷静にこたえ、おだやかに正義の所在を示しておくのである。

ひとがうらみをいだいているとき、それを人為的にキレイさっぱりとご破算にするのは、しょせん不可能である。不可能なことにはかかずらわず、無理せずにスルーすればよい。

イヤなことから逃げだすのは無責任？　いやいや「不愉快なことをガマンするのはよいことだ」などとおもっていると、肝腎《かんじん》の「自分」がお留守になってしまう。ガマンと感じるということは、自分のなかから自然に生じたものではないということである。自分の自然なありかたを押さえつけちゃいけない。

いちばんヤバいのは、不愉快なことをガマンしてるうちに、ガマンすることが目的になって、ガマンしている自分を評価してしまうことである。「こんな不愉快なことをガマンできるなんて、ずいぶん人間的に成熟したなあ」とか。そしてわざわざ不愉快なことをもとめ、それにマゾヒスティックに耐えたりする。愚の骨頂である。

老子は「難きを其の易きに図り、大なるを其の細なるに為す。天下の難事は、必ず易きより作《おこ》り、天下の大事は、必ず細なるより作る」といましめる。面倒くさくなりそうなことは、それがまだ簡単なうちに、ちゃんと片づけておくべし。子どものころそんなふうに小言《こごと》をいわれたことをおもいだす。ふだんからちゃんと勉強しておけば試験になってあわてることはない。それはそうだけど、それができるくらいなら世話はない。

「今日できることは明日にのばすな」と叱られる。明日できることは明日やってもかまわない。でも、今日やりたくないことは明日だってやりたくないわけで、たぶんズルズルとやらないだろう。そういった小さなツケの積みかさねが大きな厄介をもたらす。

なにごとも深刻になるまえに処理するというのは、ガンバらないでやれるうちにやるということである。なるべく最小限の力でこなせるうちにやっておくということである。ところが不思議なことに、最小限の労力でやれることをやるのだから、いたって簡単なはずなのに、意外とむつかしかったりする。力をいれるよりも、力をぬくほうが、どういうわけかむつかしかったりする。

歯を食いしばらず、ものごとを最小限の力でやれるうちにやってしまう。そんなふうに「より遅く・より低く・より弱く」をつらぬくためには、そこそこ教養がいるのである。

教養とは「自分を知っている」ということである。自分を知っていれば、ものごとを最小限の力でやれる「易・細」のうちに片づけられる。そういうガンバらずにやれる段階でサボってしまうと、てきめんに処置なしの「難事・大事」に見舞われる。

64

安定しているものは維持しやすく、萌芽《ほうが》のうちは対処しやすく、脆弱《ぜいじゃく》なものは分割しやすく、微細なものは分散させやすい。（まだ面倒なことが）生じてこないうちに（最小限の力で）処置し、乱れてしまわないうちに（最小限の力で）処理する。

ひとかかえもある大木も毛先ほどのちっぽけな芽からはえてくるのだし、九層もの高殿《たかどの》もひと盛りのわずかの土からきづきあげるのだし、千里の道のりも足もとの一歩から歩きはじめるのである。（そういう些細なはじまりをないがしろにして、ことがらが手に負えなくなってから）うまくやってやろうと意識するものはかえってしくじるし、うしなうまいと執着するものはけっきょくうしなうことになる。

だから聖人は（ことがらを最小限の力でやれるうちに処置するので）ことさら無理してやろうとしないから失敗することはなく、やったことに執着することもないからうしなうこともない。

仕事というものは、たいていまさに出来上がろうとするまぎわにおいて失敗する。最後の仕上げのところを最初のはじまりのように慎重にやれば、仕事をしくじることもない。

だから聖人は、欲望をもたないことをおのれの欲望とし、手にはいりにくいお宝をありがたがらない。世俗のさかしらな学問を学ばないことをおのれの学びとし、ひとびとの（欲にまみれた）ゆきすぎを（自然の法則にもとづいた本来のありかたに）ひきもどし、万物のあるがままの自然なありかたをまっとうさせて、みずからは無理に作為をほどこそうとはしないのである。

其《そ》の安《やす》きは持ち易《やす》く、其の未《いま》だ兆《きざ》さざるは謀《はか》り易く、其の脆《もろ》きは泮《わ》け易く、其の微《かす》かなるは散らし易し。之《これ》を未だ有らざるに為《な》し、之を未だ乱れざるに治む。

合抱《ごうほう》の木も毫末《ごうまつ》に生じ、九層の台《うてな》も累土《るいど》に起こり、千里の行《こう》も足《そっ》下《か》より始まる。

為す者は之を敗《やぶ》り、執《と》る者は之を失う。

是《ここ》を以《もっ》て聖人は、為《な》す無きが故《ゆえ》に敗るること無く、執る無きが故に失うこと無し。

民の事《こと》に従うや、常に幾《ほと》んど成らんとするに於《お》いて之を敗る。終わりを慎《つつ》しむこと始めの如《ごと》くんば、則《すなわ》ち事を敗ること無し。

是を以て聖人は、欲《ほっ》せざるを欲し、得難きの貨を貴《とうと》ばず。学ばざるを学び、衆人の過ぎたる所を復《ふく》し、以て万物の自然を輔《たす》け、而《しか》して敢《あ》えて為さず。

其安易持、其未兆易謀、其脆易泮、其微易散。為之於未有、治之於未乱。

合抱之木、生於毫末、九層之台、起於累土、千里之行、始於足下。

為者敗之、執者失之。

是以聖人無為故無敗、無執故無失。

民之従事、常於幾成而敗之。慎終如始、則無敗事。

是以聖人欲不欲、不貴難得之貨。学不学、復衆人之所過、以輔万物之自然而不敢為。

無為とは「なんにも為さない」ことではない。安定したままで維持し、萌芽のうちに対処し、脆弱なものは分割し、微細なものは分散するというふうに、ものごとを最小限の力でやれるうちにやるのである。ことがらが難儀になるまえに処理するので、まるで「なんにも為さない」かのようにみえる。ことが大きくなってから対処するのは、いかにも「なにかを為している」ようで見栄《みば》えはするけれども、そうなってからガンバるのでは遅いのである。

ガンバらずにやれるうちに処理するためには、自然のなりゆきがどうであるかを察知し、最小限の力ですむようなタイミングをみのがさぬようにせねばならない。それは至難のことであるかのようだが、そんなことはない。ひたすら「万物の自然を輔《たす》け、而して敢えて為さず」であればよい。ものごとが自然の法則にしたがってあることをジャマせず、ことさら人為をほどこさぬようにしさえすればよい。

こういう老子の考えかたには大いに共感できるのだが、ひとつだけ気にかかることがある。それは「欲せざるを欲し」「学ばざるを学び」という箇所である。

否定さるべき欲と、肯定さるべき欲とがある。否定さるべき欲とは、「得難きの貨を貴」ぶような無理のある欲である。それは捨てねばならない。肯定さるべき欲とは、無理をせずとも最小限の力で得られるものを欲することである。

否定さるべき学びと、肯定さるべき学びとがある。否定さるべき学びとは、学びたくないのに学ばせられるような、無理してガンバらねば学べぬような学びである。肯定さるべき学びとは、学びたくて学ぶような、最小限の力で学べるような学びである。

これを「欲せざるを欲し」「学ばざるを学び」とひとからげにして消極的にしか語らないことは、ややもすれば誤解をまねきかねない（これでも教育者のはしくれなので、このことは等閑に附しがたい）。ものごとの自然のなりゆき、すなわち自然の法則にしたがうことを、ひとは欲さねばならないし、学ばねばならない。「衆人の過ぎたる所」のような、欲すべからざるものを欲し、学ぶべからざるものを学ぶことは、よろしくない。しかし欲すべきものを欲し、学ぶべきものを学ぶことは「以て万物の自然を輔け、而して敢えて為さ」ざるところの好もしい営みのはずである。

「欲せざるを欲し」「学ばざるを学び」とは、これを「無知の知」のようには読めないだろうか。「欲せざるを欲し」「学ばざるを学び」とは、欲さない（欲する必要のない）ことを欲する、学ばない（学ぶ必要のない）ことを学ぶ、ということではない。むしろその逆である。いままで自分はちゃんと欲してこなかったのではないかということを自覚し、これまで自分はちゃんと学んでこなかったのではないかということを反省するのである。こう読むことがゆるされるならば、この両句はむしろ適切に欲することや学ぶことのすすめとなる。

さらに「衆人の過ぎたる所を復す」るのも、多くのひとびとが看過しているところ、そこにこそ欲すべき、学ぶべきものがあるので、そこにたちかえるべし、といっているのである。そう読むならば、いよいよ常識にとらわれない欲や学びをすすめているということになろう。

65

いにしえより自然の法則をおさめたものは、ひとびとを（こざかしさのせいで自然の法則にしたがえないような頭でっかちの）聡明なものにしようとはせず、むしろ（ひたすら自然の法則に身をゆだねる）愚《ぐ》昧《まい》なものにしようとする。

ひとびとが統治しにくいのは、ひとびとに（こざかしい）知恵があるからである。だから知恵（を重んずること）によって国をおさめようとするのは、国をそこなうことである。知恵（を重んずること）によらずして国をおさめようとするのは、国をしあわせにすることである。

この（知恵を重んずる為政か知恵を重んじない為政かという）ふたつのことをわきまえることが統治における原則である。つねにこの原則をわきまえていること、これを玄妙な徳という。玄妙な徳はまことに深遠かつ広大であって、一切のものとともに（自然の法則にしたがうことへと）たちかえる。このよう（に自然の法則にしたがうことへとたちかえるよう）であってはじめて（自然の法則のはたらきへの）大いなる帰順がかなう。

古《いにしえ》の善《よ》く道を為《おさ》むる者は、以《もっ》て民を明らかにするに非《あら》ず、将《まさ》に以て之《これ》を愚《おろ》かにせんとす。
民の治め難《がた》きは、其《そ》の智多きを以てなり。故《ゆえ》に智を以て国を治むるは、国の賊《ぞく》なり。智を以てせずして国を治むるは、国の福《さいわい》なり。
此《こ》の両者も亦稽式《またけいしき》なるを知る。常に稽式を知る、是《これ》を玄徳《げんとく》と謂《い》う。玄徳は深いかな、遠いかな、物と反《かえ》る。然《しか》る後《のち》に乃《すなわ》ち大順《たいじゅん》に至る。

古之善為道者、非以明民、将以愚之。
民之難治、以其智多。故以智治国、国之賊。不以智治国、国之福。
知此両者亦稽式。常知稽式、是謂玄徳。玄徳深矣、遠矣、与物反矣。然後乃至大順。

「道」によって国をおさめるというのは、人民を「明」にするのではなく、人民を「愚」にするのである、と明言している。文字どおりに読むかぎり、いわゆる愚民政策のすすめである。

孔子は「民は之《これ》に由《よ》らしむ可《べ》し。之を知らしむ可からず」（『論語』泰伯《たいはく》）という。下々には信じさせるべきだが、そのわけを知らせることはない。人民は政治を信じるものであって政治を知るものではない。信じられるからには然《しか》るべき理由もあるだろうが、それをわざわざアピールして知ってもらうことはない。

孔子の説くところは愚民政策ではない。人民がいちいち「お上はなぜこんなことをするのだろう」と首をかしげずにすむような、まさに鼓腹撃壌《こふくげきじょう》といった感じでのうのうと暮らしておれるような、おだやかな世のなかをめざすべしというのである。

老子の説くところもまた愚民政策ではない。ただし老子の説きぶりは孔子にくらべて屈折している。ここにおける「明」「愚」の意味は、世間でふつうにいう「明るい」「愚か」ではない。逆説的な表現を好む老子は、わしの言葉をまともに受けとりなさんな、裏を読みなさいよ、と読者にしっかり考えることを要求する。

王弼《おうひつ》の注をみると「明は、智多く巧詐《こうさ》にして、其の樸《はく》を蔽《おお》うを謂《い》うなり。愚は、無知にして真を守り、自然に順《したが》うを謂うなり」とある。明とは、知見がたくさんあって偽《いつわ》ることにたけており、素朴さがおおわれていることである。愚とは、さかしらの知にとらわれることなく自然の法則にしたがって生きていることである。

人民を「明」にするのではなく「愚」にするというのは、お上がおのれの為政をして容易ならしむるために下々のものを無知蒙昧《もうまい》にさせておくというのではない。いたずらに知恵にまみれて欲望にかりたてられるような文明社会の負《ふ》の側面からひとびとをまもり、純朴自然な生きかたをまっとうできるようにつとめることである。

くりかえし読むうちに、だんだん不思議な感じがしてきた。その感じの正体はなにかというと、本章はお上にとっての為政の秘訣を明らかにしてしまっているということである。

こういう人民をおさめるうえでの極意を明らかにすることは、人民を愚弄するようでいて、じつは人民に警告を発していることになりゃせんだろうか。愚民政策どころか、お上にとっての奥の手をこんなふうにバラしてしまう老子は、ひょっとすると為政者にとっては困った存在だったんじゃなかろうか。

それかあらぬか、中国における正統的なイデオロギーは、ひとびとをして無知無欲であらしむる道家の思想ではなく、下々のものに仁義礼智を説く儒教のそれであった。おそらく為政者にとっては儒教のほうが都合のよい思想だったからだろう。

人民を「明」にするのではなく「愚」にするというのは、むろん「知」そのものを否定しているわけじゃない。そうだとしても、お上であれ下々であれ「道を為《おさ》む」べきことに変わりはないとすれば、たれであれ「明」であるよりも「愚」であるほうが自然の法則に身をまかせて生きてゆける、といっているにはちがいない。あふれかえった情報にふりまわされると、ひとは小利口になり、よけいな競争にはしり、おだやかに暮らしておれなくなる。

「民の治め難きは、其の智多きを以てなり」というのも、お上がどうやって下々のものをコントロールするかということではなく、ひとびとが安らかに暮らしにくくなるのは、むやみに「智多き」ことをもとめるせいだと読んでおけばよいのかもしれない。頭でっかちであるよりもボンヤリしているほうがのほほんと生きてゆけるよ、と人間らしく生きるコツを伝授しているのである。

66

大河や大海があまたの谷川（をあつめて、それら）の王者でありうるのは、みずから低いところに身をおいてへりくだっているからである。だからこそ（あらゆる谷川がそこに流れこむことによって）あまたの谷川の王者であることができる。

だからひとびとの上にたとうとおもうならば、かならずやその発言は（ひとびとにたいして）へりくだらねばならぬし、ひとびとの先頭にたとうとおもうならば、かならずやその行動は（ひとびとよりも）あとまわしでなければならぬ。

それゆえ（自然の法則にしたがう）聖人がひとびとの上にたって（発言しようと）もひとびとは重圧だとは感じないし、ひとびとの先頭にたって（行動しようと）もひとびとはジャマだとはおもわない。

だから世界中のものがよろこんでかれを（おのれの上にたつものとして）おしいただいてイヤがらない。（このようでありうるのは）聖人がたれとも争おうとしないからである。だからこそ世のなかに（はなから争おうとしない）聖人と争うことができるものなどたれひとりとしていないのである。

江海《こうかい》の能《よ》く百谷《ひやっこく》の王為《た》る所以《ゆえん》の者は、其《そ》の善《よ》く之《これ》に下《くだ》るを以《もっ》てなり。故《ゆえ》に能く百谷の王為り。

是《ここ》を以て民に上《かみ》たらんと欲《ほっ》せば、必ず言を以て之に下り、民に先んぜんと欲せば、必ず身を以て之に後《おく》る。

是を以て聖人は、上に処《お》るも而《しか》も民は重しとせず、前に処《お》るも而も民は害とせず。

是を以て天下は、推《お》すを楽しみて而も厭《いと》わず。其の争わざるを以てなり。故に天下能く之と争う莫《な》し。

江海所以能為百谷王者、以其善下之。故能為百谷王。

是以欲上民、必以言下之、欲先民、必以身後之。

是以聖人、処上而民不重、処前而民不害。

是以天下、楽推而不厭。以其不争。故天下莫能与之争。

為

政者と人民との関係を大河・大海と谷川との関係になぞらえている。いつもながらの譬喩《ひゆ》による説明である。

いったい説き明かすというのは、わかりにくいことをわかりやすいかたちにすることだろう。老子お得意の譬喩による説明は、はたして説き明かすことになっているのだろうか。

われわれが説明としてイメージするのは、前提を真であるとみとめたならば結論もかならず真だとみとめねばならぬ推論、いわゆる演繹《えんえき》である。演繹的な推論そのものは論理的には同義反復である。おなじことをくりかえされても知識はふえない。未知のものを既知のものに関係づけることが説明であるならば、もとめられているのは演繹的な推論よりもむしろ譬喩のほうなのかもしれない。

ひとびとが為政者が上にたつことをみとめるのは、あとで「国の垢《よご》れを受くる、是《これ》を社稷《しゃしょく》の主《あるじ》と謂《い》い、国の不祥を受くる、是を天下の王と為す」(第78章)といっているように、恥辱や汚濁《おじよく》をひっかぶり、すべては朕《ちん》の不徳の致すところである、と身をもって汚れ役をつとめるからである。おのれの権威をひけらかすなどもってのほか。むしろたれよりも「無為・好静・無事・無欲」(第57章)であらねばならぬ。

水が低いほうへと流れるのは自然の法則の然《しか》らしむるところである。ことさらガンバってそうしているわけではない。「民に上たらんと欲」するものが「言を以て之に下」ることや、「民に先んぜんと欲」するものが「身を以て之に後《おく》る」ることも、もしガンバってそうしているようであれば、それを譬《たと》えるに水が低いほうへと流れることをもってすることはできない。

すでに聖人であるならば、大河・大海が谷川より下流にあるように、かならずや人民の下に位置し、へりくだっているだろう。また大河・大海にすべての谷川が流れこむように、人民のありかたを寛大に受けいれるだろう。

まずは谷川があって、それが大河・大海に流れこむのである。谷川が先で大河・大海は後であるように、人民が先で聖人は後である。

人民が先で聖人は後であるというのは具体的にはどういうことか。人民のことを優先的に考え、自身のことはあとまわしにするということだろう。そうだとすると老子が「是を以て聖人は、上に処《お》るも而も民は重しとせず、前に処るも而も民は害とせず」というのは、まったくもって腑《ふ》に落ちない。

聖人が上にいても(つまり人民が下にいても)人民は重いといわないし、聖人が先にいても(つまり人民が後にいても)人民はイヤだとおもわない、と老子はいう。あれれ? 聖人と人民との関係は、自然の法則にしたがった大河・大海と谷川との関係になぞらえれば、聖人が下で人民が上、聖人が後で人民が先であるべきなんじゃないの？　そういう自然な状態ではないのに聖人も人民も平気だっていうのはどういうこと？

ゲスの勘ぐりのようだが、聖人は「（じつは下にいるのだから）上にたっているようにみえてもゆるそう」「（じつは後にいるのだから）先にたっているようにみえてもゆるそう」というふうに人民がおもっているのだとしたら、おそろしく素直かつ従順である（オメデタイともいえよう）。

「じつは」というのは人民の願望（幻想）であって、じっさいの為政者はどうかというと、いつも人民よりも上にたち、人民よりも自身を優先させていて、しかも聖人のようなふりをしているのである（というのが現実でなければよいのだが）。

いにしえの中国にあって民主主義ということは夢想だにされえなかった。そもそも人民に主権があるという発想からしてなかった。

為政者たるもの「民に上たらんと欲」するがゆえに「言を以て之に下」り、「民に先んぜんと欲」するがゆえに「身を以て之に後る」るという策略を心得ておらねばならぬ。ほんとうの主権者はたれかということを曖昧にして人民に考えさせぬようにするのが統治のコツである。その意味では老子の説くところはある種の愚民政策であるともいえよう。

為政者がうまく懐柔《かいじゅう》することによって人民は「推すを楽しみて而も厭わず」というふうになり、その結果として「天下能く之と争う莫し」でありうるというのは、あえてへりくだった態度をとることの効用をのべているようで、ヒネクレているぼくとしては素直に「おっしゃるとおり」とはうなづきにくい。

そういえば第8章でも「上善は水の若《ごと》し。水は善く万物を利して而《しか》も争わず」と水の流れの譬えをもちい、その結果として「夫《そ》れ唯《た》だ争わず、故に尤《とが》め無し」と争わずにすむことの効用をのべていたっけ。

へりくだることによって争わずにすませるというのは、たしかに現実には好もしいことだとはおもう。とはいえ「民に上たらん」「民に先んぜん」と欲するがゆえにそうするというのは、なんともはや老猾《ろうかい》という感じがする。愚民政策というよりも、あえてみずから愚をよそおうみたいで、むしろズルいような気がしないでもない。

いやしくも聖人であるならば、ひたすら自然の法則にしたがいながら、およそガンバることなく、あたかも水が低いほうへと流れるごとくに、おのずから「言を以て之に下」り「身を以て之に後」るるものであってほしい。

聖人とは、あらゆる美質をそなえた完璧な人間である。ちなみに聖人はこれまで八人いた――堯《ぎょう》・舜《しゅん》・禹《う》・湯《とう》・文王《ぶんおう》・武王《ぶおう》・周公《しゅうこう》・孔子。じっさい完璧な人間なんているわけがない。してみると聖人を待望してもしょうがないのだろうか。

67

世のひとびとはみなわたくし（がいう自然の法則として）の道のことを（とりとめもなく）でっかいだけでバカげているという。そもそも（世のひとびとには理解不能なくらい）でっかいからこそ（目先のものごとにとらわれる世のひとびとの目には）バカげているかのようにみえるのである。もし（世のひとびとに理解可能であって）わかりやすいものにみえるようであれば、とっくの昔に（しょせん世のひとびとに理解できる程度の）ちっぽけなものになってしまっていただろう。

（自然の法則にしたがって生きる）わたくし（の生きかた）には三つの大切なものがあって、いつもしっかり身につけている。第一にいつくしみ、第二につつましさ、第三にひかえめ。

いつくしみのこころをもつからこそ（ひとびとの苦しみを身を挺《てい》して救いたいとおもえるので）勇敢でありうる。つつましいからこそ（ふだんから浪費することがないので余裕をもっていくらでも）あまねくほどこすことができる。ひかえめであるからこそ（むしろ有能なものをひきたてて人材をうまく活かせるから）すぐれたものたちの頭領となれる。

ところでいま（それとはちがって）いつくしみのこころをもっていないのに（やみくもに）派手にた

ちまわろうとしたり、つつましさをそなえていないのに（いきなり）太っ腹にほどこそうとしたり、ひとびとのうしろにつくことをやめて（無理やりに）先頭にたとうとしたりするならば、その身はほろびることになろう。

いつくしみのこころがあるというのは（自然の法則にしたがって生きているということであり、必然的にひとびとの信望を得るということになるから）もし戦えばかならず勝つだろうし、また守ればかならず守りきれる。（そういうふうに勝ち、守ることができるのは）天（という自然の法則のはたらき）がそのものを勝たせようとし、いつくしみのこころをもって守ってくれるからである。

天下皆我が道は大にして不肖《ふしょう》に似たりと謂《い》う。夫《そ》れ唯《た》だ大なり、故《ゆえ》に不肖に似たり。若《も》し肖なれば、久《ひさ》しいかな其《そ》の細《さい》たるや。

我に三宝有り、持《じ》して之《これ》を保つ。一に曰《いわ》く慈《じ》、二に曰く倹《けん》、三に曰く敢《あ》えて天下の先《せん》と為《な》らず。

慈なり、故に能《よ》く勇なり。倹なり、故に能く広し。敢えて天下の先と為らず、故に能く器《き》の長《ちょう》と成る。

今慈を舎《す》てて且《まさ》に勇ならんとし、倹を舎てて且に広からんとし、後《おく》るるを舎てて且に先んぜんとせば、死せん。

夫れ慈ならば、以《もっ》て戦わば則《すなわ》ち勝ち、以て守らば則ち固し。天将《まさ》に之を救わんとし、慈を以て之を衛《まも》る。

天下皆謂我道大似不肖。夫唯大、故似不肖。若肖、久矣其細也夫。

我有三宝、持而保之。一曰慈、二曰倹、三曰不敢為天下先。

慈、故能勇。倹、故能広。不敢為天下先、故能成器長。

今舎慈且勇、舎倹且広、舎後且先、死矣。

夫慈、以戦則勝、以守則固。天将救之、以慈衛之。

冒頭の「天下皆謂我道大似不肖」だが、王弼《おうひつ》本のほかの諸本には「道」の字がない。すると「大にして不肖に似たり」の主語は「我」となり、蜂屋本のように「世の中の人々は、みな、わたしは大人物のようだが愚かに見える、という」と訳すことになる。

ぼくは「道」の字をのこし「我が道」を主語として、道はあらゆるところに遍在してこの世を統《す》べているということについて、道理をわきまえぬものはバカげたことだというが、というふうに道についてのこととして読みたい。

自然の法則のはたらきは、なにかに似たものとして認識されうべくもない。道理をわきまえぬものにはバカげていると一笑に付されるのが関の山である。まさに「下士《かし》は道を聞かば、大いに之を笑う」（第41章）である。

ホラを吹いているといって笑われてしまう、と老子は自嘲しているわけではない。笑われるということこそが自然の法則がはたらいているという証拠である、と逆説的にうそぶいているのである。

老子はつづけて「いつくしみ・つつましさ・ひかえめ」という「三宝」を大切にするという。この三つは自然の法則にしたがって生きるものの生きかたの指標である。

いつくしみとは、慈悲ぶかく恵みをほどこすといった上から目線のありかたではない。自分のおかれた環境にあって、自然の法則を大事にしながら生きることである。つつましさとは、ガンバって倹約することではない。ひかえめも、あえて先頭にたとうとしないというのではない。ひたすら自然の法則にしたがって無理をしないことである。

自然の法則のはたらきは、どこまでも無為自然かつ公平無私であり、あまねく万物をささえている。したがって無理にしたがおうとする必要はない（たとい無理にしたがおうとしても、どうすればよいかわからない）。

あえて譬《たと》えていうならば、赤ちゃんのようにまったく無邪気にふるまい、女性のようにたれにでも分けへだてなく優しく、水のように流れつくべきところに流れつく、というふうに最小限の力をもって生きていればよいのである。

さらに念を押していうならば、自然の法則のはたらきは万物にとって理非の沙汰を超えた純粋な所与であるから、ことさら「慈を舍てて且《まさ》に勇ならんとし、倹を舍てて且に広からんとし、後《おく》るるを舍てて且に先んぜんと」することなど無用である（のみならず有害である）。

「夫れ慈ならば、以て戦わば則ち勝ち、以て守らば則ち固し」についても、ぼくは自然の法則のはたらきは無為自然かつ公平無私であるから、これにしたがって生きていさえすればおのずから恙《つつが》なく生きてゆけるというふうに読みたい。「天将《まさ》に之を救わんとし、慈を以て之を衛る」のも、自然の法則にしたがって生きているものは最小限の力であるがままにありながらも勝ち、守られるのである。

68

真にすぐれた戦士は武勇をひけらかしたりしない。真のいくさ上手は憤怒《ふんぬ》にかられたりしない。真にうまく敵をうちまかすものは（まともに正面きって）敵にたちむかったりしない。真にうまく（上にたって）ひとを使いこなすものは（むしろ下にいる）相手にへりくだる。

これを争わざるの徳といい、ひとの力をたくみに使いこなすといい、天の法則にかなうという。むかしからの（自然の法則にしたがった）ありかたの極致である。

善《よ》く士為《た》る者は武ならず。善く戦う者は怒《いか》らず。善く敵に勝つ者は与《くみ》せず。善く人を用うる者は之《これ》が下《しも》と為《な》る。

是《これ》を争わざるの徳と謂《い》い、是を人の力を用うと謂い、是を天に配すと謂う。古《いにしえ》の極《きわみ》なり。

善為士者不武。善戦者不怒。善勝敵者不与。善用人者為之下。

是謂不争之徳、是謂用人之力、是謂配天。古之極。

敵に勝つというのは敵をつくらないことである。ひとの上にたつというのはひとの下にいるということである――あえて無手勝流《むてかつりゅう》をよそおうような、なんとなく策略的なおもむきをおぼえる。

真に強いものは、むやみに争ったりしない。へりくだっているようでいて、じつは巧みにひとを使いこなしている――温厚というよりも、むしろ陰険っていう感じである。もっとも、陰険さを感じさせないでこれをやれるものが、ほんとうの強者なのだろう。

自分から争いをふっかけようとはしない。いつも腰を低くしている。それでいてひとの力をうまく使っていて、けっきょく旨い汁をすう――なるほど見事な生きかたではあるが、考えただけでストレスがたまりそうである。

譬喩《ひゆ》とはいえ「善く士為る」「善く戦う」「善く敵に勝つ」「善く人を用うる」という発想はいささか苦手である。あるときは弾圧し、あるときは煽動するような、ときとして満悦し、ときとして焦燥するような、そういう生きかたとは無縁でありたい。

戦いがあれば、敵を悪《あ》しきものとみなすよりない。戦うためには、相手がたとい善いものであっても必然的に倒すべき悪として表象せざるをえない。そうでなければ戦えない。で、そうであるように人心を操作するのが政治の役割だったりする（クワバラクワバラ）。

この世に倒すべきものなど存在してはならない。悪をつくりだすのは人間である。しかし善をおこなうのもまた人間である。絶望することなく「争わざるの徳」をもとめるべし。「人の力を用う」ることが「天に配す」ることであるならば、それはけっして不可能なことではなかろう。

69

いくさのやりかたについては、こういう言葉がある。（攻めることができるということに気づかれないように）こちらのほうから仕掛けたりせず、あちらのほうから仕掛けられるようにし、すこしでも進軍しようとしたりせず、むしろたくさん退却しようとする。（こういった勝つことに逆行するような戦いかたをすれば敵はかならず油断するにちがいなく）これを軍をすすめようにもすすめるべき道がないかのようにし、腕をまくりあげようにもまくりあげるべき腕がないかのようにし、敵をひっぱりこもうにもひっぱりこむべき敵がないかのようにし、武器をとろうにもとるべき武器がないかのようにする（という為しうることがないかのようによそおう）やりかたというのである。

（いくさにおける）わざわいは、敵をあなどることよりも大きなものはない（むしろ敵にこちらをあなどるように仕向けるべきである）。敵をあなどれば、おのれの大切なもの（すなわち相手にこちらをあなどらせるという戦いかた）をうしなってしまったも同然である。

だから力の拮抗《きっこう》したものどうしが戦うときには、（あたかも負けることを覚悟しているかのような）しょんぼりと意気消沈したありさまでもって（まるで攻めることをあきらめたかのようによそおって）戦うもののほうが勝つのである。

兵を用《もち》うるに言《げん》有り。吾《われ》敢《あ》えて主《あるじ》と為《な》らずして客《かく》と為り、敢えて寸《すん》を進まずして尺《しゃく》を退《しりぞ》く、と。是《これ》を行くに行《みち》無く、攘《はら》うに臂《ひじ》無く、扔《つ》くに敵無く、執《と》るに兵無しと謂《い》う。禍《わざわい》は敵を軽《かろ》んずるより大なるは莫《な》し。敵を軽んずれば幾《ほとん》ど吾《わ》が宝を喪《うしな》わん。故《ゆえ》に兵を抗《あ》げて相加《あいくわ》うに、哀しむ者勝つ。

用兵有言。吾不敢為主而為客、不敢進寸而退尺。是謂行無行、攘無臂、扔無敵、執無兵。禍莫大於軽敵。軽敵幾喪吾宝。故抗兵相加、哀者勝矣。

老子は「なにかしら為しているのだが、なんにも為していないようにみせる」という仕方をすすめる。いくさの支度《したく》などしていないようにみせながら、じつはしっかり準備はととのえている。敵にたいして「敢えて主と為らずして客と為り、敢えて寸を進まずして尺を退く」という消極的な素振りをするというのがコツである。

似たようなことを第36章でもいっていた。「之を歙《ちぢ》めんと将欲《ほっ》すれば、必ず固《しばら》く之を張る。之を弱めんと将欲すれば、必ず固く之を強くす。之を廃せんと将欲すれば、必ず固く之を興《おこ》す。之を奪わんと将欲すれば、必ず固く之を与《あた》う」「国の利器は以《もっ》て人に示す可《べ》からず」と。相手の裏をかき、こちらの実力を悟らせないようにすれば、かならず勝つことができる。

章末の「哀しむ者勝つ」という言葉は、危難におちいったり、圧迫をこうむったり、苦境にたたされたりした軍隊は、もはや背水の陣を敷いて、腹をくくって戦わざるをえず、往々にして勝利をおさめる、といった意味合いでもちいられる。

人生もそうかもしれない。順風満帆でやってきたものよりも、一度くらい挫折を味わったもののほうが、いざというとき強く生きることができる。たしかにそういう機微《きび》はあるだろう。でも、もうちょっとロマンチックに読んでみたい――おたがいの力量が拮抗《きっこう》している場合、みずから攻撃するものより、攻撃されて仕方なく応戦するもののほうが、たいてい勝つ、と。

「哀しむ者勝つ」の「哀しむ」のはたれかといえば、それは攻められるほうだろう。攻めるものが哀しむとは考えにくい（哀しむくらいなら、はなから攻めなければよい）。不本意ながら攻められたものは、味方どうし案じあわざるをえない。否応《いやおう》なくおたがいの苦難を共有することになり、いきおい団結して事にあたるだろう。全員がどのような「きづな」でむすばれているかということが戦いの行方を決する。

攻めたくて攻めるものよりも、攻めざるをえなくて攻めるもののほうが、かならず勝つ。もちろん世のなか、そんなに甘くはない。甘くないからこそ、「哀しむ者勝つ」をそんなふうに読んでみたくなる。

70

わたくしの言葉は、たいへんわかりやすく、たいへんおこないやすいのに、世のなかにはわかるものがおらず、おこなうものもいない。

（わたくしが口で）いうことには拠《よ》るところがあり、（わたくしが身をもって）おこなうことには統《す》べるところがある。そもそも（拠るところや統べるところは自然の法則にしたがっており、それは表向きは知ではなく無知というありかたをしているので）それを知ることはない。だから（無知ではなく知というありかたをしているものには）わたくし（の自然の法則にしたがったありかた）はわからない。

わたくし（のような自然の法則にしたがったありかた）をわかるものがめったにいないのは、わたくし（の拠るところや統べるところ）があまりにもレベルが高い（すなわち知ではなく無知というありかたをしている）からである。だから（自然の法則にしたがっている）聖人（のレベルの高いありよう）は（その拠るところや統べるところがわからないものには）粗末な身なりをして（いるようにしかみえないが、じつは）ふところに美玉（にも譬《たと》えるべきすばらしいもの）をいだいているのである。

吾《わ》が言《げん》は甚《はなは》だ知り易《やす》く、甚だ行い易きに、天下能《よ》く知る莫《な》く、能く行う莫し。

言に宗《そう》有り、事《こと》に君《きみ》有り。夫《そ》れ唯《ただ》知ること無し。是《ここ》を以《もっ》て我を知らず。

我を知る者の希《まれ》なるは、則《すなわ》ち我の貴《とうと》ければなり。是を以て聖人は褐《かっ》を被《き》て玉《ぎょく》を懐《いだ》く。

吾言甚易知、甚易行、天下莫能知、莫能行。
言有宗、事有君。夫唯無知。是以不我知。
知我者希、則我者貴。是以聖人被褐懐玉。

自然の法則にしたがっているものの言動にも、それを理解するうえでのツボとでもいうべきものがある。そこさえ押さえておけば理解しやすいのだが、そこをわきまえていないと理解はおぼつかない。それゆえ老子の言動は世間のひとに理解されがたいという仕儀《しぎ》になる。

そういう事情はあるにちがいない。しかしそれは老子が世間のひとびとに「道」をうまく説明できていないせいであって、おのれの言動が理解されないのも身からでたサビという気味もある。

もっとも、自然界をつかさどるさまざまの法則にかんして、往時の知の状況にあってはその片鱗《へんりん》すらいまだ具体的にはみいだされていないわけで、老子の言動が説得力にとぼしくなってしまうのも無理からぬところではある。

特殊なことも、それを一般化することによって、ものごとの真相がみえてくるということがある。とりわけ哲学的な問題は、もっぱらリアルタイムのことのみに束縛されていては解決できない。とはいえ現に生きているというのは、のべつ「いま・ここ」で起こっている出来事にふりまわされるということである。老子が哲学者であろうとするかぎり、その言動はひとびとの耳目《じもく》にとどきがたいという実情もあったにちがいない。

「我を知る者の希《まれ》なるは、則ち我の貴ければなり」という老子の言葉は、これを文字どおりにとると、なんだか世間のひとびとの無理解のほうを非難しているかのようにきこえてしまう。自然の法則にしたがっているもののレベルの高いありかたは、知ではなく無知というありかたであるから、知にまみれた世間のひとびとには理解できまい、と。

さらに老子は「是を以て聖人は褐を被て玉を懐く」とダメを押す。聖人は「ボロは着てもこころの錦」と、ひとり孤高をまもらざるをえない。これも一歩まちがうと負け惜しみのようにきこえかねない。

自然の法則にしたがうというありかたは、いくら「甚だ知り易く、甚だ行い易きに」といわれたところで、なにぶん「いつ」なのかも「どこ」なのかもわからない現実感のないことであるから、たしかに「能く知る莫く、能く行う莫し」であってもしょうがないような気もする。だが、それが勘ちがいであることは論を俟《ま》たない。

なにが自然の法則にしたがったふるまいかというと、読者諸賢はもはや耳にタコができているだろうが（ぼくも口が酸っぱくなっているけれども）、それはガンバらずに最小限の力でやるということである。

そういうありかたは「甚だ知り易く、甚だ行い易き」ものではあるが、なにしろ自ずから然《しか》るようなありかたであるから、ことさら意識的にそうであろうとしようにも「能く知る莫く、能く行う莫し」であるのはしょうがないことである。

ガンバらないで最小限の力でやることが、とりもなおさず自然の法則にしたがったやりかたである。「言に宗有り、事に君有り」というのは、なにか特別なありかたではない。ひたすら無理せずに生きてゆくことである。そういう自然なありかたが「夫れ唯知ること無し」であるのも当然のことである。

ガンバらずにぼちぼちやっているとき、その努力の具合はかぎりなく小さいが、けっして無ではない。最小限の力でのんびりやっていると、まったく変化がないようにみえるけれども、着実にやってはいるわけで、そうやって無理なくやりつづけているうちに最大限のことがなしとげられてゆく。

最小限の力でやるというやりかたは、そんなことが自然にやれるかどうかはさておき、ぼくはすこぶる気にいっている。

越えられそうにない壁にぶつかったときも、あせらず、あわてず、ゆっくり最小限の力で、つまり十分にすこしの力でやっていれば、いつのまにか壁をつきやぶることができる。「急《せ》いては事を仕損ずる」とは最小限の力でやりつづけよという教えである。

無為《むい》とは最小限の力でやりつづけることだとしても、どんなに力をぬいてみたところで力がゼロというのとはちがう。その「ちがい」を示すことができるかというと、できそうもない。ちがいを示すことができないのなら、おなじと考えておくよりない。

最小限の力でやれるかどうかというのは結果であって、それを目的にはできない。目的はあくまでも自然の法則にしたがうことである。

最小限の力でやることがむつかしいのは、自然の法則にしたがうということ以外に方法がないからであり、まさにその自然の法則にしたがうということを無理せずにやるのがむつかしいからである。

無理にやらないというのは、たんにガンバらないというのとはちがう。無理にやらないためにも自然の法則にしたがうことにはガンバらねばならない。無理しないで最小限の力でやるためには、どうすれば自然の法則にしたがうことができるか、いろいろと工夫をし、さまざまに努力をしなければならないという消息もある。

章の後半は、意地わるく読めば自画自賛のようにもとれるが、そうではあるまい。おのおの「我」というものをもっているということに覚醒せよ、といっているのだろう。かけがえのない「我」を大切にして、みずから自然の法則にしたがって生きることをすすめているのである。

お釈迦《しゃか》さまも「唯我独尊」といったように、この世のなかで唯一無二の大切なものは「我」である。おのれをみうしなわず、みずからを頼みにしなさい（仏教にいわゆる「自灯明《じとうみょう》」である）と老子もいっているのではなかろうか。

71

（自分は）知っていないということを知っているのはよろしい。（知っていないということを）知っているということを知らないのはダメである。

そもそも自分のダメなところをダメであると自覚すべきである。そうであってはじめてダメなところがダメでなくなる。聖人はダメでない。自分のダメなところをダメであると自覚しているから。だからこそダメでないのである。

知らざるを知るは上《じょう》なり。知るを知らざるは病《へい》なり。
夫《そ》れ唯《ただ》病を病とす。是《ここ》を以《もっ》て病ならず。聖人は病ならず。其《そ》の病を病とするを以てなり。是を以て病ならず。

知不知上。不知知病。
夫唯病病。是以不病。聖人不病。以其病病。是以不病。

「知不知上。不知知病」は、蜂屋本のように「知りて知らずとするは上なり。知らずして知るとするは病なり」と読むのがふつうである。

ぼくは前文の「知」を動詞、「不知」をその目的語、後文の「不知」を動詞、「知」をその目的語として（ある意味では機械的に）「知らざるを知るは上なり。知るを知らざるは病なり」と読んでみたい。そのほうが素直に「無知の知」として読めるような気がする。ほんとうにそのように読めるかどうか、すこし考えてみよう。

蜂屋本は「知っていても知らないと思うのが最上である。知らないのに知っていると思うのは欠点である」と訳す。この訳の問題点は、原文にない「と思う」という語をおぎなっていることである（とおもう）。蜂屋本の訳文から「と思う」をはぶいてみると、「知っていても知らないのが最上である。知らないのに知っているのは欠点である」となる。「知っていても知らない」と「知らないのに知っている」とは、あからさまに矛盾した表現である。その矛盾をやわらげるために「と思う」を附加したのだろう。

もともと老子の表現には、一見、矛盾しているようにみえるものがすくなくない。さりとて、こういうふうに矛盾をやわらげるべく工夫して訳したりすると、ともすれば不当な合理化をもたらし、老子らしさをそこないかねない。原文どおり（というか矛盾をおそれずに）訳せば、「知っていることを知らないとするのはよい。知らないことを知っているとするのはよくない」となる。あれ？　ちっとも矛盾した表現じゃないではないか。

なにが起こったのかを考えてみよう。「知不知上。不知知病」を「知りて知らずとするは上なり。知らずして知るとするは病なり」と読むさい、すでに「とする」という語句が挿入されているので、もはや矛盾した表現には訳しようがないのである。

「ほんとうは知っているのだが知らないふりをするのはよい。しかし、ほんとうは知っていないのに知っているふりをするのはよくない」というのは、とてもわかりやすい日本語ではあるけれども、まるで老子じゃないみたいである。

訓読文に「とする」をいれないで読むと、「知りて知らざるは上なり。知らずして知るは病なり」となる。そう読むと「知りて知らざる」とはどういうことなのか、「知らずして知る」とはどういうことなのか、かなり解釈がむつかしくなる。

それを知ったり知らなかったりする対象を「道」だと考えると、「(道がはたらいているということは)知っているのだが(その道のはたらきが具体的にどういうものなのかは)知らないというのはよい。しかし(道のはたらきが具体的にどういうものなのかは)知らないのに(道のはたらきについて)知っているというのはよろしくない(道のはたらきについては知らないというべきである)」と訳すことになり、ひとまず筋はとおる。が、愛想がよすぎて、いよいよ老子じゃないみたいである。

ぼくの読みのほうを吟味してみよう。ぼくは前文の「知」を動詞、「不知」をその目的語、後文の「不知」を動詞、「知」をその目的語として読んでいる。

すると前文は「知っていないということを知っていることはよい」と、まさしく「無知の知」そのものとなる。後文について、はじめは「(じつは知っていないのに)知っているとおもっているだけだということを知らないのはダメである」とヒネって読んでいたのだが、そんなふうに読むと後文も前文とおなじ趣旨のものになってしまう。つまり前文の「無知の知」の主張にたいして、その「無知の知」を知らないのはダメだという主張になってしまう。

おなじ趣旨の文をくりかえすというのは冗長とのそしりをまぬかれない。そこで後文についても、あくまでも「不知」を動詞、「知」をその目的語としてとらえ、「知っているということを知っていないのはダメである」というふうに読んでみた。知っているのに、いざそれは「なに」かをいおうとすると、なんといったらよいかわからない、と。

そんなふうに肝腎《かんじん》なことを知らないのはダメである。ダメな状態にとどまっていてはダメであるとわきまえて、はじめてダメでなくなる。聖人はダメではない。なぜならダメな状態をダメだとわきまえているから。

「知っているということを知っていないのはダメである」という言葉は、ダメじゃない唯一の道を指し示している。「無知の知」がそうであるように、ひとを探究へといざなう言葉、すなわち「もうひとつの自覚」へのうながしの言葉である。

孔子は「由《ゆう》よ、女《なんじ》に之《これ》を知るを誨《おし》えんか。之を知るは之を知ると為《な》し、知らざるは知らずと為す、是《こ》れ知るなり」（『論語』為政《いせい》）という。知っていることは知っているとし、知らないことは知らないとする、これがホントに知るということだ、と。

知っているというのは知っていることと知らないこととを区別することだという孔子は、そもそも「知」というものをみとめている。「無知の知」を説く老子とは立ち位置がちがう。

老子は「知っていないということを知っていることはよい」といい、さらに「(知っていないということを) 知っているということを知っていないのはダメである」と念を押しているというふうに理解するならば、「道」なるものは「知」によってとらえることはできないのだから、おのれの無知をわきまえて体得してゆくよりないのだ、というふうに解釈することになる——このように老子の所説をとらえると、それは不可知論をとなえるものであると誤解されかねない。

ソクラテスのいう「無知の知」とは、シンプルに「自分はまだ知ってはいない、ということを知っている」という意味である。「まだ」知らないが、これから探究することによって知ることができるかもしれない。その可能性は確保しておかねばならない。「無知の知」とは探究をうながす言葉である。ソクラテスはけっして不可知論者ではない。

老子は「道」を「知」によってとらえることができないとは考えていない、とぼくは読みたい。老子はすでに「道」について説いているのだから、「道」についてなにがしかの「知」をもっている。かりに老子に「道」について安易に言葉で語ることへの不信があるとしても、老子が一般に言葉への不信感をいだいているとはおもえない。

言葉への不信感をもちながら言語活動をするというのは、ひどく矛盾した態度である。意識的に言語活動をするひと (もちろん老子もそうである) は、言語へのなんらかの信頼をもってそれを遂行しているはずである。

「知不知上、不知知病」について、ぼくは「知らざるを知るは上なり。知るを知らざるは病なり」と読み、前半をソクラテスの「無知の知」のようにとらえ、後半を「じつは知っているのだが、そのことを知らないのはダメである」というふうにとらえたい。われわれが生きている背景には、こういう根本的な「知」への暗黙の信頼というべきものが横たわっている、というふうに解釈したいのである。現にぼくの言語活動も、こういう暗黙の信頼、むしろ根本「知」とさえいいたいものにもとづいている。ソクラテスがそうであるように、老子もまた不可知論者ではない。老子はいう。知識のみでは知りえないものもあるということを知るとき、はじめて真の知識がひらかれる、と。

老子にとっての「知」は、かれの生きた時代の制約があるから、「この世界はなにかしら法則にしたがっている」という程度の知であったかもしれない。その意味においては、現在のわれわれは老子よりも自然の法則についてよく知っているはずである。

春夏秋冬の四季があること、これは自然界における「道」理である。冬のつぎにはかならず春がやってくる。こういう法則性についての「知」なら老子にもあっただろう。しかし四季があるのはなぜかということについて、老子はおそらく知らなかったにちがいない（現在のわれわれはなぜ四季があるのかを知っている）。

老子は自然の法則について具体的に語ることはない。知らないことについて語ることはできない。とはいえ老子の時代にあっても、春になると種をまき、秋になると刈りいれるということを、ひとびとは知っていた。自然の法則のなんたるかは知らなくても、そのはたらきにしたがって生きるというのがうまく生きるコツであるということは知っていた。

生きる意味とはなにか。善とはなにか。愛とはなにか。存在とはなにか。自己とはなにか——こういった答えのない問いを問うときには、答えがないということを納得したうえで問うべきである。そのことを納得せずに問い、やみくもに答えを「知」ろうとすると「病」になってしまう、と老子はいう。『老子』を読んで、その答えのなさに辟易《へきえき》するものは（ぼくもそれに類するものではあろうが）老子とは縁なき衆生《しゆじよう》である。老子は、答えのない問いを問いながら、その問いのうえに道の哲学を語る。老子は道の普遍化の可能性などということは歯牙《しが》にもかけない。ただ「知らざるを知るは上なり。知るを知らざるは病なり」とうそぶくのみ。

道の「道」性を道のなかにもとめてしまったら、それは道を探究することからズレてしまう。むしろ道を「道の道とす可《べ》きは常の道に非《あら》ず」（第1章）といって道ばたに捨ててしまうと、いつのまにやら自然と道が身にしみてくるだろう。

72

ひとびとが（苛政《かせい》に追いつめられたあげくお上に愛想をつかして）威光をおそれなくなると（社会の秩序が崩壊して）おそるべき「わざわい」がやってくる。

（具体的にどういうわざわいかというと、ひとびとが）その住むところに安住することがなくなり、その為すところに満足することがなくなる。そもそも（お上がひとびとの住むところや為すところの安寧をおもんぱかることなく苛斂誅求《かれんちゅうきゅう》して）満足することがないから、それで（ひとびとも住むところや為すところに）満足することがないのである。

それゆえ聖人は、おのれ（の無知）をわきまえ、みずから（の見識）をひけらかさず、おのれ（の生命）をいつくしみ、みずから（の地位）をとうとばない。だからこそ（みずからの見識をひけらかし、みずからの地位をとうとぶという）威勢による為政をすてて（おのれの無知をわきまえ、おのれの生命をいつくしむという）無為による政治をえらぶのである。

民威《たみい》を畏《おそ》れざれば、則《すなわ》ち大威《たいい》至る。

——民不畏威、則大威至。

其《そ》の居る所に狎《な》るること無く、其の生くる所に厭《あ》くこと無し。夫《そ》れ唯《た》だ厭かず、是《ここ》を以《もっ》て厭かず。

是を以て聖人は自《みずか》ら知りて自ら見《あらわ》さず、自ら愛して自ら貴《とうと》ばず。故《ゆえ》に彼を去《す》てて此《これ》を取る。

無狎其所居、無厭其所生。夫唯不厭、是以不厭。

是以聖人自知不自見、自愛不自貴。故去彼取此。

蜂

屋本は「厭」の字を多義的にとらえ、「其の生くる所に厭くこと無し」「夫れ唯だ厭かず」の「厭」については「壓（圧）と通じ」と注して「圧迫してはいけない」「圧迫さえしなければ」と訳し、「是を以て厭かず」の「厭」は「嫌がるの意味」と注して「いやだと思わないのだ」と訳している。

この短い文のなかで「厭」の字を訳し分けるのもためらわれるので、もっぱら「飽、満足、心服」（『辞源』第三版）の意にとって、ひとしなみに「満足する」と訳しておいた。取捨のほどは読者におまかせする。

「自ら知りて自ら見《あらわ》さず、自ら愛して自ら貴ばず」について、ぼくは「おのれ（の無知）をわきまえ、みずから（の見識）をひけらかさず、おのれ（の生命）をいつくしみ、みずから（の地位）をとうとばない」と訳した。あるいは「おのれの立場を自覚するが、みずからすがたをあらわさないようにし、おのれの立場を大事にするが、みずからをとうとばせないようにする」と読むべきかもしれない。ひとの上にたつものは、戦略的な観点からしても、ひとびとに軽《かろ》がろしく本音をさらすべきではなかろう。

老子は、前半で人民が為政者の威光をおそれなくなると厄介なことになるといい、後半で聖人はみずからの威光をひけらかさないという。粗《あら》っぽく読むと、聖人が為政者の場合は威光をひけらかさないので、いきおい人民はその威光をおそれないことになり、すると厄介なことになるんじゃなかろうかと考えてしまいそうであるが、むろんそうではない。

たいていの為政者は威光をふりかざして政治をおこなう。その威光に実質がともなっているうちはよい。だが失政によって威光がおとろえてくると、人民はいうことをきかなくなる。それにひきかえ聖人は、はなから威光にたよらない政治をするから、人民は威光のことなど意に介さない。それゆえ統治はつねに円滑におこなわれる。

威光にたよらない政治とはどういうものだろう？「其の居る所に狎るること無く、其の生くる所に厭くこと無し」というのがポイントである。日常生活のおおむねが営まれる住むところ、生活の糧《かて》をもたらす生業《なりわい》としての為すところ、これらが安泰であるようにするのである。

為政者としてやるべき最小限のこととは、ひとびとが住むところ・為すところに満足できるようにすることである。最小限このことさえできていれば厄介なことは生じない。ことさらな政策をほどこして過干渉したりしないほうが、かえって世のなか（とくに経済）はうまくゆく。

こういう自由主義の考えかたにのっとる聖人は、それゆえ「自ら知りて自ら見さず、自ら愛して自ら貴ばず」という黒子《くろご》のような存在であることにつとめる。老子のいう無為自然の思想のひとつの側面である。

73

（作為を弄《ろう》して）意識的になにかをするものは（天のはからいによって）殺され、（作為を廃して）意識的になんにもしないものは（天のはからいによって）生きのびる。この（作為を弄するか廃するかという）ふたつの態度は、一方は利益をもたらし、他方は損害をもたらす（かのようにおもわれる）。（ふたつの態度はおよそ相反する結果をもたらすかのようであるが、そもそも天のはからいはひとが意識的に関与しうるものではないから）天がなにをダメとみなすかは、たれにもその理由はわからない。だから聖人ですら（天がなにをダメとみなすかについては）それを知ることはむつかしい。

（もとより無為自然にはたらくのみである）天の道は（天みずから）戦争をしかけるまでもなくうまく勝ち、言葉をもちいるまでもなくうまく答え、招待するまでもなくみんな寄ってくるし、静観していながらもうまく事がはこぶ。天の網はゆったりとひろがっていて（ひとびとの目からみれば）その編目はひどく粗《あら》いかのようであるが（じつは）なにひとつとりこぼすことはない。

敢《あ》えてするに勇《いさ》ましければ則《すなわ》ち殺され、敢えてせざるに勇ましけ

勇於敢則殺、勇於不敢則活。

れば則ち活《い》く。此《こ》の両《ふた》つの者は或《ある》いは利あり、或いは害あり。天の悪《にく》む所、孰《たれ》か其《そ》の故《ゆえ》を知らん。是《ここ》を以《もっ》て聖人すら猶《な》お之《これ》を難《かた》しとす。
天の道は、争わずして而《しか》も善《よ》く勝ち、言わずして而も善く応じ、召《め》さずして而も自《みずか》ら来たり、繟然《せんぜん》として而も善く謀《はか》る。天網《てんもう》は恢恢《かいかい》、疎《そ》なるも而も失わず。

此両者或利或害。天之所悪、孰知其故。是以聖人猶難之。
天之道不争而善勝、不言而善応、不召而自来、繟然而善謀。天網恢恢、疎而不失。

なにかを「敢えてする」ものは「殺され」るし「敢えてせざる」ものは「活く」ることになる。ということは「敢えてする」のはわるいことであり「敢えてせざる」のはよいことであると考えるべきだろう。

ところが「此の両つの者」はどちらも「利あり」のこともあれば「害あり」のこともある。してみると「敢えてする」のはわるいことであり「敢えてせざる」のはよいことであるとは一概にいえないということになる。

なにぶん「天の悪《にく》む所、孰か其の故を知らん」というふうに、「天」がなにをダメとするかは人間にとっては不可知である。天の思惑《おもわく》を気に病むことは、まったく無益である。「敢えてする」のも「敢えてせざる」のも似たり寄ったり、ともに無用のことである。この老子の考えかたは、たいへん「まっとう」だとおもう。

老子のいう天と孔子におけるそれとでは意味合いがちがう。参考までに『論語』における「天」意の忖度《そんたく》しがたきことをいう例文をちょっとだけひいてみよう。

予《われ》れに否《しからず》とする所の者あらば、天之《これ》を厭《す》てん、天之を厭てん。（雍也《ようや》28）

天の将《まさ》に斯《こ》の文を喪《ほろ》ぼさんとするや、後死《こうし》の者、斯の文に与《あずか》るを得ざるなり。天の未《いま》だ斯の文を喪ぼさざるや、匡人《きょうひと》其《そ》れ予《わ》れを如何《いかん》。（子罕《しかん》5）

天予《わ》れを喪《ほろ》ぼせり、天予れを喪ぼせり。（先進《せんしん》9）

富貴《ふうき》、天に在《あ》り。（顔淵《がんえん》5）

天何をか言わんや。（陽貨《ようか》18）

ご覧のとおり、孔子は天にたいして絶対の信頼をいだいている。孔子にとって天とは問答無用で正しいものである。それにひきかえ老子の考える天とは、そういう神のごとき絶対善ではなく、もっぱら人間にとって不可知なものでしかない。

たれが「殺され」たれが「活く」ることになるのか、なにが「利あり」でなにが「害あり」であるのか、それは天の配剤《はいざい》であるとひとは考えたがる。けれども天の配剤などというものは、およそ人知のおよぶところではない。さすがの聖人も天のはからいは窺知《きち》できない。にもかかわらず笑止千万にも、占星術師などは知ったかぶってホラを吹く。そういう迷信めいたありかたを老子はしりぞける。

天とは意志をもった造物者であり、天の意を受けた王がひとびとに君臨している、といった考えにたいして老子は批判的である。天はそういった人事にはまったく関与していない。天の運行によってひとの運命が左右されるなどということはない。ぼくが老子は「まっとう」であるとおもう所以《ゆえん》である。

では「天の道」はいったいなにを支配しているのだろう？　「天の道」のはたらきは、もちろん万物のありようを支配しているのである。ただしそれは「争わずして而も善く勝ち、言わずして而も善く応じ、召さずして而も自ら来たり、繟然《せんぜん》として而も善く謀る」というふうに、人間的な勝ち負け、善し悪しとはかかわりないものであり、およそ人間の予測（期待や忌避《きひ》）のおよぶところではない。

その意味では、天のはたらきは人間にとって没価値のものである。それは人間の主観を超えた客観性をもちながら、しかも万物にあまねくあてはまる普遍性をそなえたものでしかない。

「天の道」のはたらきは「天網は恢恢、疏なるも而も失わず」というふうに、人間の期待や忌避などは一顧《いっこ》だにしない。けれども、万物の客観的なありようにかんしては微塵《みじん》の遺漏《いろう》もない。ちょうど万有引力の法則が万物のありようを支配していながらも、崖からたれが落っこちようともまったく顧慮しないように。

たれが生き、たれが死のうが、自然の法則はそのことに個別に口出しはしてこない。ただし人間の身としては、崖から落っこちると死んでしまうという自然の法則をわきまえていないと命がいくつあっても足りない。

冒頭の「勇於敢則殺、勇於不敢則活」だが、主語の省略されているところが、なんともビミョーな解釈のゆれをもたらす。

ぼくは「敢えてするに勇ましければ則ち殺され、敢えてせざるに勇ましければ則ち活く」と人間を主語として読み、「(作為を弄して) 意識的になにかをするものは (天のはからいによって) 殺され、(作為を廃して) 意識的になんにもしないものは (天のはからいによって) 生きのびる」と訳した。これを「敢えてするに勇ましければ則ち殺し、敢えてせざるに勇ましければ則ち活かす」と天を主語として読むこともまた可能ではある。すると二通りの解釈が考えられる。

ひとつは「(ひとを裁くにあたって天が) おもいきって決断すればひとを殺すことになり、おもいきらずに保留すればひとを生かすことになる」という解釈である。もうひとつは「(天は) おもいきって勝手にふるまうものは殺し、おとなしく無為であるものは生かしておく」という解釈である。どちらを採用するかによって、あとの理解がちょっと変わってくる。

天を主語として読むと、ここは老子の考えではなく、当時のひとびとの標準的な考えであるということになる。老子はまず当時のひとびとの標準的な考えを紹介したうえで、その天のはたらきは人知のおよぶべからざるものである、ということを指摘している。

「天のはたらきは、およそ人知のおよびえないものである」と老子がいっていると読むことは、さほど的外《まとはず》れでもなかろう。だが「そもそも天の配剤などというものは存在しないのだ」と老子はおもっていると読むことは (ぼくの読みである)、さすがに過激かもしれない。

「勇於敢則殺、勇於不敢則活」の主語を人間とするか天とするかによって、「殺される・殺す」「生きのびる・生かしてやる」というふうに解釈は変わるが、いずれにせよ「殺・活」が当人の利益になるか損害になるかはさだかでない。

「殺される・殺す」のはわるいことで「生きのびる・生かしてやる」のはよいことだという保証もない。殺されることで名声を博すこともあれば、生きのびることで晩節を汚《けが》すこともある。そのことを覚悟のうえで行為をすることは、人間にとって「利・害」のほどはわからないのだから、どうしたって「勇」といわざるをえない。

もし「勇於敢則殺、勇於不敢則活」の主語を人間とし、「勇」を勇気とみなすならば、かなり俗っぽい処世訓として読むこともできそうである。

勇気にはふたつある。テキパキと「やる」勇気と、グズグズと「やらない」勇気と。やらないほうがよいのに、やることに躍起《やっき》になるのは、しょせん蛮勇である。天候が悪化すればあえて下山するみたいに、たといカッコわるくても意志の弱さをつらぬく強い意志をもつというのは、それはそれで勇敢である。やるべきでないときにやるのは勇気ではない。やるべきでないことはやらないのが、むしろ勇気である。やるのがいけないのでもないし、やらないのがよいのでもない。いかなる時にいかなる事をやるべきかを心得ることが大切である。

たれでも「やらない」ことはできる。それを自由な権利とよぶべきなのかどうかは問題だが、その能力をあたえられてはいる。たとい負け惜しみのようにきこえようとも、あえて「やらない」ことができるというのは、人間にあたえられた卓越性ではなかろうか。

ところで「天網は恢恢、疏なるも而も失わず」という言葉は、日本語としては「天網恢恢疏にして漏《も》らさず」というかたちでもちいられる。その意味は「天の網は広大で目があらいようだが、悪人は漏らさずこれを捕らえる。悪い事をすれば必ず天罰が下る意」（『広辞苑』第七版）である。老子の意とするところとはニュアンスがちがうようである。

人間のぶんざいで、なにが吉でなにが凶かはわかりっこない。それなのに人間はどうしても利をもとめ害をしりぞけようとしがちである。天はというと「争わずして而も善く勝ち、言わずして而も善く応じ、召さずして而も自ら来たり、繟然として而も善く謀る」というふうに無為自然にものごとをはこぶ。天の営みはもとより無為であるがゆえに、あらゆる有為をつつみこんで漏らすことはない。

「天網は恢恢、疎なるも而も失わず」について、蜂屋本は「天の法網は広々と大きく、目はあらいが、なにごとも見逃すことはない」と訳し、「自然の道理を人を絡めとる天の法網として捉えたもの」と注する。この天の「法」網はひとの悪事をみのがさないという読みは、まちがっているような気がする。

老子は「之を視《み》れども見えず」「之を聴けども聞こえず」「之を搏《さぐ》れども得ず」「無状の状、無物の象」（第14章）といった人間の目にはみえない網がひろがっているような自然の法則のはたらきをイメージしているのだとおもう。

われわれは現に天の網につかまっている。けれどもそのことに気づくことはない。ブッダの手のひらから逃れられないのは、なにも孫悟空ひとりじゃない。そうおもうと、なんだか気持がうんと楽になる。水が低いほうへと流れるように、あるがままを受けいれて、無理せずに生きておればよいということだろう。

74

もし人民が（追いつめられて破れかぶれになって）死をすら恐れなくなれば、どうして死刑をもっておどすことができようか。たとい人民がいつも死を恐れており、そして秩序を乱すものがいたとして、わたくしはこれをつかまえて殺すことができるとしても、どうして（わたくしが自然の法則になりかわって）好き勝手にそのようなことをするだろうか。かならず死刑をつかさどるもの（すなわち自然の法則）がちゃんといて（それが秩序を乱すものを）殺すのである。

そもそも（わたくしが）死刑をつかさどるもの（である自然の法則）にかわって（秩序を乱すものを）殺したりすれば、それは腕のある大工にかわって木を削るのといっしょである。いったい（腕もないのに）腕のある大工にかわって木を削ったりすれば、おのれの手を傷つけずにすむものではない。

民《たみ》死を畏《おそ》れざれば、奈何《いかん》ぞ死を以《もっ》て之《これ》を懼《おそ》れしめん。若《も》し民をして常に死を畏れしめ、而《しか》して奇を為《な》す者あれば、吾執《われとら》えて之を殺す所《ころ》を得《う》るも、孰《たれ》か敢《あ》えてせん。常に殺《さつ》を司《つかさど》る者有りて殺す。

民不畏死、奈何以死懼之。若使民常畏死、而為奇者、吾得執而殺之、孰敢。常有司殺者殺。

夫《そ》れ殺を司る者に代わりて殺すは、是《これ》を大匠《だいしょう》に代わりて斲《き》ると謂《い》う。夫れ大匠に代わりて斲れば、其《そ》の手を傷つけざるもの有ること希《まれ》なり。

夫代司殺者殺、是謂代大匠斲。夫代大匠斲者、希有不傷其手矣。

ひとびとが死を恐れない場合、死刑を恐れさせることは「できない」。恐れる場合、（みずから手をくだすまでもなく自然の法則が処断するので）わざわざ死刑を恐れさせるようなことを「しなくてもよい」。ひとびとが死を恐れない場合であれ恐れる場合であれ、どっちみち死刑でもって恐れさせることはしないということになる。老子は恐怖政治による支配を否定しているようである。

「吾執えて之を殺すを得るも、孰か敢えてせん」について、ぼくは「秩序を乱すものをつかまえて殺すことができるとしても、どうして（わたくしが自然の法則になりかわって）好き勝手にそのようなことをするだろうか」と「孰か敢えてせん」の主語は「吾」であると理解する。蜂屋本は「わたしが捕らえて殺せるのであるから、誰がわざわざ邪道を行うだろうか」と主語は「民」であるとし、人民のほうでビビって悪事をはたらいたりしないと解釈している。

ひとびとが死を恐れない場合は、死刑への恐怖をもって人民をしたがわせることは「できない」。ほかの手立てを考えねばならない。恐れる場合は、死刑への恐怖をもってしたがわせることはできるが、「之を殺すを得る」ものが殺すので、為政者がみずから手をくだすことは「しなくてもよい」。

後者の場合、たれが殺すのかというと、「常に殺を司る者」すなわち自然の法則である。自然の法則が殺すというのは、わるいやつには天誅がくだるといった信賞必罰がおこなわれる、と読みたくなるかもしれない。しかし、ひとには自然の法則によってかならず死がおとずれるのだから、ことさら殺すようなことは「しなくてもよい」と、あえて読んでみたい。

生まれてきたからには、ひとはかならず死ぬ。ひとは生まれながらの死刑囚であるという事実をわきまえさせて、人民みずからに「よく生きる」道をえらばせればよい。

よりよく生きたい、より豊かになりたい、より幸せになりたい、たれしもそういう欲望をもっている。だから生きたいように生きさせるほうがよい。ある種の自由主義的な政策である。

死を恐れるものは「生きたい」とおもっている。だから生きたいように生きさせればよい。生きたいという自然な欲望がはたらいて、世のなかは自然と秩序あるほうにうごいてゆく。為政者はなんにもしなくてもよい。否、むしろなんにもしないほうがよい。そのほうが自然の法則にのっとって世界はうごいてゆく。

けっきょくはひとの「よく生きたい」という欲望をうまく利用するという他力の政策である。いかにも楽観的にすぎると感ぜられるだろう。死すべき存在であるということを自覚させることによって「よく生きる」ようにうながすというのは、ひどく甘い。しかしながら「殺を司る者に代わりて殺す」ような僭越なふるまいをすれば、かならずわが身を傷つけることになる。天にかわって不義を討つようなしわざは、そもそも人間にはゆるされていない。そのような人為のきわみはやるべきではない。すべからく自然の法則にゆだねるべし、と老子は考えているのではなかろうか。

75

下々《しもじも》のものが飢えに苦しむのは、お上《かみ》がやたらと年貢《ねんぐ》をとりたて（て自分ばかりが贅沢《ぜいたく》をす）るからである。だから（下々のものが）飢えに苦しむのである。下々のものがおさまらないのは、お上がことさらに作為を弄《ろう》する（ので下々のものもこざかしくたちまわろうとする）からである。だから（下々のものが）おさまらないのである。下々のものが（自暴自棄になって生きていてもしょうがないと）命を粗末にするのは、お上が（下々のものをかえりみずに自分の）生きることにばかり執着するからである。だから（下々のものが）命を粗末にするのである。

そもそも生きることにとらわれないもののほうが、生きることにしがみつくものよりもすぐれているのである。

民の饑《う》うるは、其《そ》の上《かみ》の税を食《は》むことの多きを以《もっ》てなり。是《ここ》を以て饑う。民の治《おさ》め難《がた》きは、其の上の為《な》す有るを以てなり。是を以て治め難し。民の死を軽《かろ》んずるは、其の上の生を求むることの厚きを

民之饑、以其上食税之多。是以饑。民之難治、以其上之有為。是以難治。民之軽死、以其上求

以てなり。是を以て死を軽んず。
夫《そ》れ唯《た》だ生を以て為すこと無き者は、是《こ》れ生を貴《とうと》ぶに賢《まさ》れり。

生之厚。是以軽死。
夫唯無以生為者、是賢於貴生。

下々のものが飢えるのは、お上がむやみに税をむさぼるせいである（現に下々のものは飢えている）。下々のものがおさまらないのは、お上のやることが汚《きたな》いせいである（現に下々のものはおさまっていない）。下々のものが死を軽んずるのは、お上がおのれの生をもとめるせいである（現に下々のものは死を軽んじている）。

老子は一般論および現状認識をのべたうえで、こう結論づける。「唯だ生を以て為すこと無き者は、是れ生を貴ぶに賢れり」と。

この結論は、お上の「税を食むことの多き」「為す有る」「生を求むることの厚き」という前提からみちびかれるものであるかのように考えられる。しかし論理的には、ほかにもいくつかの前提が必要だろう。だが、それらはすべて隠されている。隠された前提のなかにこそ、むしろ老子の思想は息づいているような気がしてならない。

「唯だ生を以て為すこと無き者」とは、たれのことを指しているのだろう？　それが「死を軽んずる」ものと意味がおなじであるとすれば、下々のもののことをいっていることになる。「生を貴ぶ」ものとは、たれのことを指しているのだろう？　それが「生を求むることの厚き」ものと意味がおなじであるとすれば、お上のことをいっていることになる。

「唯だ生を以て為すこと無き者」とは、生きることを第一に考えて行為することがないものである。しかし、ひとはみな生きものであるから、生きることを第一に行為するもののはずである。そう「しない」ものがいるのは、そう「できない」からである。したくてもできないのである。

お上はどうかというと、自分が生きることを第一に考えて行為している。のびのびと生きている。生きることにとらわれていない。それは生きものとして自然な生きかたである。

下々のものは、生きることに汲々《きゅうきゅう》としている。生きることにしがみついている。それは自然な生きかたではない。

「道」にしたがって生きるというのは、自然であることを理想とするはずである。してみると老子の思想からすれば、自然な生きかたをしているもののほうが不自然な生きかたをしているものよりもすぐれているということになる（つまりお上のほうが下々のものよりもすぐれているということになる）。

ところが、豈図《あにはか》らんや、老子の結論はその反対である。不自然な生きかたをしているもの（生きることに汲々としている下々のもの）のほうが、自然な生きかたをしているもの（のびのびと生きているお上）よりもすぐれている。

あえてそんなふうに逆説的に結論づけているのは、当然そのようであるべきように現状はなっていない、という認識があるからだろう。

現状は理不尽きわまりない。本章には、老子の悲嘆が、否、けしからん現実への怒りが、こめられているようにおもえる。

お察しのとおり、みぎの解釈は「ふつう」の読みとはちがう。

ふつうの読みかたは、お上がダメなせいで下々がこうなっているという前半の主張ときりはなして、それはさておき「生きることに執着しないような生きかたのほうが、自然に生きているという意味では、生きることに執着するような生きかたよりも、よほど生きかたとしてはすぐれている」というふうに、最後の一文を（とってつけたように）読むのである。お上には期待できないけれども、人間としてのあらまほしき生きかたとはこういうものである、と。

ふつうの読みにあきたりなくおもったか、蜂屋本は（ぼくとはちがうやりかたで）変わった読みかたをしている。

蜂屋本は「夫れ唯だ生を以て為すこと無き者は」について「よい生活を追求することなどをしない者のこと」と注し、「是れ生を貴ぶに賢れり」について「自分の生きることばかりを重視する為政者よりも、生きることに拘《こだわ》らず、無為自然に任せる為政者がいいということを言っている」と注している。これら両者はともに為政者を指しており、老子はもっぱら為政者のあるべきすがたを示しているという読みである。

いかにも結論とするにふさわしい立派な解釈ではある。とはいえ老子の現状認識によれば、たいていの為政者とは「税を食むことの多き」「為す有る」「生を求むることの厚き」ものなのである。老子ともあろうものが、そういう為政者に「唯だ生を以て為すこと無き」ことを期待するなどという甘っちょろい理想論をぶったりするだろうか。

蜂屋本の変わった読みかたは横においておき、ぼくの（おそらくは蜂屋本よりも変わった）読みかたについて吟味してみたい。

不自然な生きかたをしているもの（生きることに汲々としている下々のもの）のほうが、自然な生きかたをしているもの（のびのびと生きているお上）よりもすぐれている、というふうに逆説的に結論づけているのは、現状は自然の法則にしたがったありかたではないというふうに老子は認識しており、そういう理不尽な現実にいきどおりをおぼえているのである。

いったい下々のものは、みずからの「饑《う》うる」「死を軽んずる」ようなありかたを唯唯諾諾《いいだくだく》として受けいれねばならぬのだろうか。まさか、そうではあるまい。それは生きものとしての自然なありかたではない。ところが、そのようなありかたを否定するとなれば、それは下々のものの反乱を容認することにつながりかねない。

たれだって「饑うる」ことはイヤである。苛政《かせい》によって飢えにさいなまれれば、下々としても否応なく「死を軽んずる」くらいの覚悟でお上に逆らわざるをえない。

飢えたくないというのは「生を貴ぶ」ことであるが、それは人間がひとしく望むところであって、ひとりお上のみにゆるされたことではない。下々のものも「生を貴」びたいのに、それがゆるされないだけである。下々のものの「唯だ生を以て為すこと無き」ありかたは、お上によって強《し》いられた生きかたにすぎない。

下々のものの「唯だ生を以て為すこと無き」ようなありかたとは、ただ飢えたまま死んでゆくことだろうか。飢えたまま死んでゆくくらいなら反乱するというのが生きものとして自然なありかただろう。

しかしながら、それはある意味で「生を貴ぶ」という生きることに執着するようなありかたでもある。

生きものにとって、自然であろうとすることは、どうしても不自然なものをはらまざるをえない。生きものにたいして「自然に生きよ」と命ずることは、ひどく不自然なことをもとめることになりかねない。「夫れ唯だ生を以て為すこと無き者は、是れ生を貴ぶに賢れり」とは、そのあたりの機微《きび》をわきまえての言葉ではなかろうか。

「其の生を生とするの厚きを以てなり」（第50章）とあったように、是が非でも生きたいというふうに生きることに執着するとかえって生きられない、と老子は考えている。それゆえ「唯だ生を以て為すこと無き」ような生きかたをすべきである。ところが現実がそれをゆるさない。いきおい「生を貴ぶ」ような生きかたをせざるをえない。そういう現実をもたらしたのは、たれあろう為政者である、と老子はいきどおっている。

76

ひと（の肉体）は生きているときは柔らかくしなやかであるが、死んでしまうと堅くこわばってくる。（ひとだけではなく）草木もそうであるように、あらゆるものは生きているときは柔らかくふんわりしているが、死んだときは枯れてひからびている。

だから堅くこわばっているものは死んだものの仲間であり、柔らかくしなやかなものは生きているものの仲間である。

それゆえ軍隊はやたらと強いと（臨機応変に戦うことができず、かえって戦いに）勝てず、樹木もむやみに堅いと（しなやかに曲がることができず、かえって風にふかれて）折れてしまう。およそ（樹木でいえば太い幹のように）堅くてこわばったものは下のほうに（あって頑強にささえるので）あり、（枝や花や葉のように）柔らかくしなやかなものは上のほうに（あって繊細にゆれているので）ある。

人の生くるや柔弱《にゅうじゃく》、其《そ》の死するや堅強《けんきょう》なり。万物草木の生くるや柔脆《じゅうぜい》、其の死するや枯槁《ここう》なり。

人之生也柔弱、其死也堅強。万物草木之生也柔脆、其死也枯

故《ゆえ》に堅強なる者は死の徒《ともがら》にして、柔弱なる者は生の徒なり。是《ここ》を以《もっ》て兵強ければ則《すなわ》ち勝たず、木強ければ則ち折る。強大は下《しも》に処《お》り、柔弱は上《かみ》に処る。

槁。
故堅強者死之徒、柔弱者生之徒。
是以兵強則不勝、木強則折。
強大処下、柔弱処上。

王《おう》　弼《ひつ》本は「兵強則不勝、木強則兵」につくるが、『淮南子《えなんじ》』原道訓《げんどうくん》、『列子《れっし》』黄帝篇《こうていへん》に「兵強則滅、木強則折」という成句がひかれており、意を汲んで「兵」を「折」にあらためる。

ひとは得てして「柔弱」なものは弱く「堅強」なものは強いと考えがちである。それは勘ちがいであって、じつは「柔弱」なものは強く「堅強」なものは弱い。その証拠に、ひとは生きているときは「柔弱」であるが、死ぬと「堅強」になる。草木も生きているときは「柔脆」であるが、死ぬと「枯槁」する。

老子の説くところは理路整然としているようだが、よく考えてみると、はなはだ独断的である。生きているものは「柔弱」「柔脆」であり、死んだものは「堅強」「枯槁」である、ときめつけたうえで、それを「故に」と受け、「堅強」なものは「死の徒」であり、「柔弱」なものは「生の徒」である、と断じている。「故に」といいながら、べつに理由をのべるわけでもなく、おなじことの念を押しているだけである。

老子はふたつのことを暗黙裡に前提している。ひとつは「生きている＝柔らかい」「死んでいる＝堅い」ということである。もうひとつは「生きている＝強い」「死んでいる＝弱い」ということである。そしてふたつの前提をむすびつけて「柔らかい＝強い」「堅い＝弱い」といっている。

ひとも草木も生きているときは柔らかい。しかし柔らかいものが生きているとはかぎらない。ひとも草木も死んでいるときは堅い。しかし堅いものが死んでいるとはかぎらない。逆かならずしも真ならず。ひとであれ、草木であれ、生きているか死んでいるかということと強いか弱いかということとは直接にむすびつかない。生きているのに弱いものもいれば、強いのに死んだものもいる。生と死とは排他的だから逆もまた真になるが、そこに強いか弱いかをむすびつけることはできない。

さらに気になるのは、老子がもっぱら生きものについてのみ論じているということである。たとえば軟《やわ》らかい粘土は生きていないけれども強いともいえない。そういった柔らかくても生きていないものは論外に放置されている――どうでもよいことにイチャモンをつけているかのようだが、老子のこういった論調にはときどき釘をさしたくなる。

「兵強則不勝、木強則折」について、蜂屋本は「武器は堅ければ相手に勝てず、木は堅ければ伐《き》られて使われる」と訳している。こう解釈すると「柔らかい＝強い」「堅い＝弱い」という老子の前提とうまくつながらない。ここはやはり「軍隊は強いと勝てず、樹木は堅いと折れてしまう」と訳すべきところだろう。

強いということを履《は》きちがえちゃいけない。強大な軍隊は、強くみえても、けっきょく勝てない。あまり強すぎると油断してスキをつかれるということもあるし、組織的な軍隊よりもゲリラのほうが柔軟にうごけるということもあろう。堅そうな木は、強くみえるが、折れやすく、じつは弱い。柳の枝に雪折れなしというではないか。要するに、ここでは「強い＝負ける（じつは弱い）」「堅い＝折れる（じつは弱い）」ということをいっているのである。

つづく「強大処下、柔弱処上」について、蜂屋本は「強くて大きなものは下位になり、柔らかくてしなやかなものは上位になる」と訳している。「柔らかい＝強い」「堅い＝弱い」という老子の前提とつながっており、文句のつけようはない。

ぼくは一本の樹木をイメージして「（樹木でいえば、太い幹のように）堅くてこわばったものは下のほうに（あって頑強にささえるので）あり、（枝や花や葉のように）柔らかくしなやかなものは上のほうに（あって繊細にゆれているので）ある」と訳している。結論としてのインパクトに欠《か》けるとはいえ、この拙訳はわりと気にいっている。

樹木の譬《たと》えよりも生臭くなるけれども、国家をイメージしてもよいかもしれない。

よく統治されている国家にあっては、その強大なところは下にあり、柔弱なところは上にある。国家が強大であるのは人民が力強いからであり、国がよく統治されているのは為政者がしなやかな政策をほどこしているからである。つまり「柔らかい＝じつは強い」ということをいっているのである。

「兵強ければ則ち勝たず、木強ければ則ち折る」を額面どおりに読めば、軍が強いと勝てないし、木が強いと折れるのだから、強いことは強くないということになる。強いことは強くないというのは、あからさまに矛盾している。強いことは強くないという仔細については、これを論理的にとらえるのではなく、もうちょっと俗っぽい事情において考えるべきだということだろう。

事情その一。強いものは、なまじ強いもんだから、強いことを笠に着て、つい無理をしてしまう。強いからすこしくらい無理をしても勝つ。しかし無理をして負かされたものは口惜しいおもいをする。強いことが仇《あだ》となって要らざる敵をつくってしまい（強いうちはよいが）いつか痛い目にあう。強いがゆえに失敗する可能性が大きくなる。失敗する可能性が大きいということは、ながい目でみれば強くないともいえる。

強くなければ、はなから無理をすることはない。それゆえ失敗する可能性はちいさい。失敗する可能性がちいさいということは、ながい目でみれば強いともいえる。かくして強いことは強くないという事情もありうる。

事情その二。真に強いものは、おのれの強さをひけらかさない。むしろ強いことを隠す。強いことがバレると楽に勝てなくなる。自分が油断しなくても、相手が用心する（イソップ寓話「北風と太陽」をおもうべし）。

真に強いものは、まるで強くないかのようにふるまい、強さをあらわさなくても勝てるような状況になるのを悠然と待つことができる。強さをあらわさないということは、はた目には強くないかのようにみえる。かくして強いことは強くないという事情もありうる。

77

天の（自然の法則にしたがった）ありかたとは、譬《たと》えるならば（矢を射るときに）弓を張るようなものだろうか。（矢をちゃんと射るためには、弓の弦が）高くひっぱられすぎていればおさえつけ、低くゆるみすぎていればひっぱりあげ、（弓を射る力の）余ったところはへらし、足りないところはおぎなう。

天の（自然の法則にしたがった）ありかたは、余ったもの（からとりあげ、その余っているぶん）をへらし、足りないもの（にあたえ、その足りないぶん）をおぎなってゆく。（ところが世間の）ひとのやりかたはそうではなく、足りないもの（からさらにとりあげて、ただでさえ足りないもの）をへらし、余っているもの（にさらにおぎなって、ただでさえ余っているもの）にあたえる。

いったいあり余るほどもっていながら（その満ち足りたありかたに安住せず）、おのれの余っているものを世のなかに（余ったものをへらして足りないものをおぎなうべく）あたえられるものはたれであろうか。それは自然の法則をわきまえたものだけである。

だから聖人は（ただ自然の法則にしたがっているだけだから）なしとげたことの成果を自慢せず、やりとげたという地位に居坐らない。おのれがすぐれていることを外にみせびらかそうとはおもわない。

天の道は其《そ》れ猶《な》お弓を張るがごときか。高き者は之《これ》を抑《おさ》え、下《ひく》き者は之を挙《あ》げ、余り有る者は之を損《へ》らし、足らざる者は之を補《おぎな》う。天の道は余り有るを損らして足らざるを補う。人の道は則《すなわ》ち然《しか》らず、足らざるを損らして以《もっ》て余り有るに奉《あた》う。孰《たれ》か能《よ》く余り有りて以て天下に奉えん。唯《た》だ道有る者のみ。是《ここ》を以て聖人は、為《な》して恃《たの》まず、功成りて処《お》らず。其《そ》の賢《まさ》れるを見《あらわ》すことを欲《ほっ》せざればなり。

天之道其猶張弓与。高者抑之、下者挙之、有余者損之、不足者補之。天之道損有余而補不足。人之道則不然、損不足以奉有余。孰能有余以奉天下。唯有道者。是以聖人、為而不恃、功成而不処。其不欲見賢。

月のように、満ちれば欠《か》ける、欠ければ満ちる、というのが自然の法則である。しかるに人間社会のありようはこの逆であって、貧しいものは搾取《さくしゅ》せられ、富めるものは付与せられる。いまの世のなか、金持ちはどんどん裕福になり、貧乏人はどんどん困窮する、という仕組みになっている（とおもってしまうのは貧乏人のヒガミだろうか）。「余り有りて以て天下に奉《あた》え」るというふうに、金持ちから貧乏人へと富をうつして平等をもたらすような「道有る者」があらわれてくるのを待つしかないのだろうか。

いったい「余り有りて以て天下に奉え」るというのは、稼いだ金を気前よくバラまくことだろうか。金は天下のまわりもの、宵越《よいご》しの金はもたない。そんな江戸っ子みたいなひとが、まさか「道有る者」だっていうことはあるまい。

「孰か能く余り有りて以て天下に奉えん」とは「あり余っているものによって世のなかに奉仕できるものはたれだろうか」というふうに解釈するのがふつうなのかもしれない。でも、それだとなんだか余裕のあるものは世のなかに醵出《きょしゅつ》するといった慈善めいた話になりそうで、なんとなく気に食わない。

しかし私的に余剰があるならば、それを公共にさしだすというのは、たしかに立派なことであるような気もする。なるほど「有道者」にしかできないことかもしれない。

老子は「天の道」と「人の道」とをくらべたうえで、聖人は「天の道」にしたがいながら、しかもそれを自慢しないといっている。そうすると「天の道」にしたがうのはよいことだが「人の道」にしたがうのはよくないことになる。したがうべき「天の道」は老子の説く「道」であるが、したがうべきでない「人の道」は老子の説く「道」ではないということになる。

はなはだ居心地がわるい。居心地がわるいもんだから、ぼくは「天の道」については「天の（自然の法則にしたがった）ありかた」と言葉をおぎないながら訳し、「人の道」については「（世間の）ひとのやりかた」と素っ気なく訳している。

片っ端からしらべたわけではないが、『老子』というテクストのなかで「道」という語はさほど多義的に使われてはいない。ぼくもまた一貫して「道」を自然の法則として解釈したいとおもっている。

だとすると「天の道」を「自然の法則にしたがったありかた」と訳すのはよいとしても、「人の道」を「ひとのやりかた」ともっぱら人為的なもののように訳したことには問題がありそうである。

居心地のわるさの正体がわかってきたところで、さらに考察をすすめると、老子は「天の道」と「人の道」とを対比させることにおいて、けっきょく自然と人為とを対比させているのだ、というふうに理解してもよいのかということが気になってくる。

人間もまた自然の一部である。人間はみずからにおける自然的な部分と人為的な部分とのあいだの葛藤にさいなまれている。たしかに人間のなかにはそういう葛藤が存するけれども、そのことはただ自然と人為とを対立させるだけでは解決されない。

「人の道」を「天の道」とおなじく道として読むことはできないだろうか。そのように読むことができれば、老子の説く「道」を自然の法則として一義的にとらえることへの道がひらけるかもしれない。

「天の道」が「余り有るを損らして足らざるを補う」のにたいして「人の道」は「足らざるを損らして以て余り有るに奉う」ようなテイタラクだと老子はいう。前者はよいが後者はわるいと読みたくなる。しかし「足らざるを損らして以て余り有るに奉う」というのがまさに「人」における自然の法則にほかならないと老子はいっている、というふうに読むことはできないだろうか。「人の道」とは「ひとのやりかた」として軽んじられるべきものではなく、それが人間界における自然の法則なのである、と。

個人であれ、集団であれ、ひとはおのれの欲望にしたがって、すこしでもよく生きたいとおもう。個人のふるまいは予測困難だけれども、その総和としての社会の動向はある程度は規則的なうごきかたをする。そうであるならば、社会のありかたが「足らざるを損らして以て余り有るに奉う」というふうになることも、すなわち貧乏なものが経済的に苦しくなり、そのぶん金持ちが豊かになるということも、農耕革命よりこのかたの文明社会の必然の趨勢《すうせい》といえるのではなかろうか。

ひとを自然なままの状態で放置すれば貧富の格差が生じてきてしまう。そういう自然の法則があるのだから、そのことを心得たうえでよりよく生きるすべをもとめるべし、と老子はいっているというふうに読むこともできそうである。

これは想像でいうのだが、採集狩猟の暮らしをしながら共同体で寄りあっていたころ、ひとびとのあいだに貧富の差はほとんどなかっただろう。とってきた獲物は、いったん公共のものとされ、あらためてみんなで公平に分配された。そうすることによって病人や老人も生きてゆけた。狩りで大成果をあげたヒーローも獲物を独占することなく「天下に奉え」ることが当然のようになされていた。

老子のいう「有道者」は自然と調和して生きていたころの採集狩猟民を浮かべるとよいのではなかろうか。もしそうだとすると「天の道」が「余り有るを損らして足らざるを補う」というのは、どのような現象をいっているのだろう?

ふたつの水槽がある。ひとつの水槽には熱い水がはいっており、もうひとつには冷たい水がはいっている。ふたつの水槽を管でむすぶと、熱い水がはいった水槽と冷たい水がはいった水槽との水の温度はおなじになる。熱い水と冷たい水といった秩序だった状態から乱雑な状態へとうつる。

熱い水と冷たい水とが混ざりあった乱雑な状態へとうつるように、自然界の現象にもまた、ほうっておくと平衡《へいこう》状態があらわれてくる。

老子の説く「道」とは一切のものごと（自然界および人間社会のものごと）がたどるべき必然のなりゆきである。それは自然の法則とよぶべきものであり、それをふまえて生きることがうまく生きるコツである。自然の法則を変えることはできない。が、そのはたらきをふまえて生きることはできる。

道にしたがうとは、譬えてみれば「猶《な》お弓を張るがごとき」ものである。「高き者は之を抑え、下《ひく》き者は之を挙げ、余り有る者は之を損《へ》らし、足らざる者は之を補う」というふうに、おのれの生きかたを道のはたらきに寄り添わせるべく工夫することである。そのためには自然の法則がいかなるものであるかをわきまえねばならない。

聖人は「為して恃まず、功成りて処らず。其の賢《まさ》れるを見すことを欲」しない。たえずゼロからはじめるという気分でやり、いつでもリセットできる覚悟をもっている。成功してもそこに安住せず、うまくできてもそれを自慢しない。煎じつめれば、それは既成概念にとらわれないということだろう。いったん身についたものも、いつのまにか錆《さ》びついている。自分のやった仕事のうえにアグラをかかず、そのつどリフレッシュすべきである。

78

およそこの世のなかで水くらい柔らかく弱いものはないけれども、にもかかわらず堅くて強いものを攻めるとなれば（意外にも）水にまさるものはない。（なぜなら）いかなるものも水の柔らかく弱いというありかたを変えられないからである。

弱いものが（かえって）強いものに勝ち、柔らかいものが（かえって）堅いものに勝つということは、世のなかのたれひとりとして（頭では）知らぬものとてないが、とはいえ（身をもって）それを実行できるものもまたひとりもいない。

だから聖人の言葉にも、国においてはずかしめをひきうけ（て柔弱に徹す）るものがあれば、これを国家の君主といい、国においてわざわいをひきうけ（て柔弱に徹す）るものがあれば、これを世界の王者という、とある。（この聖人の言葉のように）真に正しい言葉は（常識的な世間の言葉とは）反対のようにきこえるものである。

天下に水より柔弱《にゅうじゃく》なるは莫《な》く、而《しか》るに堅強《けんきょう》を攻《せ》むる者、之《これ》に能《よ》く ― 天下莫柔弱於水、而攻堅強者勝《まさ》る莫《な》し。其《そ》の以《もっ》て之を易《か》うる無ければなり。

弱《じゃく》の強に勝ち、柔《じゅう》の剛に勝つは、天下知らざるは莫きも、能く行う莫し。

是《ここ》を以て聖人云《いわ》く、国の垢《よご》れを受くる、是《これ》を社稷《しゃしょく》の主《あるじ》と謂《い》い、国の不祥《ふしょう》を受くる、是を天下の王と為《な》す、と。正言《せいげん》は反するが若《ごと》し。


莫之能勝。其無以易之。

弱之勝強、柔之勝剛、天下莫不知、莫能行。

是以聖人云、受国之垢、是謂社稷主、受国不祥、是為天下王。

正言若反。

柔《にゅう》

弱《じゃく》のほうが堅強よりもすぐれている、と老子はいう。そしてこの世でもっとも柔弱なものの譬《たと》えとして「水」をもってくる。ところが水によって攻められる「堅強」なものが例示されていない。たいていのものが水よりも堅強であるが、柔弱な水によって攻められると負けてしまうということなのだろうか。

水は柔弱であるというイメージが、ぼくにはない。深海における水圧は鋼鉄の箱をすら押しつぶす。水の秘めた力はおそろしいものである。それになによりも2011年の東日本大震災での津波の映像はまぶたに焼きついている。

柔弱な水があらゆる堅強なものに勝つ理由として、老子は「其の以て之を易《か》うる無ければなり」という。勝ち負けがどうやって判断されるかというと、堅強なものは変化してしまうが、柔弱な水は変化しないからである。なるほど水は、どんなにイヤなところを流れていても、ひたすら水でありつづける。泥のなかに流れこめば泥水になる。しかし水であるという本性は変わらない。

そういう水の性質はわかる。だからといって堅強なものに勝つとはいえまい。

水はもともと形のないものである。したがって水は変わりようがない。それをいうなら空気だってそうである。しかも風の害もまた水の害に負けないくらい甚大でありうる。

変化しないものが変化するものに勝つというとき、老子はどういうことを考えているのだろう？　ひょっとすると「雨垂れ石を穿《うが》つ」というようなことをイメージしているのかもしれない。

たとい微力であっても、根気よくつづけていれば、ただならぬことが成就《じょうじゅ》される。むしろ微力であればこそ、しぶとく根気よくつづけることができる。柔弱なものはその柔弱という本性を変えることなくコツコツやりつづけられるが、堅強なものはどうしても無理をしがちだからながつづきしない。

微力な植物の根っこが、堅い岩盤をじわじわとくずしてゆく。微力なはたらきアリが、巨大なエサをじりじりとはこんでゆく。ちっぽけなことが積みかさなって、でっかいことがなしとげられる。

そういう地味な営みは、しばしば軟弱にみえるもんである。だから「あいつは軟弱だ」とうしろ指をさされるような人間がほんとうは強かったりする。

ひとしきり自然界における水の「弱の強に勝ち、柔の剛に勝つ」はたらきを語ったかとおもうと、老子はそれを受けて話を政治にもってゆく。国においてはずかしめをひきうけるものが国家の君主であり、国においてわざわいをひきうけるものが世界の王者である、と。

「社稷の主」「天下の王」の資質とは「国の垢れ」「国の不祥」をひきうけることができるということである。これは正論だとおもう。ただしそういう責任のとりかたは、むしろ「堅強」なひとでなければできないことであって、しょせん「柔弱」なものには無理ではなかろうか。「国の垢れ」「国の不祥」をひきうけるというのは、汚くて低いところへと流れてゆき、ただそこにおとなしくとどまっておればよいというものではない。むしろ強靭なこころの堅固さがなければかなわぬことだろう。

柔弱であるか堅強であるかは、どのような基準をすえるかによって判断が変わる。たしかに「弱の強に勝ち、柔の剛に勝つ」というほうに力点をおいてはいる。ただし「天下知らざるは莫きも、能く行う莫し」と附言するように、むしろ一概に「弱いものが強いものに勝つ」とはいえない、と老子はおもっているような気配もある。そのことが「正言は反するが若し」という結語にあらわれている。

真実の言葉は往々にして虚偽のようにきこえる。たとえば「弱の強に勝ち、柔の剛に勝つ」という言葉は、われわれの俗耳にどのようにきこえるだろうか。

常識的に考えれば、堅強なものが柔弱なものに勝つ。それが「正言」である。柔弱なものが堅強なものに勝つなどというのは「反するが若し」である。しかしそれは皮相なものの見方であって、柔弱なものが堅強なものに勝つこともありうる。

堅強なものが柔弱なものに勝つということも、当然、ありうる。ものの見方によって、世界はあらわれかたが異なる。「正言は反するが若し」と心得て、ものごとをフレキシブルにみようとすれば、ものごとはちがってみえてくる。そういうふうに世界はできているのである。

79

ぬきさしならぬ「うらみ」をいくらときほぐしてみたところで、かならずあとあとまで「しこり」がのこる。（うらみをときほぐすといったやりかたは）どうして善いやりかたといえようか（はじめからうらみをいだくことがないようにすべきである）。

だから聖人は（たとい貸し主となって契約書の）割り符の左半分をにぎっていても（それを盾《たて》にとって借りている）ひとにたいして責めたてたるようなことはしない（からひとにうらみをいだかれることもない）。

（自然の法則にしたがうという）徳を身につけているものは（いたずらにうらみをいだかせないように）契約書をにぎっているだけ（できびしく催促したりしないの）である。徳を身につけていないものは（相手がうらみをいだこうともおかまいなしに契約書を盾にとって容赦なく）借金をとりたてようとする。

天の道（という自然の法則）は（すこぶる寛容ではあるが、それは特定の相手だけを）えこひいきするようなことなく、（借りていようが借りていまいが）いつでも善いひとに味方するのである。

大怨《たいえん》を和するも、必ず余怨《よえん》有り。安《いず》くんぞ以《もっ》て善と為《な》す可《べ》けんや。
是《ここ》を以て聖人は、左契《さけい》を執《と》りて、而《しか》も人を責めず。
徳有るものは契《けい》を司《つかさど》る。徳無きものは徹《てつ》を司る。
天道は親しむこと無く、常に善人に与《くみ》す。

和大怨、必有余怨。安可以為善。是以聖人、執左契、而不責於人。
有徳司契。無徳司徹。
天道無親、常与善人。

蜂

屋本は「安くんぞ以て善と為す可けんや」のまえに「怨《うら》みに報《むく》ゆるに徳を以てす」（第63章）をおぎなうというアクロバチックな処理をほどこす。「そうすると、『大怨を和する』ことは徳政をほどこすことと解釈され、意味がはっきりする」と注し、「（怨みにたいして徳でもって報いることが）どうして善いことといえようか」と訳す。

第63章を読みかえしてみると、「怨みに報ゆるに徳を以てす」について、ぼくは「（世間のひとにとっては）うらむべき仕打ちであっても、（それを自分にとってうらむべからざるものとみなして）それに徳でもって応ずる」と訳しているように、それを善いこととして理解している。蜂屋本も第63章では「ある事態に対処するのに、その逆の事態を想定して対処すること（小には大、怨には徳）を並べて示したものとして、そのまま残して解釈した」と注したうえで、やはり善いこととして理解している。どうやら蜂屋本の「怨みに報ゆるに徳を以てす」の解釈は第63章と第79章とではちがっているようである。

「大怨を和する」ということをどうとらえるかが解釈の鍵である。蜂屋本は「『大怨を和する』ことは徳政をほどこすことと解釈され」と注するように、これを善いこととしてとらえている。どんなに善いことをしてもかならずうらみはのこる、という理解である。

そもそも「大怨を和する」ことは善いことだろうか。儒家にとっては「大怨を和する」ことは「徳政をほどこすこと」という善いこととして理解される。しかし老子にとって「大怨を和する」ことは、しょせん「必ず余怨有」るような行為であって、けっして善いことではあるまい。

老子にとっての善いこととは、あくまでも自然の法則にしたがって無理をせずに生きることである。「大怨を和する」などという人為はちっとも善いことではない。だから「必ず余怨有」るのも当然のことである。

老子は「是を以て聖人は」と受けて、「左契を執りて、而も人を責めず」という。たとい貸し主となっても、それを盾《たて》にとって借りたものを責めたてるようなことはしない。世のなかの秩序をなりたたせている契約関係はひとまず堅持しつつも、それによって人間関係をわるくするようなことは避けようとする。

さらに老子は「徳有るものは契を司る。徳無きものは徹を司る」とつづける。自然の法則にしたがうものはきびしく催促しない。契約関係を大切にしつつも人間関係をそこなうようなマネはしない。自然の法則にしたがわないものはキリキリと容赦なくとりたてる。契約関係を盾にとって人間関係がわるくなろうとも勘弁しない。

人情によって「大怨」をなだめようとしても、きっと「余怨」がくすぶる。だから「善」とはいえない。契約をむすんだら、その契約書を半分づつもちあって、たがいにそれにもとづいてことがらを客観的に処理するほうがよい。ただしサラ金のとりたてのように無慈悲に追いつめるようなことは禁物である。

人間関係のいざこざは、しばしば金銭の貸し借りから起こる。いったん貸したからには、きびしく催促しないほうがよい。できれば貸したことを忘れてしまうほうがよいくらいである。返してくれるものならそのうち返してくれるさと鷹揚《おうよう》にかまえ、あとは自然の法則にまかせて、むやみに責めたてないほうがよい。

ここまでの議論をふまえ、老子は「天道は親しむこと無く、常に善人に与《くみ》す」と、この世のなかを支配している天の「道」についてのべる。自然の法則は特定の相手だけをえこひいきすることはなく、いつでも善きひとに味方しようとしている。

この世のなかの秩序をなりたたせている自然の法則のはたらきとは、儒家の重んずる仁愛のような親しみのあるものではない。それは冷たいかのようにもみえる客観的な契約関係である。ただし、それを大切にするものにたいしては普遍的に味方としてはたらく。

この世のなかに「怨」が生じてくるのは客観的なことなのであって、儒家のいう仁愛でどうにかなるようなものではない、と老子は考えているようである。

儒家のいう「天」とは、人間とは隔絶した絶対者というおもむきのものである。老子のいう「天」とは、人知を超えたものではあるけれども、それをふまえているかぎり公平性が保証されるような客観的かつ合理的な自然の法則である（たとえば契約関係がそうであるような）。

契約社会は信用のうえになりたっている。約束をまもることを否定すれば社会がなりたたない。人間関係というものは契約ではないとおもいたいのが人情ではあるが、儒家のように契約社会のなかに人情をもちこもうとしても、じっさい面倒くさくなるだけである。

ただし人情の中身が問題であって、約束の履行を期待しないような契約でやってゆけるような人情ならば話は別である。ほんとうに人情が大切なら、土足でふんづけられても腹をたてないくらいの覚悟をもつべきだろう。

「信足らざれば、信ぜられざること有り」(第23章) といっていたように、老子は「信」を重んずる。「信」には「符契、憑拠《ひょうきょ》」(『辞源』第三版) という意味がある。符契とは割り符、契約文書である。憑拠とは「よりどころ」である。

老子は人目を驚かすに足るような天意をもとめたりしない。どこまでも客観的な真理にしたがおうとする。

「お天道さまはお見通し」である。お天道さまは人間のいざこざに干渉したりせず、ひたすら公平無私にあまねく光をそそいでいるだけだが、すべてを見通している。「天道」という自然の法則も、ひとにぎりの対象だけに「親しむこと無く」この世のなかにあまねく浸透し、「常に善人に与す」というかたちでひとびとを公平無私にうるおしている。

80

ちいさな国家にすくない人民、いろんな便利な道具があってもそれを使わない（ですむ）ようにさせ、ひとびとにみずからの生命を大切にさせ、遠くの土地へと移住しない（ですむ）ようにさせる。（そのように安心して暮らせる国であれば）船や車があっても、たれもそれに乗ろうとせず、甲冑《かっちゅう》や武器があっても、たれもそれを装備しようとしない。

ひとびとにむかしの（無文字社会の）ように縄をむすんで（それを文字のかわりの）しるしとし、おのれの（質素な）食事をうまいとおもい、おのれの（粗末な）衣服をうつくしいとおもい、おのれの（狭隘《きょうあい》な）住居におちつき、おのれの（地味な）習慣を楽しむようにさせる。（このような理想の社会にあっては）隣の国がすぐむこうにながめられ、そこの鶏や犬の鳴き声がきこえ（てくるくらい近く）ても、ひとびとは年老いて死ぬまで（自国におちついて他国とのあいだを）往《ゆ》き来することはない。

小国寡民《かみん》、什伯《じゅうはく》の器《うつわ》有るも而《しか》も用《もち》いざらしめ、民をして死を重んじて而《しか》して遠く徙《うつ》らざらしむ。舟輿《しゅうよ》有りと雖《いえど》も、之《これ》に乗る所無く、

小国寡民、使有什伯之器而不用、使民重死而不遠徙。雖有舟

甲兵《こうへい》有りと雖も、之を陳《つら》ぬる所無し。
人をして復《ま》た縄を結びて而して之を用い、其《そ》の食を甘《うま》しとし、其の服を美《よ》しとし、其の居に安んじ、其の俗を楽しましむ。鄰国相望《りんごくあいのぞ》み、鶏犬《けいけん》の声相聞《あいき》こゆるも、民は老死に至るまで相往来《あいおうらい》せず。

輿、無所乗之、雖有甲兵、無所陳之。
使人復結縄而用之、甘其食、美其服、安其居、楽其俗。鄰国相望、鶏犬之声相聞、民至老死不相往来。

ふつうに読めば、太古のむかしのユートピアをえがいたものということになりそうである。しかし老子は、はたして外部から閉鎖せられた反文明的・反進歩的な原始共同体としての桃源郷をよしとしているのだろうか。

「其の食を甘しとし、其の服を美しとし、其の居に安んじ、其の俗を楽しましむ」というのは、ひとまず平和な暮らしとみなしてよいとおもう。でも、どうして「民は老死に至るまで相往来せず」などと他者との交流をしりぞけるようなことをいうのだろう？　おたがい干渉しあわないことこそが平和な共存だとでもいいたいのかなあ。

「小国寡民」というのが政策目標である。国家はちいさいほうがよく、人口はすくないほうがよい。

そのことを実現するためには、「什伯の器有るも而も用いざらしめ」というふうに技術革新のもたらす文明の利器は使用せず、「人をして復た縄を結びて而して之を用い」というふうに文字のない社会をたもちつづける。老子は技術革新や情報化ということには反対のようである（技術文明の進歩の功罪については第57章でもちょっとふれた)。

ガンバるのはよいことであり、ガンバらないのはわるいことである、というガンバリズムはよろしくない。それは「努力を量的に蓄積することによって成功をもとめる」といった発想である。

ガンバるというのは、ある目的にむかって全力でつきすすむことである。特定の目的にむかってガンバることはできるだろう。けれども人生の「全体」においてガンバることはできない。必死にガンバって人生を太く短く生きぬくというのもわるくない。だがそういうふうにガンバることが自己目的化したような生きかたは、なにか大事なものを忘れている。

ガンバったりせず、最小限の力でやれることをやれ、と老子はいう。そのためにも技術革新や情報化などに血道をあげることはよろしくない。ただし、そうすると必然的に必要最小限のことしかしなく(できなく)なってしまうけれども。

ぼくは老子に濡《ぬ》れ衣《ぎぬ》をきせているのだろうか。そうでないという自信はない。老子の説くところは、あくまでも譬喩《ひゆ》としてのみとらえておくべきなのかもしれない。

老子の生きた時代は、すでに農業革命をへて文字社会になっていた。いくら反文明をとなえてみたところで、もはや「とりかえし」のつかない状況になっていた。にもかかわらず、あえてこのような反時代的な思想を説くことにはどういう意図があるのだろう? おそらく老子は「進歩によってひとはホントに幸福になったのか?」という問いをつきつけているのだとおもう。

「什伯の器有るも而も用い」ず「舟輿有りと雖も、之に乗る所無く、甲兵有りと雖も、之を陳《つら》ぬる所無し」といった反文明的な政策をとれば、ひとびとは現状の衣食住に満足し、「其の食を甘しとし、其の服を美しとし、其の居に安んじ、其の俗を楽し」むようになる。ほかにどのような衣食住がありうるのかということについての情報がないのだから、それは当然のなりゆきである。

「鄰国相望み、鶏犬の声相聞こゆるも、民は老死に至るまで相往来せず」というように、他国のことを知らないのだから他国へ移住しようという気を起こすものなどいようはずもない。現代では情報がすぐに伝わるから、ひとのグローバルな移動はやたらと頻繁になる（場合によっては難民もふえる）。

現代における技術革新と情報化とはひとびとの欲望を刺激しつづけている。刺激されつづける欲望はついに満足することがない。老子はまるで現代の「欲望の資本主義」のありさまを知っているかのようである。

技術革新や情報化をおこなわなければ、国を大きくする（GDPを増大させる）ことはできないし、人口も増加しない。これが老子の考えで（あり、現代の考えでも）ある。それが人間社会における必然的な自然の法則、すなわち「道」であるということにも一理はあるだろう。

しかしながら現代の日本社会は低成長であり、少子化・人口減少である。道に狂いが生じているのかもしれない。

それでも技術革新や情報化はすすめざるをえない。欲望への刺激はふえつづけ、ひとびとの満足度はさがりつづけるだろう。われわれは道をふみはずしているのだろうか。

81

真実味のある言葉はかざりけがなく、かざりたてられた言葉は真実味がない。

善いひとは口達者ではなく、口達者は善いひとではない。

知恵あるひとはもの知りではなく、もの知りは知恵あるひとではない。

聖人は（おのれのふところに）ためこまない。なにもかも他人のためにさしだしながら、かえって自分のものはますます余りあるようになり、なにもかも他人にほどこしながら、かえって自分のものはますます豊かになる。

天の道は、（万物に）恵みをあたえるばかりで（ひとに）害をくわえることがない。聖人の道は、（万事を）なしとげながら（ひとと）争うことがない。


信言は美ならず、美言は信ならず。

善なる者は辯《べん》ぜず、辯ずる者は善ならず。

知る者は博《ひろ》からず、博き者は知らず。


信言不美、美言不信。

善者不辯、辯者不善。

知者不博、博者不知。

聖人は積まず。既《すで》に以《もっ》て人の為《ため》にして己愈《おのれいよ》いよ有り、既に以て人に与えて己愈いよ多し。

天の道は、利して而《しか》して害せず。聖人の道は、為《な》して而して争わず。

聖人不積。既以為人己愈有、既以与人己愈多。

天之道、利而不害。聖人之道、為而不争。

「信言は美ならず、美言は信ならず」「善なる者は辯ぜず、辯ずる者は善ならず」「知る者は博からず、博き者は知らず」いずれもみな「信と美と」「善と辯と」「知と博と」が一致するという考えを否定しようとしている、とひとまず読むことができる。

ただし、信言はかならず美でない、美言はかならず信でない、善者はかならず辯じない、辯者はかならず善でない、知者はかならず博くない、博者はかならず知らない、と主張しているわけではない。信言が美なこともあるし、美言が信なこともあるし、善者が辯ずることもあるし、辯者が善なこともあるし、知者が博いこともあるし、博者が知ることもある。

信言の集合と美言の集合とは、善者の集合と辯者の集合とは、知者の集合と博者の集合とは、一致しているわけではない。そのことを主張しているだけであって、これらの対《つい》としてあげられている集合それぞれが乖離《かいり》しているのか重複しているのかについてはなんの主張もなされていない。老子は信言と美言とが両立する場合を排除してはいない。老子はすこぶる穏当な主張をしているにすぎない。

老子に「信言は美ならず、美言は信ならず」といわれてしまうと、信言と美言とは相反するのだと断ぜられたような気がして、信言と美言とが一致するとおもっているひとはビックリする。しかし老子はそこまでのことは主張していない。

信言がかならず美でなく、美言がかならず信でないとすれば、老子みずからの言葉が、すなわち『老子』というテクスト自体が、その主張と矛盾してしまう。

老子の言葉はべつに矛盾してはいない。矛盾していないということをしつこく確認するのは、老子みずからの言葉が信言と美言との両立をめざしているからである。

『老子』という書は、道の哲学という「信言」をのべたものである。同時にそれは対句《ついく》や押韻《おういん》といったテクニックがちりばめられ、さらには奇抜な譬喩《ひゆ》にあふれているように、すばらしいレトリックが駆使された、まがうかたなき「美言」である。老子は信言と美言との両立をめざしている。

善者と辯者とについてもおなじく両立をめざしている。老子は『老子』を辯じ、それを善しとしている。知者と博者ともまた両立をめざしている。老子は『老子』において博く知ることと真に知ることとの両立をもとめている。

天の道のはたらきは、万物を生みだしつつも、そこなうことがない。聖人のふるまいは、万事をなしとげつつも、あらそうことがない。天の道や聖人にあっては、さしだしながら余りあるようになり、ほどこしながら豊かになる、ということが矛盾なくなりたっている。

そういう自然の法則にしたがったありかたを、信言でありつつも美言であり、善でありつつも辯じ、知りつつも博いという一書、すなわち『老子』五千言は、いみじくも体現している。

あとがき

ようやくお仕舞いまでたどりついた。

あぶなっかしい足どりではあったが、おおよそ一筋の道を歩いてきたつもりである。これがぼくにとっての『老子』である。

ひととおり読みおえたということは、なんの免罪符にもならない。こうして一冊の本をものしてみても、ぼくにとって『老子』は歯がゆい宝の山でありつづけている——なにが書いてあるかはかろうじてわかる。けれどもその醍醐味《だいごみ》をわかっているとはいえそうもない。

中国の思想は「学説としての理論を立てるのが主旨では無く、直接に現実の政治を指導し道徳を指導しようとしたものであるところにシナ思想の特色があり、従つてそれは普遍性の甚《はなは》だ乏しいものである」（津田左右吉《そうきち》『シナ思想と日本』岩波新書・7頁）と評される。

中国の思想はどこまでも現実について陳弁するにとどまり、ことさら普遍の真理をもとめようとしない。ぼくも漠然とそうイメージしていた。しかし『老子』をひもとくにつけ、その印象はちがうものになってきた。

絶対の真理（たとえば唯一神とか）の存在を信じるならば、世のなかの事象をそこからの「乖《かい》離《り》」としてとらえることになる。真理におさまりきらないかぎり、その乖離はなくなりっこない。そこへゆくと東洋では、世のなかの事象を「変化」においてとらえるから、べつに真理におさまらなくてもよい。

唯一神のような宇宙の原理とでもいうべきものと神秘的に合一するなどして、この世界をこのようであらしめているものを体得しようといった発想は、老子とはおよそ無縁である。ただし、この世界をこのようであらしめている客観的かつ必然的な「自然の法則」をもとめるということにおいて、老子の論ずるところにもまた普遍性はあるとおもう。

いにしえの中国における思想書として『老子』という一書はまことに瞠目《どうもく》すべき出色のものである。もとより俗中の俗物の身でありながら、ぼくはそのことを公言するにはばからない。

ぼくは『老子』をひもとき、読むにしたがって考え、考えるにしたがって書いた。ご覧のとおり、いきおいこの本の書きぶりは「ゆきつもどりつ」のギクシャクしたものにならざるをえなかった。

思想系の著述において重要なのは、その中身のオリジナリティもさることながら、しばしばその反芻《はんすう》可能性にある。それをくりかえし味わいながら、どれくらい自分の頭で考えることができるかということが大事である。

反芻可能性とは、共有可能性であり、修正可能性である。その所論にどれくらい真実性があるかということよりも、それをくりかえし読みながら、どれくらい「なるほど」と膝をたたいたり「そうかな」と首をかしげたりできるかということのほうが、よほど重んじられるべきである。

古いものをただ古いものとしてみているだけだと、いつまでたっても古ぼけたままである。さりとて古いものにあえて新しいものをみいだそうとすると奇をてらってしまう。古いものはほんとうに古いのだろうか。太古から吹きつづけている風はいまも新鮮に頰《ほお》をなでてゆくというのに。

老子の思想がいまも生きつづけているのは、それが古いからである。ぼくは『老子』のもつ新しさには興味がない。新しさがテクストが生きながらえることをきめているわけではない。新しさはむしろ最初に陳腐になるところである。

老子の言葉は古くて謎めいている。古さにうずもれそうになったり、謎におぼれそうになったりしたとき、ぼくは清水明先生にSOSをだし、そのつど助けていただいた。蒙《もう》を啓《ひら》いていただいたといってよい。

老子と清水先生と、ふたりの老師に示教《しきょう》をあおぎながら、ぼくは『老子』をひもといた。そのよろこびをお裾分けするような気分で、ぼくはこの本を書いた。

一冊の本をつくるというのは、たれかへの便りをしたためることに似ている。ぼくの書いたものを気にいってくれるひとりとであえれば、ぼくの営みはむくわれる。

トランスビューの高田秀樹さんとであえたことで、この本は日の目をみることができた。あつく御礼もうしあげる。

この本が、韃靼《だったん》海峡をわたってゆく蝶々のように、もうひとりの読者のこころにとどくことを祈りつつ、ここに筆を擱《お》く。

津軽にて

山田史生しるす

索引にかえて

「語句」索引ではなく「文」索引である。訓読文中より文を摘録し、五十音順にならべる。各音内における配列は章の若い順。文末の数字は章数。文頭の「故に」「是を以て」「是の故に」などは適宜省略する。

あ

い

う

え

お

か

き

く

け

こ

さ

し

す

せ

寂たり寥たり、独立して改まらず、周行して殆れず。【25】

聖人は、終日行けども輜重を離れず。【26】

聖人は、常に善く人を救う。故に人を棄つること無し。【27】

聖人は、甚だしきを去り、奢を去り、泰を去る。【29】

前識は道の華にして愚の始めなり。【38】

清静なるは天下の正為り。【45】

聖人は行かずして知り、見ずして名づけ、為さずして成す。【47】

聖人は常の心無く、百姓の心を以て心と為す。【49】

聖人の天下に在るや歙歙として天下の為に其の心を渾にす。【49】

生の徒、十に三有り、死の徒、十に三有り、人の生きて、動きて死地に之く、亦十に三有り。【50】

生を益すを祥と曰い、心気を使うを強と曰う。【55】

正を以て国を治め、奇を以て兵を用い、無事を以て天下を取る。【57】

正は復た奇と為り、善は復た妖と為る。【58】

聖人は方にして而も割かず、廉にして而も劌らず、直にして而も肆ならず、光ありて而も燿かず。【58】

聖人は終に大を為さず。故に能く其の大を成す。【63】

聖人すら猶お之を難しとす。故に終に難きこと無し。【63】

聖人は、為す無きが故に敗るること無く、執る無きが故に失うこと無し。【64】

聖人は、欲せざるを欲し、得難きの貨を貴ばず。学ばざるを学び、衆人の過ぎたる所を復し、以て万物の自然を輔け、而して敢えて為さず。【64】

聖人は、上に処るも而も民は重しとせず、前に処るも而も民は害とせず。【66】

聖人は褐を被て玉を懐く。【70】

聖人は病ならず。其の病を病とするを以てなり。【71】

聖人は自ら知りて自ら見さず、自ら愛して自ら貴ばず。【72】

聖人は、為して恃まず、功成りて処らず。其の賢れるを見すことを欲せざればなり。【77】

正言は反するが若し。【78】

聖人は、左契を執りて、而も人を責めず。【79】

善なる者は辯ぜず、辯ずる者は善ならず。【81】

聖人は積まず。【81】

聖人の道は、為して而して争わず。【81】

そ

其の鋭を挫き、其の紛を解き、其の光を和らげ、其の塵を同じくす。【4】

夫れ唯だ争わず、故に尤め無し。【8】

載れ営魄の一を抱き、能く離るること無からんか。【10】

其の上は皦ならず、其の下は昧ならず、縄縄として名づく可からず、無物に復帰す。【14】

夫れ唯だ盈たず、故に能く蔽れて新たに成さず。【15】

夫れ物の芸芸たるも、各おの其の根に復帰す。【16】

素を見し樸を抱き、私を少なくし欲を寡なくす。【19】

俗人は昭昭たるも、我独り昏昏たり。【20】

俗人は察察たるも、我独り悶悶たり。【20】

其の精甚だ真、其の中に信有り。【21】

夫れ唯だ争わず。故に天下能く之と争う莫し。【22】

其の道に在けるや、余食贅行と曰う。【24】

其の師を貴ばず、其の資を愛せざれば、智ありと雖も大いに迷う。【27】

其の雄を知り、其の雌を守らば、天下の谿と為る。天下の谿と為らば、常徳離れず、嬰児に復帰す。【28】

其の白を知り、其の黒を守らば、天下の式と為る。天下の式と為らば、常徳忒わず、無極に復帰す。【28】

其の栄を知り、其の辱を守らば、天下の谷と為る。天下の谷と為らば、常徳乃ち足り、樸に復帰す。【28】

夫れ兵は不祥の器にして、物或いは之を悪む。【31】

夫れ人を殺すを楽しめば、則ち以て志を天下に得可からず。【31】

其の所を失わざる者は久し。【33】

其の終に自ら大と為らざるを以て、故に能く其の大を成す。【34】

夫れ礼は忠信の薄きにして乱の首めなり。【38】

夫れ唯だ道のみ善く貸し且つ成す。【41】

躁なるは寒に勝ち、静なるは熱に勝つ。【45】

其の出づること弥いよ遠ければ、其の知ること弥いよ少なし。【47】

其の生を生とするの厚きを以てなり。【50】

其の死地無きを以てなり。【50】

其の兌を塞ぎ、其の門を閉ざさば、身を終うるまで勤れず。其の兌を開き、其の事を済さば、身を終うるまで救われず。【52】

其の光を用いて、其の明に復帰し、身の殃を遺す無し。【52】

其の兌を塞ぎ、其の門を閉ざす。其の鋭を挫き、其の紛を解く。其の光を和らげ、其の塵に同ず。【56】

其の政悶悶たらば、其の民淳淳たり。【58】

其の政察察たらば、其の民缺缺たり。【58】

夫れ唯だ嗇、是を早く服すと謂う。【59】

其の極を知る莫ければ、以て国を有つ可し。【59】

其の鬼、神ならざるには非ず、其の神、人を傷わず。【60】

其の神、人を傷わざるには非ず、聖人も亦人を傷わず。【60】

夫れ軽がろしく諾するは必ず信寡なく、易しとすること多ければ必ず難きこと多し。【63】

其の安きは持ち易く、其の未だ兆さざるは謀り易く、其の脆きは〓け易く、其の微かなるは散らし易し。【64】

夫れ唯だ大なり、故に不肖に似たり。【67】

夫れ慈ならば、以て戦わば則ち勝ち、以て守らば則ち固し。【67】

夫れ唯知ること無し。是を以て我を知らず。【70】

夫れ唯病を病とす。是を以て病ならず。【71】

其の居る所に狎るること無く、其の生くる所に厭くこと無し。【72】

夫れ唯だ厭かず、是を以て厭かず。【72】

夫れ殺を司る者に代わりて殺すは、是を大匠に代わりて斲ると謂う。夫れ大匠に代わりて斲れば、其の手を傷つけざるもの有ること希なり。【74】

夫れ唯だ生を以て為すこと無き者は、是れ生を貴ぶに賢れり。【75】

其の以て之を易うる無ければなり。【78】

た

湛として或いは存するに似たり。【4】

多言なれば数しば窮す。中を守るに如かず。【5】

民を愛し国を治めて、能く為すこと無からんか。【10】

大患を貴ぶこと身の若くす。【13】

孰か能く濁りて以て之を静め、徐ろに清むや。【15】

孰か能く安らかにして以て之を動かし、徐ろに生ずるや。【15】

太上は下之有るを知るのみ。【17】

大道廃れて仁義有り。【18】

澹として海の若く、飂として止まる無きが若し。【20】

孰か此を為す者ぞ、天地なり。【23】

大制は割かず。【28】

足るを知る者は富む。【33】

大道は氾として、其れ左右す可し。【34】

大象を執りて、天下に往けば、往きて害あらず。【35】

大丈夫は其の厚きに処りて其の薄きに居らず、其の実に処りて其の華に居らず。【38】

夷らかな道は纇れたるが若し。【41】

大方は隅無し。【41】

大器は晩成す。【41】

大音は声希なり。【41】

大象は形無し。【41】

足るを知れば辱しめられず、止まるを知れば殆うからず。【44】

大成は缺くるが若きも、其の用弊れず。【45】

大盈は沖しきが若きも、其の用窮まらず。【45】

大直は屈せるが若く、大巧は拙なるが若く、大辯は訥なるが若し。【45】

足るを知るの足るは常に足る。【46】

大道は甚だ夷らかなるに、而るに民は径を好む。【53】

民に利器多くして、国家滋ます昏し。【57】

大国を治むるは小鮮を烹るが若し。【60】

大国は下流なり。【61】

大国以て小国に下れば則ち小国を取り、小国以て大国に下れば則ち大国を取る。【61】

大国人を兼ねて畜わんと欲するに過ぎず、小国は入りて人に事えんと欲するに過ぎず。【61】

大なる者宜しく下ることを為すべし。【61】

民の事に従うや、常に幾んど成らんとするに於いて之を敗る。【64】

民の治め難きは、其の智多きを以てなり。【65】

民に上たらんと欲せば、必ず言を以て之に下り、民に先んぜんと欲せば、必ず身を以て之に後る。【66】

民威を畏れざれば、則ち大威至る。【72】

民死を畏れざれば、奈何ぞ死を以て之を懼れしめん。【74】

民の饑うるは、其の上の税を食むことの多きを以てなり。【75】

民の治め難きは、其の上の為す有るを以てなり。【75】

民の死を軽んずるは、其の上の生を求むることの厚きを以てなり。【75】

高き者は之を抑え、下き者は之を挙げ、余り有る者は之を損らし、足らざる者は之を補う。【77】

孰か能く余り有りて以て天下に奉えん。唯だ道有る者のみ。【77】

大怨を和するも、必ず余怨有り。【79】

ち

驰騁畋猟は人の心をして狂を発せしむ。【12】
寵辱に驚くが若くす。【13】
寵を下と為す。【13】
智慧出でて大偽有り。【18】
中士は道を聞かば、存るが若く亡きが若し。【41】
朝は甚だ除められ、田は甚だ蕪れ、倉は甚だ虚しきに、文綵を服し、利剣を帯び、飲食に厭き、財貨余り有り。【53】
長生久視の道なり。【59】
智を以て国を治むるは、国の賊なり。智を以てせずして国を治むるは、国の福なり。【65】

つ

常に欲無くして以て其の妙を観、常に欲有りて以て其の徼を観る。【1】
常に民をして無知無欲ならしめ、夫の知者をして敢えて為さざらしむ。【3】
常を知らざれば、妄作して凶なり。【16】
企つ者は立たず、跨ぐ者は行かず。【24】
常に善く物を救う。故に物を棄つること無し。【27】
強めて行う者は志有り。【33】
常に殺を司る者有りて殺す。【74】

て

天地は仁ならず。万物を以て芻狗と為す。【5】
天地の間は、其れ猶お橐籥のごときか。【5】
天は長く地は久し。【7】
天地の能く長く且つ久しき所以の者は、其の自ら生きんとせざるを以てなり。【7】
天門開闔して、能く雌と為らんか。【10】
天地すら尚お久しき能わず、而るを況んや人に於てをや。【23】
天下を取りて之を為めんと将欲すれば、吾其の得ざるを見るのみ。【29】
天下は神器なり。為む可からざるなり。為めんとする者は之を敗り、執えんとする者は之を失う。【29】
天地相合し、以て甘露を降し、民之に令する莫くして自ずから均し。【32】
天は一を得て以て清く、地は一を得て以て寧く、神は一を得て以て霊に、谷は一を得て以て盈

と

咎は得んと欲するより大なるは莫く、禍は足るを知らざるより大なるは莫し。【46】

徳を含むことの厚きは、赤子に比う。【55】

徳有るものは契を司る。徳無きものは徹を司る。【79】

な

名の名づく可きは常の名に非ず。【1】

名無し、天地の始めには。【1】

名有り、万物の母には。【1】

為す無きを為さば、則ち治まらざる無し。【3】

名も亦既に有れば、夫れ亦将に止まるを知らんとす。止まるを知らば殆うからざる可し。【32】

名と身と孰れか親し。【44】

為す無くして而も為さざる無し。【48】

為す無きを為し、事とする無きに事え、味わい無きを味わう。【63】

為す者は之を敗り、執る者は之を失う。【64】

は

万物並び作るも、吾以て復るを観る。【16】

樸散ずれば則ち器と為る。【28】

果たして矜る勿く、果たして伐る勿く、果たして驕る勿く、果たして已むことを得ず、果たして強なること勿し。【30】

樸は小なりと雖も、天下能く臣とする莫きなり。【32】

始め制られて名有り。【32】

万物を衣養するも、而も主と為らず。【34】

万物は陰を負い陽を抱き、沖気は以て和することを為す。【42】

甚だ愛しめば必ず大いに費え、多く蔵すれば必ず厚く亡う。【44】

万物は道を尊びて徳を貴ばざる莫し。【51】

早く服す、之を重ねて徳を積むと謂う。【59】

万物草木の生くるや柔脆、其の死するや枯槁なり。【76】

ひ

美の美為るを知るは、斯れ悪なるのみ。【2】

ふ

へ

ほ

ま

み

む

め

も

や

是れ人を殺すを楽しむなり。【31】

ゆ

有の以て利を為すは、無の以て用を為せばなり。【11】

悠として其れ言を貴る。【17】

よ

能く古始を知る。是を道紀と謂う。【14】

予として冬に川を渉るが若く、猶として四隣を畏るるが若く、儼として其れ客の若く、渙として冰の将に釈けんとするが若く、敦として其れ樸の若く、曠として其れ谷の若く、混として其れ濁れるが若し。【15】

窈たり冥たり、其の中に精有り。【21】

善く行くものは轍迹無く、善く言うものは瑕讁無く、善く数うるものは籌策を用いず。【27】

善く閉ざすものは関楗無くして而も開く可からず、善く結ぶものは縄約無くして而も解く可からず。【27】

善き人は善からざる人の師、善からざる人は善き人の資なり。【27】

善くせる者は果たすのみ。敢えて以て強を取らず。【30】

欲あらずして以て静かならば、天下将に自ずから定まらんとす。【37】

善き者は、吾之を善しとし、善からざる者も、吾亦之を善しとす。【49】

善く生を摂むる者は、陸を行きて兕虎に遇わず、軍に入りて甲兵を被ず。兕も其の角を投ずる所無く、虎も其の爪を措く所無く、兵も其の刃を容るる所無し。【50】

善く建つる者は抜けず、善く抱ける者は脱ちず。【54】

善く士為る者は武ならず。【68】

善く戦う者は怒らず。【68】

善く敵に勝つ者は与せず。【68】

善く人を用うる者は之が下と為る。【68】

り

六親和せずして孝慈有り。【18】

鄰国相望み、鶏犬の声相聞こゆるも、民は老死に至るまで相往来せず。【80】

ろ

琭琭玉の如きを欲せず、珞珞石の如し。【39】

わ

哲《てつ》学《がく》として読《よ》む
老《ろう》子《し》 全《ぜん》訳《やく》

二〇二〇年一一月二〇日　初版第一刷発行
二〇二二年七月二〇日　初版第二刷発行

著　者　山田史生《やまだふみお》

発行者　工藤秀之
発行所　株式会社トランスビュー
東京都中央区日本橋人形町二-三〇-六
郵便番号　一〇三-〇〇一三
電話　〇三(三六六四)七三三四
URL http://www.transview.co.jp

装　丁　鈴木千佳子
印刷・製本　モリモト印刷

ISBN978-4-7987-0179-0 C0010

物語として読む
全訳論語
決定版
山田史生

他人から学ぶ
ばかりで自分で
考えなければ、
その知は浅い。
自分で考える
ばかりで他人から
学ばなければ、
その知は狭い。

四六判並製　592ページ
本体 2200円
ISBN978-4-7987-0169-1

人生のモヤモヤをときほぐす、清新な現代語訳＋エッセイ風解説

孔子と弟子の生き生きとしたやりとりを
楽しみながら、最後まで読める!